CW00760585

DEUX GOUTTES D'EAU

Jacques Expert a été grand reporter à France Inter et France Info pendant 14 ans. Il a ensuite été producteur et rédacteur en chef pour TF1, puis directeur des magazines de M6 et directeur général adjoint de Paris-Première. Il est aujourd'hui directeur des programmes de RTL. Jacques Expert est l'auteur entre autres de *Ce soir je vais tuer l'assassin de mon fils*, adapté à la télévision, et de la série documentaire « Verdict » sur France 5.

JACQUES EXPERT

Deux gouttes d'eau

SONATINE ÉDITIONS

Prologue

Sophie avait sursauté au contact du gel glacé que le professeur Catherine Daout, chef du service de maternité-obstétrique à l'hôpital Saint-Vincent-de-Paul, avait étalé sur son ventre rebondi. Le docteur Daout avait insisté pour pratiquer l'examen en personne. Cette échographie était aussi sa victoire à elle, médecin réputé autoritaire et obstiné. N'avait-elle pas poussé par son insistance, parfois presque contraint, ce couple qu'elle avait pris en affection à ne pas renoncer, après tant d'échecs et de déceptions ?

Sophie suivait des yeux l'étrange appareil en forme de poire que la doctoresse promenait sur son ventre.

Elle avait eu la confirmation qu'elle était enceinte trois mois plus tôt. Aujourd'hui, 15 mars, avait lieu la première échographie. Elle avait imaginé cet instant, en avait rêvé depuis des années. À présent, c'était arrivé. Pourtant, elle avait du mal à réaliser, et à profiter pleinement de ce moment tant attendu.

Sa main droite agrippait avec force celle de Philippe, debout à ses côtés. Tous deux tendaient à présent leur

7

regard en direction de l'écran sombre où s'agitaient des formes auxquelles ils ne comprenaient rien.

Le médecin avait senti la jeune femme tressaillir. Elle lui adressa un sourire, heureuse de vivre ce moment avec elle. Elle savait par quelles épreuves et par quelles déceptions le couple était passé depuis des mois et des mois. Cela faisait quatre ans maintenant qu'elle les accompagnait dans leur volonté d'avoir un enfant. Elle avait partagé leurs espoirs, leurs déconvenues. Toutes ces fécondations qui avaient échoué, qui leur faisaient dire avec désespoir qu'ils n'y parviendraient jamais. Tous ces moments de tristesse et d'extrême lassitude, où ils évoquaient devant leur médecin l'idée de l'adoption. Une seule fois, Catherine Daout avait été tout près de se résigner avec eux, mais elle avait trouvé la force, les mots, pour les pousser à continuer. De ce trio soudé qu'ils avaient fini par former, elle était celle qui y croyait le plus. Elle avait déjà vu des miracles s'opérer et leur promettait toujours qu'il se produirait pour eux aussi. Alors, ils laissaient passer quelques mois et refaisaient une nouvelle tentative.

La septième, après six essais infructueux, avait été la bonne et, maintenant, dans une émotion partagée, Catherine Daout explorait le ventre de Sophie avec application.

« Il est là ! s'exclama Philippe en posant le doigt sur l'écran.

— Non, non, Philippe, répondit calmement Catherine. Je n'y suis pas encore. Enlevez votre main, je ne vois rien.

— J'avais cru..., fit-il d'un ton d'excuse.

— *Vous êtes un impatient, monsieur Deloye !* » gronda le docteur avec amusement, en rechaussant ses lunettes.

Elle déplaça l'appareil de quelques centimètres sur le ventre de Sophie, l'immobilisa comme si elle avait enfin trouvé ce qu'elle cherchait, descendit sur le pubis, puis remonta doucement, marqua un temps d'arrêt un peu long, le regard soudain sérieux. Elle reprit son exploration avec application, balayant une large surface enduite de gel.

Sophie l'avait vue plisser les yeux. Elle sentait l'insistance avec laquelle elle déplaçait son appareil, comme si quelque chose la troublait.

La peur s'empara d'elle. Encore une mauvaise nouvelle, bien sûr. Ils en avaient connu tellement ces dernières années, comment pourrait-il en être autrement ? Elle se souvenait encore du désespoir glacé qui l'avait saisie à ce moment. Du bout des lèvres, elle demanda : « *Vous voyez quelque chose ?*

— *Oui, Sophie, je vois parfaitement, maintenant. Regardez, ils sont là.*

— *Quoi, ils sont ?* » s'exclama Philippe.

Sophie avait déjà compris.

« *Philippe, mon amour, nous allons avoir des jumeaux*, dit-elle de sa voix douce.

— *Des jumeaux... C'est... C'est...*

— *C'est formidable ! conclut le docteur. Je m'en doutais depuis quelque temps, mais je préférais avoir la confirmation par l'échographie d'aujourd'hui pour vous l'annoncer. En revanche, il faudra attendre pour savoir s'ils sont monozygotes. Là, c'est encore trop tôt.* »

Elle tapota avec douceur la main de la jeune maman : « Il va falloir encore de la patience, ma petite Sophie.

— Monozygotes ?

— Cela veut dire qu'ils sont issus du même œuf. Ce qu'on appelle de vrais jumeaux...

— Ils vont se ressembler, alors ? »

Une question un peu enfantine, la seule qui soit venue à Philippe.

« Mon Dieu, murmura Sophie. Montrez-les-moi, docteur.

— Regardez, ils sont là. Si je ne me trompe pas, ce sont des petits garçons », précisa Catherine Daout.

Elle se concentra à nouveau sur l'écran, déplaçant le curseur.

« À ce stade de votre grossesse, celui-là mesure dix centimètres et trois millimètres. Il est tout petit et déjà vigoureux. Regardez comme il s'agite ! »

Philippe crut deviner. Promptement, il posa à nouveau son index et il lança : « Je le vois !

— Non, Philippe, vous n'y êtes pas. »

Le docteur Catherine Daout déplaça la petite flèche qui se promenait sur l'écran :

« Voici le premier, là. Le second est juste derrière. Il se cache bien, le coquin. J'ai failli le rater ! Ils sont minuscules mais regardez comme ils bougent déjà. Le deuxième remue les pieds. On dirait presque qu'il veut passer devant son frère ! Eh bien, je peux vous assurer qu'ils ne manqueront pas de caractère en grandissant ! »

Malgré sa concentration, Sophie ne percevait rien de cette agitation dans son ventre. Elle le caressa. Puis se mit à sangloter, unissant ses larmes à celles de Philippe et de leur médecin. Tous trois partageaient le même bonheur.

1

« Il est neuf heures, un flash d'information. Une jeune femme assassinée à coups de hache à Boulogne-Billancourt... »

Assis à l'avant du véhicule, le commissaire division-naire Robert Laforge se tient droit, raide, comme dans une volonté de compenser sa petite taille et son buste court. Il tend l'oreille, la voix du journaliste est grave quand il annonce : *« Exclusivité RTL : une jeune femme de vingt-sept ans a été trouvée assassinée à son domicile de la rue Carnot à Boulogne-Billancourt, en banlieue parisienne, baignant dans son sang. Ce sont les voisins, alertés par des cris, qui ont averti la police. La mort serait due à plusieurs coups de hache, dont l'un, fatal, au niveau du crâne. L'enquête a été confiée à la police judiciaire... »*

Tout cela est à peu près exact. Si ce n'est que la réalité est encore pire : la jeune femme que vient de voir le commissaire Laforge a été massacrée.

Et décapitée.

Le domicile en question est un deux-pièces situé au troisième étage, au numéro « 20 » de la rue Carnot. La jeune femme s'appelle Élodie Favereau.

Alerté vers trois heures du matin par le commissariat central, Laforge avait rejoint son adjoint le commissaire Étienne Brunet, qui l'avait précédé sur les lieux. La scène de crime était intacte, rien n'avait été déplacé, et personne n'avait touché au corps, conformément aux ordres du divisionnaire. La jeune femme était nue sous un peignoir blanc noirci de sang. Une jambe pâle s'en échappait, laissant apparaître une entaille sur la cuisse. Un autre coup avait été porté sous la poitrine, là où reposait sa main droite.

Effectivement, comme l'a dit le journaliste à la radio, le corps baignait dans une mare de sang. Mais ce n'est pas cela qui avait impressionné le commissaire. Il en avait tant vu dans sa longue carrière de flic, rien ne semblait plus pouvoir l'horrifier aujourd'hui… Ce qui l'avait laissé sans voix, c'était la tête coupée de la jeune femme, posée sur la table basse. Elle avait été placée toute droite, soigneusement, elle penchait à peine. Coincé à la base du cou, un cendrier l'empêchait de basculer. Le visage était orienté en direction de la porte d'entrée. Les longs cheveux bruns ensanglantés avaient été ramenés sur son visage, comme si on avait voulu le cacher. Le commissaire avait été le premier à les écarter, du bout des doigts. D'une de ses mains gantées, il avait maintenu la tête. De l'autre, il avait écarté les mèches coagulées, avec d'infinies précautions. Alors, il avait découvert le visage d'une jolie jeune femme aux traits fins, aux yeux d'un noir intense. Volontairement, sans aucun doute, son assassin ne les avait pas refermés.

L'impression qui se dégageait de cette mise en scène était sans équivoque : le tueur l'avait placée là comme un trophée.

Les gars de la scientifique étaient arrivés vers sept heures. Tout le monde, les flics qui avaient fouillé l'appartement de la jeune femme et relevé des empreintes déjà parties au labo, avait alors dû dégager. Mais pas lui. Incapable de se détacher de cette scène de crime atroce, éprouvant un besoin primordial de s'en imprégner, il était resté assis sur une chaise de paille, un peu à l'écart, comme aux aguets. Autour de lui la police scientifique continuait de s'affairer, dans son ballet parfaitement ordonné et silencieux. Deux hommes en combinaison blanche passaient l'appartement au crible, centimètre après centimètre, tandis qu'un autre multipliait les clichés. Ce rituel l'impressionnait à chaque fois, même s'il faisait partie de ces flics qui préféreront toujours se fier à leur intuition qu'à la technologie.

Laforge était là depuis plus d'une heure quand l'un d'eux, qui s'était présenté comme le chef, s'était approché de lui. Il avait ôté ses larges lunettes de protection, puis d'une voix monotone, comme s'il lisait un simple rapport de police, avait annoncé à Laforge qu'ils n'avaient relevé qu'une seule trace d'empreintes. « Probablement celles de la décédée. En revanche, il y a des traces de sang dans le siphon de la baignoire et nous avons des cheveux qui ne sont pas ceux de la décédée. On aura un ADN, commissaire. »

Laforge n'avait pas aimé ce type et sa façon de répéter « décédée ». Il s'était contenté de lui demander de continuer à chercher. L'autre, avec une assurance agaçante, avait répondu :

« On ne trouvera rien de plus, commissaire. On range ! »

Laforge s'apprêtait à lui rentrer dans le lard, mais son portable avait sonné.

C'était Étienne Brunet, son adjoint. Il appelait depuis le commissariat tout proche de Boulogne. L'information qu'il avait à lui communiquer était une bombe : la caméra de surveillance placée à l'angle de la rue Carnot et de l'avenue André-Morizet avait saisi l'image d'un homme sortant de l'immeuble à 22 h 02. La capuche qui lui dissimulait en partie le visage était retombée au moment où il se penchait pour glisser un objet enveloppé dans un tissu taché de sang dans la bouche d'égout, en face du numéro cinq de la rue. Sur l'image, on le voyait la remettre d'un geste vif, en jetant des regards de part et d'autre, vérifiant s'il avait été vu par des passants. Puis il s'éloignait rapidement, tête baissée. Brunet exultait au téléphone : « Son visage est parfaitement reconnaissable. La bouche d'égout est juste sous un lampadaire. Le type s'est fait choper comme un con ! »

En quittant les lieux, deux heures et demie plus tard, précédant dans l'escalier étroit le corps de la jeune victime que l'on emporte jusqu'à l'ambulance, le divisionnaire se dit simplement que cette affaire va être rapidement résolue.

Un vrai con, en effet. De toute façon, à ses yeux, les assassins en général ne sont rien d'autre que des imbéciles. Celui-là n'échappe pas à la règle. Après tant d'années de carrière, tant d'enquêtes menées à bien, pas un seul de tous ceux qu'il a pu observer, même les plus coriaces ou les plus futés, n'a eu droit de sa part au moindre respect, à la moindre admiration.

Tous se font choper, tout simplement parce que ce sont des imbéciles.

Malgré tout, il lui tarde d'être face à celui qui s'est acharné sur Élodie Favereau. Il est impatient de voir le visage d'un homme qui a été capable de faire ça, curieux d'entendre ses aveux. Impatient aussi de le voir s'effondrer devant les preuves, une maigre compensation. Cette affaire, tout horrible qu'elle soit, n'est déjà presque plus qu'une péripétie. Dans quelques jours, elle sera oubliée, un succès de plus à ajouter à la longue liste des affaires classées.

La pauvre fille elle-même ne l'intéresse déjà plus vraiment.

Il faudra contacter les parents. C'est Garlantezec qui ira les prévenir. Garlan est un vieux briscard. Il saura trouver les mots.

Dans la voiture, le commissaire éteint l'autoradio. À sa gauche, Jean-Pierre, son chauffeur depuis plus de dix ans, ne fait aucun commentaire. Il sait que dans ces moments-là, il est préférable de ne pas poser de questions. Laforge est un sanguin et il déteste être devancé par la presse. Cette histoire de jeune femme décapitée a filtré un peu vite et il faut s'attendre à ce que les journalistes fassent le siège du commissariat dès aujourd'hui. Même s'ils connaissent Laforge et savent qu'il ne leur lâche jamais rien.

Tandis que la Laguna grise aux vitres fumées remonte l'avenue Édouard-Vaillant par la voie réservée aux bus, le commissaire s'agace. Il commence à en avoir vraiment marre de ces flics qui informent la presse. Il a beau leur répéter de fermer leur gueule, ça

17

ne rate jamais, il y en a toujours un pour l'ouvrir. Rien de trop grave pour le moment, d'accord, aucune information sensible n'a été divulguée, mais ça ne devrait tout simplement pas arriver. Il va encore falloir qu'il rappelle toute l'équipe à l'ordre.

Maintenant, énervé comme il est, il se retient d'ouvrir sa vitre en grand pour insulter ce type en Vélib' qui occupe la voie devant eux, indifférent à la sirène que le chauffeur a mise en marche pour le forcer à s'écarter. À croire qu'il le fait exprès. S'il n'était pas pressé de gagner le commissariat, le divisionnaire lui flanquerait bien la trouille de sa vie. Ou il le coincerait pour lui mettre une amende carabinée. Entrave à véhicule prioritaire. Il se contente de le regarder faire un écart pour se garer, freiner en catastrophe, manquer de tomber, lorsque Jean-Pierre le dépasse en le serrant à le frôler. Par la vitre entrouverte, il l'entend protester. « On t'avait dit de te garer, connard ! » lance-t-il au passage. L'autre hurle de plus belle. Dans le rétroviseur, le commissaire le voit appuyer de toutes ses forces sur les pédales, la tête en avant, pour les rattraper.

« OK, coince-moi ce guignol », ordonne-t-il à son chauffeur. Jean-Pierre ralentit, laisse approcher l'homme à vélo. À l'instant où celui-ci arrive à leur niveau, il donne un léger coup de volant à droite. Le cycliste freine si fort qu'il manque à nouveau de basculer sur le trottoir. Laforge lâche un sourire, serre les poings de satisfaction.

Jean-Pierre a fait ce que son patron lui a dit de faire, sans discuter. Il s'est toujours demandé comment un homme aussi petit et ventripotent pouvait dégager autant d'autorité naturelle. Combien mesure-t-il, sans ses talonnettes ? Les gars s'en amusent souvent, à la PJ. Lui parie toujours pour 1,60 m et 80 kilos. Mais ce genre de plaisanteries, on ne les fait pas en présence du chef. Celui-là est sacrément rancunier, et peut être une vraie peau de vache.

Tout en regardant dans le rétroviseur le cycliste occupé à relever le numéro de la voiture, Jean-Pierre écoute Laforge sans broncher : « Je ne supporte pas ces merdeux en Vélib', qui croient que le monde leur appartient. Ça lui apprendra à respecter la police nationale ! »

Il voit son chef baisser la glace et dresser un doigt d'honneur. Le type fulmine en prenant des passants à témoin. Le commissaire inspire longuement l'air frais de ce matin de mars.

« Allez, remets la sirène et fonce », ordonne-t-il.

2

Le commissaire divisionnaire Robert Laforge n'est pas assez prompt. Il laisse à nouveau filer l'image à l'instant où apparaît le visage de l'homme saisi par la caméra de surveillance. Cela dure moins de deux secondes, avant que l'homme ne détourne la tête, un brin affolé, et ne remette sa capuche. Il est parfaitement identifiable.

Laforge s'emmêle avec la télécommande. Il remonte trop loin en arrière, puis dépasse à nouveau le moment où le suspect jette le paquet enveloppé dans les égouts. Il lâche un juron de dépit. Le lieutenant Pauchon tend la main, dans un geste qui signifie « laissez-moi faire, commissaire ». Laforge l'ignore, et laisse la vidéo se redérouler depuis le début. Pour la troisième fois.

Un type grand et mince sort de l'immeuble. Son visage est dissimulé par l'ombre de la capuche de son sweat-shirt gris. Il porte un jean et des baskets. Il semble calme, hésite entre prendre à droite ou à gauche. Visiblement, il cherche la direction de la bouche de métro par laquelle on le verra disparaître plus tard, sur une autre caméra de surveillance. Dans sa main, il tient un objet d'une trentaine de centimètres enveloppé dans une étoffe gris foncé. La hachette avec laquelle l'assassin a tué Élodie Favereau. Elle a été retrouvée immédiatement, coincée dans l'ouverture de la bouche d'égout, dans un essuie-main gris. Le sang sur la lame a été aussitôt analysé. C'est celui d'Élodie.

À cette heure, la rue est encore pleine de monde, la circulation toujours dense. Personne ne s'intéresse à lui. Il avance, le regard fixé sur le bord du trottoir. On le voit s'accroupir entre deux voitures garées et introduire le paquet dans la fente, la lame la première. C'est à cet instant, au moment où il se relève, que la capuche glisse.

Cette fois, le commissaire arrête l'image avant que, dans un réflexe nerveux, l'homme ne cache à nouveau son visage. Le visage est parfaitement net.

De la main droite, Laforge effleure l'avant-bras de l'homme assis à ses côtés. Il est grand, si mince qu'il en paraît maigre, le visage émacié et pâle, le nez long et fin. Ses cheveux blonds sont soigneusement coupés, à l'exception d'un étrange épi sur la tempe droite, que le coiffeur semble s'être appliqué à épargner.

De la main gauche, index pointé, Laforge désigne l'image figée. Il affirme, plus qu'il ne demande :

« C'est bien toi, ça ? »

Le jeune homme relève la tête, fixe l'image, demeure un instant silencieux. Puis il se contente de redire ce qu'il ne cesse de répéter depuis une heure :

« Je n'ai pas tué Élodie. Je le jure. »

Alors, il éclate en sanglots, enfouissant son visage dans ses deux mains.

« Arrête de chialer, ordonne le commissaire. C'est trop tard maintenant. Elle est morte. *Kaput !* Tu te souviens que tu lui as coupé la tête ?

— Je le jure…, parvient-il à dire en reniflant.

— Tu le jures sur qui ? Sur le cadavre de cette pauvre fille ? »

Le hurlement que pousse le jeune homme est si puissant qu'il traverse les murs du commissariat jusqu'au rez-de-chaussée. La main ferme de Pauchon l'oblige à rester assis.

« Arrête de gueuler », ordonne Laforge, en le saisissant par le menton pour le forcer à le regarder.

Tout ce que le commissaire lit dans ses yeux, c'est une détresse extrême. Mais cela non plus, ça ne l'impressionne pas. Il poursuit, impassible : « Tes braillements ne la feront pas revenir et ne font pas de toi un innocent. Arrête ton cinéma et raconte-nous plutôt ce qui s'est passé. »

Robert Laforge se tourne vers les trois hommes qui sont avec lui dans la pièce : « Quelles larmes de crocodile ! On peut dire qu'il ne manque pas de culot, notre ami ! » Il ajoute dans un murmure, comme pour lui seul : « Je n'ai jamais vu quelqu'un nier à ce point l'évidence. » À nouveau, il attrape le jeune homme par le menton pour l'obliger à le regarder dans les yeux : « Je vais te résumer la situation, mon garçon. Le type que tu as vu sur l'image, c'est toi. Un aveugle te reconnaîtrait. »

Les trois autres gloussent, attendent, savourent. Sûr, cet enfoiré va se faire écrabouiller par le patron. Dans ces moments-là, il est irrésistible. Sans leur prêter attention, le commissaire poursuit : « Ce que tu as jeté dans le caniveau, c'est cette hachette. » Il frappe du plat de la main le sac de plastique transparent posé sur la table devant lui. « Regarde ! » ordonne-t-il encore. Mais le jeune homme résiste. Il faut que Laforge lui donne un petit coup sur la tête pour qu'il se soumette.

« Cette hachette, nous l'avons retrouvée à l'endroit où tu t'en es débarrassé. Entre nous, c'était pas très malin. Moi, à ta place, j'aurais pris le large et je me serais débarrassé de l'arme plus loin, dans un coin discret. Il a fallu que tu fasses ça pile devant les caméras ! Mais enfin, on va pas se plaindre que tu sois vraiment con… Et tu vois le sang sur la lame, là ? C'est celui de ta copine Élodie. Ta gonzesse. Incroyable, non ? » Il poursuit avec une égale fermeté : « Je ne sais pas pourquoi, j'ai comme l'intuition que le labo va aussi y trouver des traces de ton ADN à toi. Alors ne nous prends pas pour des cons. Ces trois messieurs ici présents te le diront : je n'aime pas ça. Allez, dites-lui, les gars, avant que je m'énerve ! »

Les trois acquiescent de concert. L'un d'eux murmure avec écœurement : « Putain, quel lâche, ce mec. »

Ce mec, il s'appelle Antoine Deloye. Il a vingt-huit ans.

Voilà ce que les flics savent : Antoine Deloye est – était – le petit ami d'Élodie Favereau depuis deux ans. Chacun vivait chez soi, elle à Boulogne, lui à Paris, dans le seizième. Il travaille depuis trois ans au siège d'un établissement bancaire de la Défense, comme analyste financier. Très bons revenus. Aucun antécédent judiciaire. Ses collègues le décrivent comme un homme sympathique, calme, bon relationnel. Mais redoutable, impitoyable, dans le boulot. « Mais, ici, on a intérêt à l'être », avait précisé Cécile Doussière, son boss. Elle avait parlé de lui comme d'un collaborateur promis à un bel avenir. Il avait fallu insister pour qu'elle finisse par leur donner une estimation de ses revenus annuels, proches des cent vingt mille euros par an.

C'est à son bureau, dans un grand open space en pleine effervescence, que le commissaire Brunet et le lieutenant Pauchon sont venus le cueillir, à 14 h 35. Ils étaient venus chercher un témoin, l'ami de la victime. Ils étaient repartis avec un coupable. En le voyant, à son bureau, ils avaient immédiatement reconnu l'homme de la vidéo, mais n'en avaient rien laissé paraître. Brunet avait appelé son patron sur-le-champ, pour lui expliquer la situation.

« Tu lui fous les menottes.

— Devant tout le monde ?

— C'est lui, tu me dis ?

— Aucun doute, c'est le mec de la vidéo.

— Alors, tu embarques ce fumier comme il le mérite », avait ordonné le divisionnaire.

Dans un premier temps, dans la salle soudain plongée dans un silence total, Antoine Deloye les avait suivis sans discuter, semblant ne pas comprendre ce qui lui arrivait. Indifférent aux regards de ses collègues, il avait seulement demandé ce qui se passait et, avant de quitter les lieux, avait donné des instructions rapides et précises à une de ses voisines pour qu'elle s'occupe du compte d'un certain Nageotte, qui voulait vendre ses actions AXA. Il était resté muet dans l'ascenseur. C'est au cours du trajet qu'il avait commencé à s'agiter. Il s'était mis à protester, réclamant des réponses à ses questions. Qu'est-ce qu'on lui voulait ? De quel droit lui avait-on passé les menottes devant tout le monde comme à un criminel ? Où l'emmenait-on ? « Vous le saurez bientôt », s'était contenté de répondre Brunet. Enfin, le jeune homme avait semblé commencer à paniquer lorsque les policiers avaient mis la sirène pour progresser plus rapidement dans la circulation dense. Il n'avait rien à se reprocher, avait-il affirmé pour la première fois, suppliant presque. Ses protestations s'étaient heurtées à un mur.

Le trouver n'avait posé aucune difficulté. Le père d'Élodie avait expliqué qu'elle avait un fiancé, avait donné son nom, son adresse, l'endroit où il travaillait à la Défense. « Ils étaient ensemble depuis un bon moment, ça avait l'air sérieux », avait-il confié à Garlantezec, qui avait été chargé comme prévu d'aller annoncer la nouvelle aux parents. Le capitaine avait passé sous silence la façon dont leur fille avait été massacrée, se bornant à dire qu'elle avait été retrouvée assassinée dans son appartement de Boulogne. L'enquête ne faisait que commencer, mais ils arrêteraient celui qui avait commis ce crime affreux, avait-il promis. Le père ne semblait pas prendre conscience de l'ampleur du drame qui venait de foudroyer sa famille. Il avait parlé d'Antoine en termes élogieux. « Nous ne le connaissons pas beaucoup, on les voyait peu, mais il nous avait fait très bonne impression quand Élodie nous l'a présenté, au début de l'année. » Il avait bredouillé qu'ils parlaient de mariage. Le pauvre garçon savait-il qu'Élodie était morte ? avait-il demandé d'un ton inquiet. Quand il avait prononcé ce mot, la mère avait poussé un hurlement, comme si elle venait à cet instant seulement de prendre conscience de ce qui était arrivé à sa fille. Jusque-là, elle s'était tenue silencieuse, le regard dans le vague, assise sur une chaise de paille, à l'écart dans la salle à manger. Garlantezec leur avait promis qu'ils pourraient voir rapidement le corps d'Élodie, il avait serré la main du père, murmuré quelques platitudes de circonstance à la mère, et il était sorti, les abandonnant à leur douleur.

En réalité, il s'était enfui. Il ne supportait plus ces moments-là.

Le divisionnaire n'avait rien laissé paraître lorsqu'on avait introduit Antoine dans son bureau. Il avait échangé un regard entendu avec Brunet. L'affaire était bouclée, c'était limpide pour eux. De mémoire de brigade, les choses n'auraient jamais été réglées aussi vite.

Immédiatement, ce qui les avait frappés chez le jeune homme, élégant et plutôt sûr de lui, c'étaient ses yeux, si clairs qu'ils étaient presque transparents. Plus tard, Brunet confiera à son chef que, d'entrée, il l'avait trouvé inquiétant.

Depuis qu'il était entré, Antoine n'avait cessé de demander ce qui se passait, ce qu'on lui voulait. Pourquoi lui avait-on passé les menottes devant tout le monde ? Il répétait encore et encore qu'on ne trouverait aucune malversation dans ses comptes. Il avait même eu le toupet de glisser qu'il avait plein de boulot, et pas de temps à perdre.

Robert Laforge l'avait fait asseoir dans son bureau, seul, lui avait proposé un café. Après cela, il avait annoncé : « Vous n'êtes pas à la financière, monsieur Deloye, mais à la police criminelle. »

Il avait ajouté, calme et amical : « Mes hommes n'auraient pas dû vous passer les menottes. Acceptez mes excuses. »

Mais Antoine Deloye s'était contenté de répondre qu'il voulait, qu'il « exigeait » qu'on lui dise pourquoi il était là.

« Il va falloir être courageux, monsieur Deloye. »

Le divisionnaire guettait sa réaction, mais le jeune homme était resté étrangement calme. Il attendait, les yeux écarquillés.

« Est-ce que vous connaissez Élodie Favereau ?

— Bien sûr que oui, c'est mon amie. » Puis, après un court silence : « Nous allons nous marier. »

D'un coup, il s'était inquiété : « Il s'est passé quelque chose ? »

Le commissaire Laforge avait ouvert le dossier posé sur son bureau, en avait extrait une photo, l'avait tendue à Deloye. Le corps de la jeune femme, décapité. Le jeune homme avait hurlé, s'était pris la tête à deux mains. Il était secoué de sanglots, ses jambes s'étaient mises à trembler dans un affolement incontrôlable et, dans son agitation, il avait glissé de sa chaise, tombant presque à genoux sur le sol.

En le forçant à se relever, le commissaire lui avait remis la photo sous le nez : « Et c'est vous, monsieur Deloye, qui avez fait ça. »

Alors, il avait fait défiler la vidéo. Antoine Deloye était parfaitement identifiable.

À présent, il interpelle les policiers qui attendent dans le couloir.

« Vous me mettez ce monsieur en garde à vue. »

Il explique au jeune homme, comme un professeur le ferait avec un élève turbulent : « La garde à vue commence à l'heure où on vous a passé les menottes sur votre lieu de travail. C'est la procédure... Disons 14 h 35 ?

— Qu'est-ce que ça signifie ? demande le jeune homme, effondré sur sa chaise.

— Que vous restez avec nous le temps que nous fassions toute la lumière sur l'assassinat d'Élodie Favereau, qui a été tuée hier soir à coups de hache dans son appartement de Boulogne par un putain de salopard. Voilà ce que cela signifie, monsieur Deloye. »

Le jeune homme réagit à peine à l'attaque. Le commissaire poursuit d'un ton plus neutre : « À partir de maintenant, vous avez droit à l'assistance d'un médecin et d'un avocat.

— Un avocat ? Mais pour quoi faire ? s'étonne le jeune homme d'une voix blanche.

— C'est la procédure.

— Je n'ai pas besoin d'avocat ! »

Laforge se garde d'insister, trop heureux de l'aubaine. La question le traverse un instant de savoir si ce type est un véritable abruti ou s'il le prend pour un imbécile. Qu'importe. Sans attendre, il lui tend un formulaire :

« Vous devez signer ce PV de notification de mise en garde à vue. Il est indiqué que vous renoncez à l'assistance d'un avocat et d'un médecin. J'insiste, monsieur Deloye : c'est la procédure ! » Il ajoute, un brin narquois, déjà triomphant, le doigt posé sur le bas de la page : « Ici, c'est ici qu'il faut signer... »

Antoine Deloye s'exécute sans poser de questions.

« Bien, bien... », approuve le divisionnaire.

« Et maintenant ? s'inquiète Deloye, livide, les yeux rougis.

— Maintenant, monsieur Deloye, nous allons suivre la procédure.

— La procédure ? Qu'est-ce que ça veut dire ?

— Je vous explique : d'abord le commandant Pelletier, ici présent, va relever votre salive puis prendre les empreintes de vos dix doigts et de la paume de vos deux mains. Ensuite vous serez placé en salle d'interrogatoire. Voilà, ce n'est pas plus compliqué que cela, monsieur Deloye... »

Les instants qui suivent, aucun des hommes présents dans la pièce ne les oubliera.

Antoine pose les paumes de ses deux mains sur la table. Il dit :

« Épargnez-vous les empreintes digitales. Regardez, je n'en ai pas. »

Laforge saisit sa main gauche et la tire vers lui. Effectivement, l'extrémité des doigts est lisse, sans la moindre strie. Penché à ses côtés, Brunct fronce les sourcils : « Putain, c'est la première fois que je vois ça ! »

D'une voix posée, Antoine leur explique : « Je suis né comme ça. Même mes plantes de pied sont lisses. C'est une maladie génétique qui se développe pendant la grossesse. Vous pourrez vérifier : ça s'appelle l'adermatoglyphie. Ce n'est pas vraiment une maladie, juste un gène mutant, rien de grave. C'est extrêmement rare et il a fallu que ça tombe sur moi… »

Il poursuit, du même ton docte, un peu pédant : « Ma mère disait que son grand-père était pareil… » Puis, présentant à nouveau ses mains, il ajoute : « Maintenant, si vous tenez à prendre mes empreintes, je n'y vois aucun inconvénient, mais ça ne donnera rien.

— Nous vérifierons ça », se contente de répondre Laforge. Il parvient à dissimuler son trouble, cette colère qu'il a sentie monter d'un coup en lui, et poursuit :

« Pour le moment, il va falloir répondre à nos questions, monsieur Deloye. Et avouer.

— Mais avouer quoi ?

— Que vous avez assassiné Élodie Favereau. »

Antoine Deloye le dévisage d'un air incrédule, plantant ses yeux translucides dans ceux du commissaire, comme s'il ne parvenait pas à comprendre ce qu'il vient d'entendre. Et, soudain, ses jambes se mettent à trembler de manière convulsive, frappant de plus en plus violemment le rebord de la table en fer. Les chocs doivent être douloureux, mais le jeune homme paraît les ignorer. Comme hypnotisé par ce mouvement incontrôlable, sourd aux injonctions de Laforge de reprendre ses esprits, il regarde ses cuisses s'agiter frénétiquement. Le divisionnaire fait signe à ses hommes de ne pas intervenir, et ils attendent que l'ouragan s'apaise. Alors seulement, émergeant du chaos, Antoine Deloye lève la tête en direction du commissaire et redit, comme on énonce une évidence : « Je n'ai pas tué Élodie. »

« Conduisez-le en salle d'interrogatoire », ordonne Laforge à ses hommes sans autre commentaire.

À cet instant, Laforge et ses hommes sont convaincus qu'ils tiennent le coupable.

Ils l'interrogent depuis deux heures maintenant, et n'ont obtenu que des refus entêtés de reconnaître quoi que ce soit. Et des larmes.

Laforge a suffisamment de preuves pour l'envoyer devant le juge. Mais il n'est pas satisfait. Ce qu'il voudrait, c'est obtenir des aveux. Laforge hoche la tête d'un air de dépit complice : « Bon, allez, raconte, conseille-t-il, et nous te laisserons tranquille. Tu dois avoir de bonnes raisons pour avoir fait ça. Explique-toi, nous en tiendrons compte. » Il ajoute, compréhensif : « Qu'est-ce qu'elle t'avait fait ? Elle te trompait ?

— Je l'aimais… »

Laforge se tourne vers ses hommes.

« Nous y voilà, c'est un crime passionnel ! » s'exclame-t-il. L'ironie est à peine perceptible.

« Pitié…, souffle le jeune homme.

— Pitié ? Tu es pathétique, conclut le commissaire. Si je ne me retenais pas, je te foutrais la gueule en sang. Estime-toi chanceux », lui crache-t-il au visage en étalant sur le bureau les photos de la jeune femme. Il exhibe celle où l'on voit sa tête posée sur la table basse, ses yeux morts grands ouverts.

« Regarde, putain, regarde !

— Ce n'est pas moi, répète Antoine Deloye, ses yeux trop clairs envahis par les larmes.

— Et c'est qui, alors ? réplique Laforge.

— C'est Franck, lâche Antoine, dans un murmure à peine audible.

— Franck ? Tiens, voilà du nouveau ! Et qui c'est, ce Franck ?

— Mon frère. Mon frère jumeau. C'est lui… Forcément… »

Il s'effondre en sanglots. Des pleurs aussi glaçants que ses dénégations obstinées.

3

Debout derrière la vitre sans tain, une main sur la hanche tandis que l'autre pianote sur sa cuisse, le commissaire divisionnaire Robert Laforge observe Antoine. Le jeune homme a posé ses avant-bras sur la table, ses yeux délavés sont fixés sur la caméra face à lui. Il se tient ainsi depuis de longues minutes, parfaitement immobile, sans ciller, le regard absent. Il semble perdu, proie d'une réalité et de questions qui le dépassent. Pourtant, en cet instant, le commissaire ne perçoit dans son attitude que du défi.

« Putain, je le trouve flippant, ce mec », s'exclame Brunet, qui a pris place sur une chaise à côté de Laforge.

Il est si grand, près de 2 mètres, qu'il a à peine besoin de relever la tête pour s'adresser à son chef. Cela fait plus de vingt ans qu'ils travaillent ensemble. Laforge l'a toujours entraîné dans son sillage, au gré de ses mutations et de ses promotions. Il est arrivé à Brunet d'hésiter. Pourquoi ne pas faire sa propre route, se démarquer de ce chef intransigeant, parfois même ingrat ? Sa femme l'y encourageait. Elle lui a si souvent reproché de rester prisonnier des ambitions de ce chef despotique, affirmant qu'il méritait mieux, valait largement Laforge. Mais, à chaque fois, Brunet avait pris le parti de suivre Laforge dans son ascension, et jamais il n'avait cherché à le dépasser. « Mes centimètres me suffisent », s'amuse-t-il avec les collègues. Non pas qu'il se plaise à rester dans l'ombre, soumis au petit homme nerveux et pressé, simplement parce qu'il est considéré comme l'un des meilleurs enquêteurs de la PJ. Au contraire, il n'hésite pas à hausser le ton, quand il le juge nécessaire. Il est loin d'être aux ordres, comme certains le croient, et il s'applique à profiter des mutations de Laforge pour monter en grade, ce qui l'a conduit, autant à l'ancienneté qu'au mérite, au grade de divisionnaire, lui aussi. Il aurait pu s'affranchir, suivre son propre chemin, s'éloigner de ce chef envahissant, obéissant aux injonctions pressantes de sa femme. Pourtant, à un moment, il a fait son choix : il ferait sa carrière au côté de Laforge, avec le même grade mais dans son ombre – et, dorénavant, sa femme le laisse en paix avec ça. Brunet avance, professionnel, bosseur. Sans états d'âme. Et porté par la conviction que Laforge a autant besoin de lui que lui a besoin d'un leader.

C'est une des raisons pour lesquelles Laforge l'a choisi : il ne supporte pas les hésitants, ceux qui se posent trop de questions, discutaillent pour un oui ou pour un non. Brunet est de ceux qui n'ouvrent leur gueule que lorsqu'ils ont quelque chose à dire.

Ils forment un drôle de couple, que tout semble séparer – bien davantage que ces quarante centimètres dont plus aucun flic ne plaisante. Tous se sont habitués à ce duo atypique. Le nain bedonnant et le géant, deux fortes personnalités. Étrangement, leur complicité, en dépit des années passées ensemble, est toujours restée strictement professionnelle. Il n'a jamais été question d'amitié entre eux. Un respect mutuel, forgé par les années et marqué d'engueulades dont le souvenir résonne encore aux oreilles de certains. Chacun, en dehors du commissariat, mène sa vie de son côté, et jamais ils n'ont mis les pieds l'un chez l'autre. Tout juste si, à l'occasion, ils partagent un café au bar du coin. Ils n'y parlent que boulot.

Brunet poursuit : « Qu'est-ce qu'il cherche, à ton avis ?

— Je ne sais pas. J'ai vérifié, sa putain de maladie génétique existe vraiment. On dirait qu'il a bien préparé son coup. C'est un malin, ce type.

— C'est incroyable, ce truc d'empreintes… Il a dû croire que c'était l'idéal pour le crime parfait… Mais il a oublié les caméras ! et l'ADN ! Un coup à la con, si tu veux mon avis… Qu'est-ce qu'il espère ?

— Brouiller les pistes. Créer la confusion. Nous foutre dans la merde.

— C'est lui qui est dans la merde, Robert. Et jusqu'au cou. Comment croit-il s'en sortir ? Il ne pense pas qu'on va gober son histoire de frangin ? »

Après un silence, Brunet poursuit : « Qu'est-ce que tu attends pour passer le bébé au parquet ? »

Ce n'est pas un reproche, une simple remarque, teintée de curiosité.

« Je veux ses aveux, Étienne. Ce mec est tordu, je veux le voir s'allonger. J'attends qu'il lâche et qu'il nous raconte comment il a pris son pied en jouant au boucher avec sa copine. Et puis, je voudrais quand même bien voir la tronche de ce frangin.

— On ne serait pas dans la merde s'ils se ressemblaient comme deux gouttes d'eau… », plaisante Brunet.

Ça ne fait pas rire Laforge. Il se rembrunit, prêt à l'envoyer se faire foutre mais, à cet instant, Pauchon fait irruption dans la pièce restée ouverte. Le jeune lieutenant a rejoint la brigade quatre mois plus tôt. Il est en nage, mais semble content de lui. Il brandit un sac de plastique transparent. Les deux commissaires comprennent aussitôt.

« Eh ben voilà, s'exclame Brunet. Avec ça, je ne vois pas ce qu'il te faut de plus pour l'envoyer chez le juge.

— On l'a trouvé chez lui, plié au fond d'un tiroir, explique le lieutenant. Garlantezec m'a demandé de venir vous le montrer fissa. Il m'a dit que ça allait vous plaire. »

Laforge a reconnu d'un coup d'œil le vêtement. Celui que porte Deloye sur la vidéo.

Pauchon enfile des gants, déplie un sweat-shirt de coton gris, avec une capuche, le hume. « Ça sent la lessive. Il est tout propre.

— Ce salopard l'a lavé et repassé après avoir tué sa gonzesse, commente Brunet.

— Et les pompes ? demande le divisionnaire d'un ton neutre.

— On a trouvé deux paires. Les deux identiques à celles qu'il porte sur la vidéo. »

Brunet triomphe : « Et nickel, je parie.

— Comme neuves, chef ! Ce mec prend vraiment les flics pour des brêles ! »

D'un mouvement du menton, il désigne l'homme de l'autre côté de la vitre. Toujours immobile, le regard figé.

« Épargnez-nous vos commentaires, lieutenant, tonne Laforge. Allez porter tout ça au labo. Les baskets aussi. Ça m'étonnerait qu'on ne retrouve pas de trace du sang de la fille. Allez, on se grouille ! »

Hervé Pauchon n'a pas conscience que son patron commence déjà à bouillir. Il poursuit, souriant : « Notre gars, il est bon pour le juge. Hein, patron ?

— Casse-toi ! » lance le divisionnaire en faisant un pas vers lui.

Le lieutenant voit Brunet, qui n'a pas quitté sa chaise, poser la main sur l'avant-bras de Laforge, comme pour le retenir, et perd contenance. Il ne va quand même pas me foutre son poing dans la gueule ? se demande-t-il en fourrant précipitamment le blouson dans le sac. Il recule, sort en hâte. En sécurité dans le couloir, il prend à témoin le capitaine Delamotte, la mine déconfite : « Il est complètement chtarbé, le patron. »

À peine a-t-il prononcé ces mots qu'une vive douleur à l'abdomen l'oblige à s'appuyer contre le mur. Il reprend son souffle, et attend qu'elle s'apaise.

« Ça ne va pas ? s'inquiète Delamotte.

— Si, si… Pas de problème. Juste un coup de mou. »

Delamotte n'insiste pas. Chacun sa merde, et quand il s'agit du patron, mieux vaut ne pas se mêler des affaires des autres. Ses propres soucis lui suffisent bien.

De toute façon, Pauchon n'a pas envie de s'épancher. La douleur se réveille chaque fois qu'il est en proie à une forte tension, il a appris à être patient. Très vite, il se redresse, puis il file au labo.

Laforge, lui, ne décolère pas : « Demain, tu me débarrasses de ce petit con », ordonne-t-il à son adjoint. Brunet sait qu'il est inutile d'insister quand son chef est dans cet état d'esprit. Inutile de chercher à défendre le lieutenant. Il laisse passer quelques secondes, attend que son patron s'asseye. Puis il reprend : « Robert, je crois que nous avons suffisamment d'éléments pour l'envoyer devant le juge. C'est lui, ça ne fait aucun doute. »

Ensemble, ils se tournent vers l'homme de l'autre côté de la vitre. Son regard n'est plus fixé sur la caméra mais sur eux, comme s'il savait qu'ils sont là, derrière le miroir, en train de l'observer. Il hoche la tête, presque suppliant, les yeux embués de larmes qu'il laisse couler sans les essuyer. Ses mains s'accrochent à la table.

« Putain, c'est un sacré comédien, lâche Brunet.

— C'est sûr, concède Robert Laforge.

— Alors, débarrasse-toi de lui. Pourquoi attendre ?

— Pas encore. Je veux lui parler.

— Laisse faire le juge. Il n'avouera pas. Pas maintenant.

— Je sais.

— Alors, à quoi bon ? Tu perds ton temps, et il est cuit, de toute façon.

— Tu as sans doute raison, Étienne…

— Et donc ? Je ne pige pas…

— Je veux voir son frère. »

4

Le commissaire Brunet se lève, déploie son immense carcasse et s'approche de la vitre sans tain. Il grimace.

Il voit la porte de la salle de garde à vue s'entrouvrir et le divisionnaire se planter dans l'embrasure. Laforge reste là quelques secondes, comme s'il évaluait l'homme qui lui offre son dos et ses sanglots.

Il l'entend murmurer, sans se retourner : « Je n'ai rien fait. Je vous le jure, monsieur le commissaire. »

Brunet suit des yeux Laforge dans sa progression silencieuse à travers la salle d'interrogatoire. Il le voit desserrer sa cravate noire, ouvrir le col de sa chemise grise, tout en le contournant. Debout, il est à peine plus grand que le jeune homme. Il s'installe face à lui, de l'autre côté de la table. Il laisse passer quelques instant puis déclare : « J'ai largement de quoi t'envoyer en taule, mon garçon. Et pour perpète. Il vaudrait mieux que tu me racontes tout. Nous tiendrons compte du fait que tu as avoué. »

Combien de fois Brunet a-t-il entendu cette phrase ? Les aveux, les juges n'en tiennent jamais compte, il le sait d'expérience.

Antoine Deloye ne réagit pas. Inerte, le regard perdu, les yeux mouillés, il se contente de répondre d'une voix lasse, comme s'il avait compris que son sort était scellé :

« Jamais je n'aurais fait de mal à Élodie.

— Tu l'as tuée.

— Non. Je vous l'ai dit. Ce n'est pas moi, c'est mon frère.

— Parle-moi un peu de ton frère.

— Franck ?

— C'est ton frère jumeau, tu as dit ? Des vrais jumeaux ?

— Nous sommes jumeaux, mais nous ne sommes pas frères, commissaire.

— Tiens donc ? Explique-moi ça.

— Notre ressemblance est seulement physique. Physique, et rien de plus.

— Vous êtes différents ?

— Très différents, commissaire. Franck est un être mauvais.

— Mauvais ? Raconte-moi, qu'est-ce que tu veux dire par mauvais ? »

À ce moment-là, Deloye se fige. Il semble aller puiser sa résolution tout au fond de lui, effrayé par ce qu'il s'apprête à dire. Il a vingt-sept ans et, pourtant, ce que Brunet voit à travers la vitre, c'est l'image d'un enfant perdu, les yeux rouges à force d'avoir pleuré, déjà cernés par l'épreuve des premières heures de garde à vue.

« Je l'aimais, souffle le jeune homme.

— Ton frère ?

— Non, Élodie.

— Ton frère, parle-moi de lui », répète le commissaire.

Antoine Deloye relève la tête et lui répond d'une voix à peine audible, si ténue que le commissaire doit se pencher pour l'entendre.

« Je crois que mon frère et moi, nous n'avons jamais été de vrais jumeaux, en fait. On parle toujours de cette complicité, de ces liens spéciaux qui unissent des jumeaux, vous voyez ? Par exemple, quand l'un est malade, l'autre l'est aussi. Les secrets de l'un qui n'existent pas pour l'autre, ce genre de choses. J'ai lu plein de trucs là-dessus. J'aurais tellement aimé avoir un vrai jumeau, un vrai frère. Mais pour nous deux, c'est tout le contraire. Ça n'a jamais existé avec Franck. J'en suis même arrivé à me dire qu'il n'y a jamais eu la moindre affection entre nous. Nos parents sont morts il y a dix ans. S'ils étaient encore de ce monde, ils vous le diraient : enfant déjà, tout petit, il était méchant, faux, et sournois. Vous ne pouvez pas imaginer ce que Franck a fait endurer à mes parents. Et moi, je le savais, même si je n'en avais pas conscience. Mais mes parents ont mis beaucoup de temps à s'apercevoir qu'il était comme cela. J'imagine à quel point c'est dur de se rendre compte que son enfant est mauvais, on ne peut pas admettre ça. Ils fermaient les yeux, ils refusaient de voir. Et lui, il a bien profité de leur naïveté. Ce n'est pas que c'était toujours moi qui trinquais, ce serait mentir de dire ça, il était trop malin. Mais vous ne pouvez pas savoir les sales coups qu'il m'a faits, les punitions que j'ai subies à cause de lui. Pendant toute mon enfance, j'ai dû me protéger. Mais je continuais à le croire, à lui faire confiance, je ne pouvais pas penser qu'il était si différent, on se ressemblait tellement... Mes parents ont compris tard, trop tard, sa vraie nature. Ils en ont affreusement souffert. Quand ils ont été mis face à la réalité, ça a explosé. Cette fois-là, ils l'ont foutu dehors. Et c'est horrible à dire, mais ils étaient soulagés, vous ne pouvez pas imaginer à quel point. Franck a eu l'air de comprendre que le vent avait tourné et, cette fois-là, il n'a rien tenté pour les faire changer d'avis, il n'a pas essayé de rejeter la faute sur moi, comme il le faisait toujours. Je suis sûr que s'il s'était excusé, s'il les avait suppliés, ils auraient cédé. Mais non, ce jour-là, il est parti en les traitant de tous les noms, il hurlait qu'il ne voulait plus d'eux comme parents. Vous vous rendez compte, il a même dit qu'il attendait juste qu'ils crèvent, pour toucher leur pognon... »

Le silence s'installe.

« Que s'était-il passé, ce jour-là ? » questionne Robert Laforge d'un ton doux, presque complice.

Derrière la vitre, Brunet n'est pas dupe de la douceur de son patron. Il le connaît trop bien, il sait qu'il ne croit pas un mot de la version que lui sert Deloye. Il est toujours frappé de voir comment, dans ces moments-là, cet homme toujours si prompt à se mettre dans des colères disproportionnées est capable de se contenir et de donner le change. Souvent, il explose juste après. Dans l'immédiat, il joue le jeu de son adversaire et hoche la tête en l'écoutant débiter ses salades. Il attend le faux pas. L'instant où il se trahira. Un adversaire, c'est bien ainsi qu'il le voit. Il le lui a répété maintes fois, il n'éprouve jamais la moindre empathie face à ces fumiers. Pour Laforge, les circonstances atténuantes ne changent rien à l'affaire : un meurtrier, c'est un fumier.

Antoine ne tique pas. Il reste silencieux. Brunet le dévisage avec une attention extrême. Derrière la vitre sans tain, il ne peut être vu, pourtant il sent les yeux translucides de Deloye se planter dans les siens. Un regard si puissant et si résolu qu'il peine à le soutenir et manque de se détourner.

Il est impressionné par la façon dont Deloye passe de l'abattement et des larmes douloureuses à la plus extrême froideur, dans un territoire où, d'un coup, toute émotion semble exclue. C'est ce qu'il trouve le plus inquiétant chez lui.

Antoine prend le verre de plastique posé devant lui, le porte à ses lèvres. Il boit lentement, une gorgée à peine, puis reprend, la voix un peu plus forte, plus assurée : « Ce jour-là, Franck a tué notre chien, un setter irlandais, et il m'a accusé d'être le coupable. Voilà ce qui s'est passé ce jour-là, commissaire.

— Je vois… Et comment l'a-t-il tué, raconte-moi ça ?

— À coups de hache. Mon père a trouvé la tête de la pauvre bête posée sur son établi, dans le garage. Le sang était tout frais, il y en avait partout. Le corps était sur le plancher, la hache abandonnée contre le mur. »

Brunet entend Laforge poser la question qui lui brûle les lèvres : « Et comment tes parents ont-ils su que c'était lui qui avait fait ça ?

— Parce que je n'aurais jamais fait une chose pareille. Ils le savaient. »

Le commissaire n'insiste pas.

« Et ensuite ?

— Ensuite ?

— Oui, que s'est-il passé alors ? Continue ton histoire.

— Ensuite, c'est comme si mon père avait réalisé d'un coup que Franck était un monstre. Il s'est jeté sur lui. Il s'est mis à le frapper des deux poings en pleine figure. Franck est tombé, il saignait. Mon père s'est acharné sur lui à coups de pied. Si ma mère et moi n'étions pas intervenus, qui sait ce qui se serait passé. Franck a trouvé la force de se relever et c'est à ce moment-là qu'il s'est mis à les injurier, il leur a dit qu'il voulait qu'ils crèvent. Il était bien amoché. Il s'est traîné jusqu'à la porte, il m'a traité de sale cafard. Mon père hurlait, il disait qu'il aurait voulu ne jamais avoir un tel fils, qu'il ne voulait plus le voir, puis il s'est tourné vers nous et il nous a annoncé qu'à partir de ce jour, Franck n'existait plus. Il a attrapé ma mère par les épaules, il l'a forcée à le regarder dans les yeux, elle, elle pleurait, elle était épouvantée, il lui a dit : "S'il revient, je le tue. Désormais je n'ai plus qu'un seul fils." Je me souviendrai toute ma vie de ces mots. »

Antoine s'interrompt à nouveau, le temps d'éponger son front ruisselant de sueur, et il reprend son monologue : « Franck est parti, il a disparu. Mes parents ne l'ont jamais revu. Ils étaient tellement abattus et déçus, ils n'ont jamais cherché à le retrouver, je pense qu'ils se sentaient trahis. Ils ne voulaient plus de lui. Et pas très longtemps après, neuf ou dix mois plus tard, ils sont morts. Ils ne l'ont jamais revu…, répète-t-il dans un murmure.

— Ils sont morts jeunes. Qu'est-ce qui s'est passé ?

— Ils ont été asphyxiés pendant leur sommeil. Le poêle qui était dans leur chambre s'est mis à cracher du monoxyde de carbone, apparemment. Un défaut d'entretien, a dit l'assurance.

— Et toi ?

— Moi, je dormais au rez-de-chaussée. J'ai eu de la chance, le gaz est resté confiné à l'étage. On aurait pu tous y passer. »

Ouais, et si ça se trouve l'accident n'était pas un accident, espèce de petit malin, se dit Brunet. Même s'il ne peut pas voir son visage, il est convaincu que son patron pense comme lui. Il l'entend approuver :

« Effectivement, tu as eu de la chance. Ça a dû être terrible ?

— Terrible ? Bien pire que ça : ça m'a anéanti. Je me suis senti foudroyé, vraiment détruit. J'avais à peine seize ans et je venais de perdre les deux seules personnes qui me restaient. Vous êtes capable de comprendre ça, commissaire ? » conclut-il sur un ton de défi.

Comme Laforge ne réagit pas à l'attaque, Deloye poursuit, d'une voix hésitante :

« Pendant des années, Franck les avait rongés de l'intérieur. Après l'avoir renvoyé, ils avaient retrouvé le goût de vivre. Sans lui, nous étions heureux. En paix. Voilà toute l'histoire, commissaire. Mon frère est un être malfaisant. Profondément mauvais. Mais je n'aurais jamais pensé… »

Antoine Deloye se prend la tête entre ses mains. Il sanglote. Sans un mot, Laforge se lève et se dirige vers la porte, l'abandonnant à ses larmes.

« Et… Et, lance-t-il entre deux sanglots.

— Quoi ? demande Laforge sur le pas de la porte.

— Franck est même venu à leur enterrement. Tout le monde savait que mes parents n'auraient pas souhaité sa présence, mais personne n'a voulu intervenir. Il s'est assis au premier rang, à côté de moi, et, à un moment, il m'a même pris la main. N'empêche…

— N'empêche ? l'encourage Laforge.

— Franck n'a pas versé une seule larme. C'était comme si ces funérailles étaient sa revanche…

— Vous avez vu votre frère récemment ? » glisse le commissaire, comme si la question n'avait pas grande importance.

Antoine Deloye réfléchit durant quelques secondes. « Récemment ?… » répète-t-il, comme pour lui seul. Puis, avec une expression de douleur énigmatique, il réplique :

« Trop… Trop récemment… Franck ne m'a jamais perdu de vue… Il n'est jamais loin de moi.

— Qu'est-ce que tu veux dire exactement ? relève Laforge.

— Rien… Des frères restent des frères… »

Laforge n'insiste pas. Sans un mot, il saisit la main d'Antoine et la menotte au pied scellé de la table de fer.

« Pourquoi faites-vous ça ? » s'insurge le jeune homme.

Laforge ne répond rien. Il sort sans se retourner et referme doucement la porte. Brunet soupire. Pourquoi son chef en est-il resté là, pourquoi n'a-t-il pas continué à le faire parler, pas cherché à en savoir davantage ? Mais il connaît les façons de procéder de Laforge. Progresser pas à pas, laisser croire à son adversaire qu'il garde la maîtrise du jeu, pour mieux l'abattre ensuite. Il va à sa rencontre dans le couloir. « Alors ? Qu'est-ce que tu penses de tout ça ?

— J'en pense qu'il m'a pris pour un con. Pas plus compliqué que ça. Ces histoires avec son frère, c'est vraiment un peu gros. Tu en dis quoi ?

— Ah ça, on le voit venir avec ses gros sabots. Je ne sais pas comment tu as fait pour ne pas lui rentrer dans le lard.

— Il faut qu'on voie le frangin », coupe le commissaire divisionnaire.

C'est à ce moment précis que Delamotte surgit, à l'extrémité du couloir.

« Patron ! Y a un Franck Deloye qui vous demande à l'accueil, les gars disent que c'est le portrait craché de l'autre malade !

— Eh ben voilà, il suffit de demander ! Le serial killer de chien attend dans l'entrée ! »

Brunet a lâché ces derniers mots comme un défi amusé. Son chef ne s'est pas laissé abuser par l'assassin d'Élodie Favereau.

Ce 27 août, il faisait une chaleur à crever sur Paris. L'orage qui tardait à venir rendait l'air moite. La pluie aurait rafraîchi la capitale mais, comme retenue dans des nuages sombres, elle refusait de tomber. Trempé de sueur, Philippe Deloye remontait le boulevard Raspail au volant de sa Fiat rouge. Il gueulait, klaxonnait, faisait de grands signes, se faufilait dans la circulation dense, s'infiltrant dans les voies de bus, grillant les feux. Bloqué au carrefour de la rue de Rennes, il jaillit de sa voiture pour demander aux automobilistes de lui ouvrir le passage, expliquant que sa femme allait accoucher et qu'il fonçait à l'hôpital. Le visage de Sophie, assise à l'avant, grimaçant de douleur, était suffisamment convaincant. En réalité, elle ne souffrait pas à ce point, mais elle avait hâte d'arriver à l'hôpital Saint-Vincent-de-Paul.

Hâte de faire la connaissance de ses jumeaux. Au fond d'elle-même, mais jamais elle ne l'aurait avoué, il lui tardait d'en être délivrée. Ils lui pesaient, ils s'étaient tant agités dans son ventre. Les derniers jours avaient été insupportables, avec cette chaleur étouffante.

Et sans doute avaient-ils hâte, eux aussi, de sortir et de découvrir le monde, se disait-elle.

Sophie avait trente-quatre ans, Philippe deux de plus, et enfin, ils allaient voir naître leurs premiers enfants, après huit années de mariage. Depuis le jour de cette échographie où le docteur Daout leur avait appris qu'ils allaient être parents de jumeaux, ils s'étaient préparés avec ferveur. Ils avaient lu tous les livres possibles sur la gémellité, écouté des dizaines d'avis qui, s'ils n'avaient pas à proprement parler apaisé leurs inquiétudes, avaient fait grandir leur impatience. Ils avaient repeint d'un blanc immaculé l'unique chambre de leur petit appartement. C'est là que les garçons dormiraient, eux déménageaient dans le clic-clac du salon. Au-dessus de chaque lit à barreaux, ils avaient peint les prénoms qu'ils avaient choisis pour leurs fils. Le premier qui naîtrait s'appellerait Franck et le second, Antoine.

À 18 h 28, la voiture passa la barrière de l'hôpital.

Il fallut finalement une césarienne pour délivrer la maman, le 28 août, à 3 h 58. Sophie était si épuisée qu'elle eut juste le temps d'embrasser ses deux fils, de serrer Philippe en larmes et « tellement heureux », avant de s'endormir sous l'effet cumulé de la péridurale, des analgésiques et, surtout, de la fatigue. Le professeur Daout, l'anesthésiste et les infirmières avaient tenté jusqu'au bout de la faire accoucher par les voies naturelles, mais, au milieu de la nuit, ils avaient fini par se résoudre à pratiquer une césarienne, bien que les bébés, répétaient-ils, se présentaient parfaitement bien. Après avoir recousu l'incision, ils confièrent à Philippe qu'ils étaient surpris qu'elle n'ait cessé de hurler, malgré la péridurale. Ils mettaient cela sur le compte de la peur. « C'est étrange, lui expliqua le docteur Daout, qui avait tenu à être présente tout au long du travail, si Sophie avait suivi nos indications et poussé comme nous le lui demandions, nous aurions pu éviter la césarienne. Mais le principal est là : vous avez deux beaux garçons ! » Elle prit Philippe dans ses bras et ajouta avec émotion :

« Nous avons bien fait de nous accrocher, non ? Soyez heureux, maintenant. Vous méritez votre bonheur !

— Merci, docteur... Nous savons tout ce que nous vous devons, nous ne l'oublierons jamais. Merci, merci.

— C'est une joie pour moi aussi, Philippe.

— Mais ces enfants, ce sont aussi les vôtres. Sans vous...

— Allons, allons, murmura-t-elle, au bord des larmes, je n'ai fait que mon travail. Profitez bien de vos petits.

— Vous nous avez sauvés, docteur.

— Bon, bon... Alors, comment s'appellent ces deux trésors ? reprit Catherine Daout d'une voix ferme.

— Franck et Antoine.

— Il ne faudra pas vous tromper ! » plaisanta-t-elle, désireuse d'éloigner l'émotion qui s'était emparée d'elle.

Sophie se réveilla à 10 h 42. Elle aperçut d'abord Philippe, debout près d'elle, affichant un air de félicité totale. Comme si le sourire béat qu'il avait eu à la naissance des jumeaux ne devait plus jamais s'effacer de son visage. Puis elle baissa les yeux sur les deux berceaux, de part et d'autre du lit. Elle tournait la tête, passant de l'un à l'autre, curieuse et attentive.

« Donne-les-moi », demanda-t-elle.

Lorsque Philippe les posa sur la poitrine de sa femme, les deux petits se mirent à pleurer de concert. « Ah, ce sont bien des jumeaux ! » jubila-t-il en les embrassant à tour de rôle, avant de déposer un long baiser sur les lèvres de Sophie.

Quand elle lui demanda lequel était né le premier, Philippe dut admettre qu'il n'en savait rien. Dans l'agitation qui avait entouré la césarienne, personne ne s'en était préoccupé, ou tout au moins pas lui.

Elle mit la main sur le petit qui s'agitait sur son sein droit et déclara : « Toi, tu seras Franck. » Philippe avait pris le deuxième : « Et voilà Antoine. C'est incroyable comme ils se ressemblent ! avait-il poursuivi, tout joyeux. Ils sont magnifiques !

— Comment va-t-on faire pour les reconnaître ? » répondit Sophie à mi-voix, avant de replonger dans le sommeil.

Elle n'entendit pas Philippe s'étonner de la couleur si claire, un peu inquiétante, de leurs yeux. Avec le temps, s'était-il rassuré, ils vireraient au bleu, comme ceux de leur maman.

Une infirmière pénétra dans la chambre et, souriante, lui dit gentiment que c'étaient leurs premiers jumeaux de l'été. Elle repartit en poussant les deux berceaux de plexiglas. « Il faut que votre dame se repose », expliqua-t-elle gaiement. Elle reparut quelques secondes plus tard.

« Vous pouvez venir avec moi, monsieur Deloye ? »

Philippe la suivit dans le couloir et l'infirmière lui montra les deux berceaux :

« On a oublié de leur passer un bracelet à leur naissance, dit-elle avec embarras. Je suis désolée, pouvez-vous me donner leurs noms ? »

Philippe était fatigué par sa nuit, mais surtout trop heureux pour que quoi que ce fût puisse le contrarier.

« Celui de droite, c'est Franck, l'autre, Antoine », répondit-il avec assurance.

Quelle importance ? se dit-il en lui-même.

Dehors, de grosses gouttes se mirent à tomber, tandis que l'orage engloutissait la capitale dans l'obscurité.

5.

Le commissaire divisionnaire Robert Laforge et son adjoint Étienne Brunet se vantent souvent d'en avoir vu, en trente ans de carrière. « Des vertes et des pas mûres », ont-ils coutume de souligner. Mais cette fois, ils sont « restés comme deux cons », comme Brunet le racontera par la suite. Tous deux ont pourtant été prévenus par leurs collègues. Depuis dix minutes, depuis qu'un certain Franck Deloye s'est présenté au bureau de l'accueil, tous se sont succédé pour aller lui jeter un regard furtif. La rumeur a fait le tour du commissariat, remontant jusqu'à eux. D'ordinaire, le divisionnaire attend qu'on fasse monter ses visiteurs jusqu'à son bureau, mais, obéissant à une intuition étrange, poussé par son impatience, il suivit Brunet jusqu'à l'accueil.

« Les gars disent qu'ils se ressemblent comme deux gouttes d'eau », lui glisse Brunet tandis qu'ils descendent au rez-de-chaussée.

Lorsqu'ils découvrent l'homme qui patiente à l'accueil, ils demeurent interdits. Laforge a un moment d'hésitation avant de s'avancer dans le hall.

Le jeune homme qui patiente en feuilletant une revue du syndicat de police Alliance est la réplique exacte de celui qu'ils viennent d'interroger. La ressemblance entre les deux frères est saisissante.

Déroutante.

Tout est identique, trait pour trait, le visage, la silhouette, la carrure, les cheveux blonds. Et pour parachever le tout, le blouson à capuche de toile sombre. Le même que celui que porte l'homme sur la vidéo.

Un « putain ! » sonore échappe à Brunet. Le jeune homme relève la tête et voit venir vers lui un petit ventripotent, au crâne dégarni, et un grand osseux à la stature imposante. Il se lève et tend la main au plus grand, avant le petit. Laforge répond d'une main ferme à sa poignée de main molle et moite, ressent un vague dégoût et s'écarte un peu, tandis que le jeune homme s'adresse à Brunet.

« Bonjour, annonce-t-il d'une voix claire. Je suis Franck Deloye, le frère d'Antoine. »

À nouveau, les deux flics sont médusés. Troublés par l'incroyable ressemblance physique entre les deux frères, ils sont totalement désorientés en entendant la voix de Franck. Parfaitement identique à celle de son frère, avec cette même façon de laisser traîner les mots. Plus posée, en revanche. Laforge se dit que s'il avait fermé les yeux, il aurait été convaincu qu'Antoine était à côté d'eux.

Brunet le salue à son tour et poursuit avec précipitation : « Vous savez que nous avons arrêté votre frère ?

— Oui, oui. C'est pour cela que je suis là. Que se passe-t-il ? Qu'est-ce qu'il a encore fait ?

— Le mieux est de nous suivre.

— Bien sûr. Mais rassurez-moi : ce n'est pas grave ? »

Il s'exprime d'une voix douce, ne laissant filtrer qu'un soupçon d'inquiétude.

« Venez », répond Brunet en désignant du menton l'escalier derrière eux.

De toute évidence, Franck Deloye prend Brunet pour le patron. Laforge a l'habitude, il ne s'en offusque pas et laisse faire. *Attends d'avoir affaire à moi et tu verras qui est le boss.* Sans un mot, il reste légèrement en retrait et profite de ce que le nouveau venu ne s'intéresse pas à lui pour l'observer. Il le scrute avidement, à l'affût d'un détail qui marquerait une différence entre les deux frères. Mais il a beau chercher, il n'en décèle aucun. Franck Deloye est la reproduction de l'homme confiné en garde à vue deux étages plus haut. Ils ont exactement la même coupe de cheveux. Courte, dégagée autour des oreilles, avec une raie parfaitement tracée sur le côté droit et cet étrange épi sur la tempe. Mais ce qui est le plus troublant, c'est que l'homme qui est devant eux est vêtu de la même façon, même jean, même chemise sous le blouson, baskets beiges identiques à celles que portait l'homme filmé par la caméra de surveillance.

Laforge et Brunet resteront un moment sous le choc. « Je dois avouer que je n'imaginais pas que des jumeaux puissent se ressembler à ce point, ressasse le divisionnaire.

— Ça... Jamais vu un truc pareil ! » renchérit Brunet.

Mais pour l'heure, Brunet s'écarte et annonce :

« Voici le commissaire divisionnaire Laforge, qui est en charge de l'enquête.

— Ah ! Excusez-moi. J'ai cru... », bredouille Franck. Derrière son calme apparent, le commissaire ressent le malaise du jeune homme. Est-ce de l'inquiétude ?

« Allons-y, ordonne Laforge. Mon bureau est au troisième. »

Ils négligent l'ascenseur et laissent leur visiteur passer devant eux. Tous trois montent en silence tandis que Brunet cherche du regard son patron. Laforge, au détour du premier étage, après s'être assuré que Franck Deloye ne le voit pas, lui adresse une moue de dépit mêlée d'incertitude.

Dans la tête de Laforge tournoie ce : *« Qu'est-ce qu'il a encore fait ? »,* lancé sans frémir par Franck Deloye, comme une évidence. Les choses se compliquent.

Elle s'appelait Maria Dolores Quintana. Cela faisait vingt et un ans, cette année-là, qu'elle s'occupait des nourrissons à la maternité Saint-Vincent-de-Paul. Elle en avait vu passer, des bébés, des mamans. Elle en avait partagé des bonheurs, des interrogations, des drames, des larmes de joie et de tristesse, sans jamais se lasser, avant de s'en aller finalement, après avoir travaillé toute sa vie dans le même service. Son monde était là, dans les trois étages de l'hôpital. Elle était mariée, avait deux enfants déjà grands, une maison à la campagne dans le Cher, elle n'était pas malheureuse... Mais c'est là, à la maternité, qu'elle se sentait le mieux.

Elle est aujourd'hui à la retraite, vit à Bagnolet, à deux pas du périphérique, s'occupe comme elle peut, fait des ménages, et, tant que personne ne l'en empêche, elle revient régulièrement à la maternité. Elle musarde dans les couloirs, pousse parfois la porte d'une chambre, discute avec des mamans, déjeune avec les infirmières qui l'ont connue, puis elle repart. Ici, au milieu de tous ses souvenirs, elle se sent à sa place.

Personne n'a jamais pensé à le lui demander, mais si quelqu'un l'interrogeait sur l'épisode qui l'a le plus marquée, de toutes ces années, elle n'aurait aucune hésitation. Elle n'a rien oublié, tant l'émotion qui l'avait envahie ce matin-là avait été puissante.

Il était un peu plus de six heures trente et elle finissait son service de nuit. Elle avait poussé les berceaux des deux petits jumeaux jusqu'à la nurserie. Elle se souvient de leurs prénoms, de leurs grands yeux si clairs, du papa épuisé et radieux, de la maman qui avait réclamé une césarienne, jusqu'au nom de cette famille, Deloye. Elle se souvient des deux chérubins, tout nus, qu'elle avait plongés dans leur premier bain. Elle avait alors été témoin d'un moment magique. Les ayant fait glisser doucement dans l'eau tiède, elle avait vu les deux bébés se rapprocher, se toucher, se serrer l'un contre l'autre, avec des mouvements qui semblaient des caresses, comme s'ils retrouvaient l'intimité des neuf mois passés dans le ventre de leur mère, soudés dans un seul corps.

À un moment, celui qu'elle tenait de sa main droite avait paru vouloir s'écarter de son frère. Alors son jumeau avait tendu son petit bras et l'avait ramené à lui. Avec une telle autorité, un tel besoin de l'avoir contre lui, que son frère s'était laissé prendre. Il l'avait attiré contre sa poitrine et l'avait maintenu ainsi, de belles et longues minutes, qui lui avaient paru durer un temps infini. L'autre nourrisson n'avait plus tenté de s'éloigner, et il était resté immobile, les yeux fermés. Fascinée, il lui semblait déceler un fin sourire de satisfaction sur le visage de son frère.

Cet instant était si beau, si tendre, que Maria Dolores Quintana, qui ne pleurait jamais, avait fondu en larmes. Cela aurait duré plus longtemps encore, mais les pleurs de l'un d'eux, elle ne peut se rappeler lequel, avaient rompu la magie.

Le temps a sans doute magnifié ce moment rare, mais, peu importe, c'est ainsi qu'elle veut s'en souvenir.

Vingt-sept ans plus tard, quand elle entend sur RTL qu'un certain Antoine Deloye a été placé en garde à vue « dans le cadre de l'assassinat de sa fiancée, Élodie Favereau », c'est le visage des nourrissons qui lui revient en mémoire. Les larmes qui lui étaient venues, et aussi combien il avait été difficile de les séparer l'un de l'autre.

6

Franck Deloye a attendu que le commissaire lui indique de la main la chaise de plastique blanc sur sa droite, avant de s'asseoir. Il y a trois chaises, parfaitement alignées, face à son bureau de chêne clair. Laforge les a choisies dures et inconfortables, comme si cela lui donnait un avantage sur ses visiteurs. Quels qu'ils soient. Et celle de droite est bancale. Brunet sait que son patron ne l'a pas désignée à Franck Deloye par hasard. C'est la chaise réservée à ceux qu'il veut mettre mal à l'aise ou dont il se méfie.

Brunet, d'ordinaire, trouve sa place sur le canapé de cuir râpé par les années et encombré de dossiers, de journaux, et de tout un bric-à-brac. Brunet a toujours le sentiment que Laforge entretient ce désordre à dessein pour éviter que les gens ne s'y affalent et ne s'y attardent plus que sa patience ne le supporterait. Il est le seul à s'autoriser à dégager de la place pour s'y installer. De là, légèrement en retrait, il est le témoin privilégié des interrogatoires de son patron. Il adore ça ; il le reconnaît volontiers, il ne compte plus les fois où Laforge l'a vraiment impressionné.

Il connaît son parcours, et il sait que son chef n'est pas arrivé là où il est à la faveur de ces réseaux d'influence qui encombrent aussi la police. Non, lui, c'est tout le contraire. Il refuse les combines, les stratégies qui construisent les carrières. Ou plutôt il les a en horreur. Il ne s'en cache pas, en toute occasion il fustige les pistonnés. C'est une autre raison qui fait qu'on ne l'apprécie pas beaucoup : une grande gueule qui ne cache jamais ce qu'il pense et dont la force est qu'il se fout qu'on ne l'aime pas. « J'emmerde les lèche-bottes », claironne-t-il régulièrement à Brunet, quand celui-ci lui conseille la prudence. « J'ai des résultats, point. »

Brunet a quelquefois tenté de lui expliquer que le jour où il se planterait, ils ne le rateraient pas, avec cette attitude. Mais Laforge réplique, cinglant : « Si je me plante, ils auront raison de m'envoyer à la casse. Mais pour l'heure, qu'ils me foutent la paix. »

Brunet n'insiste plus. Il ne le changera pas et Laforge a toutes les qualités qui font un flic de talent. De l'intuition et du flair. Et même cette assurance pénible. « Je pense que je ne verrai jamais un meilleur flic que lui », avait-il dit à sa femme, un jour où elle argumentait pour qu'il s'éloigne de ce patron si intraitable. Au fond de lui, en réalité, il avait alors pensé : « Et je ne serai jamais meilleur que lui. »

Cela lui fait oublier à quel point son patron peut être insupportable et leurs engueulades mémorables. Malgré tout, Brunet est aussi le seul qui se risque encore à l'affronter directement. D'autres y ont laissé leur poste, et même, pour quelques inconscients, leur carrière…

Cet après-midi, il ignore le canapé, tire la chaise de gauche jusqu'à la fenêtre et s'installe, silencieux et attentif.

Franck Deloye montre des signes de nervosité derrière son calme apparent. Ses yeux clignotent, un voile de transpiration fait briller son front. Il s'essuie d'un geste rapide qui n'échappe pas aux deux officiers de police.

Ce dont se souviendra par la suite le commissaire Brunet, ce qui le frappe le plus vivement, et qu'il n'oubliera jamais, c'est l'extrême douceur qui transparaît dans le regard du jeune homme assis là, dans ces yeux, aussi clairs que ceux de son frère. Il y a bien d'autres motifs de s'étonner, pourtant. Mais c'est cet air de bonté inattendu qui s'impose et fait oublier la fébrilité, les poussées de panique, que Brunet sent monter chez Franck tout au long de cet entretien avec le patron de l'enquête, dont il est le spectateur unique et privilégié.

Un gentil garçon bouleversé, anéanti par ces choses impensables qu'il vient d'apprendre. C'est en tout cas ce dont il s'applique à les convaincre.

Brunet connaît Laforge. Il va attaquer d'entrée, pour tenter d'ébranler le jeune homme.

« Monsieur Deloye, comment se fait-il que vous soyez venu nous voir si rapidement ? Nous nous apprêtions à vous convoquer.

— J'ai été prévenu par un ami que mon frère a été arrêté par la police, répond-il calmement. J'étais inquiet. Je suis venu pour savoir ce qui s'est passé. Vous savez, avec Antoine, il faut s'attendre à tout. Vous n'auriez pas fait comme moi, commissaire ?

— Qui est cet ami ?

— Fabrice Peyrot. Il travaille avec mon frère à la Défense.

— Ça s'écrit comment, le nom de votre ami ? glisse Laforge.

— P-E-Y-R-O-T, épelle Deloye. Nous avons passé la soirée ensemble, hier, dans un bar du seizième. Il m'a téléphoné pour me dire qu'Antoine avait été arrêté par la police et qu'on lui avait passé les menottes devant tout le monde. S'il vous plaît, dites-moi de quoi mon frère est accusé ? Est-ce que c'est grave ? »

Brunet jette un coup d'œil à Laforge. Franck Deloye, volontairement ou non, vient de leur présenter son alibi. La voix du jeune homme est douce, légèrement implorante. Les derniers mots presque inaudibles. Les gouttes de sueur revenues sur son front n'échappent pas aux deux policiers.

« Oui, c'est grave. Très grave », dit Laforge d'un ton bref, les yeux plantés dans ceux du jeune homme. Il remplit le verre posé devant lui et le tend à Deloye.

« Vous avez l'air d'avoir chaud. »

Franck y trempe à peine les lèvres.

« Merci beaucoup, monsieur le commissaire.

— Bien, venons-en au fait, monsieur Deloye : votre frère jumeau, Antoine Deloye, a assassiné à coups de hache sa fiancée, Élodie Favereau. Le corps d'Élodie a été découvert cette nuit et les preuves contre votre frère sont accablantes. »

Le commissaire s'arrête là. Il a parlé d'une voix neutre, factuelle, comme si, à ce stade de l'enquête, il n'y avait aucune place pour le doute. Il attend, guettant la réaction du jeune homme.

Les jambes de Deloye sont prises de tremblements. De plus en plus violents. Exactement comme Antoine un moment plus tôt, note le commissaire. Deloye pose ses mains sur ses cuisses pour tenter de les immobiliser, sans y parvenir. Alors il se redresse et, flageolant, il hurle sans retenue : « Quoi ? Quoi ? Non ! » Puis, d'un ton suppliant, comme pour lui seul :

« Qu'est-ce que vous dites ? Antoine a tué Élodie ?

— À coups de hache », répète Laforge, inflexible. Il ajoute sur un ton d'une froideur implacable : « Et après l'avoir tuée, il lui a coupé la tête. »

Voir comment l'homme face à lui va réagir à cette annonce brutale, voilà ce qu'il cherche. Mais il n'entend que quatre mots, à peine murmurés par le jeune homme :

« C'est impossible. Pas elle ! »

Laforge cherche Brunet du regard. A-t-il entendu la même chose que lui ? Franck Deloye n'a pas dit « pas lui ». Pour le divisionnaire, ce « pas elle » est lourd de sens. Mais son second ne semble pas intrigué. Il faudra y revenir plus tard, songe-t-il.

« Elle est morte ? »

Une question vraiment incongrue ; mais ils ne bronchent pas. D'un bref mouvement de tête, Laforge fait signe à Brunet de ne pas intervenir et il observe le jeune homme qui s'appuie sur la chaise et finit par s'y laisser tomber, les jambes toujours secouées de tremblements, tandis qu'une larme, une seule, une goutte énorme, glisse sur sa joue jusqu'au menton où elle reste accrochée quelques secondes. Hébété, comme si, en cet instant, il n'y avait rien d'autre qui comptait, Deloye la regarde tomber au sol. Il demeure ainsi le regard perdu, silencieux, le front luisant. Ses jambes se calment enfin. Alors, il relève la tête d'un coup et demande dans un souffle : « Dites-moi tout. S'il vous plaît, commissaire.

— Vous êtes sûr ? demande le divisionnaire.

— Oui, oui, implore Franck. J'ai besoin de savoir ce qui s'est passé.

— Ça va être dur. Nous pouvons reprendre l'interrogatoire plus tard », précise-t-il.

Il a employé le mot « interrogatoire » à dessein. Mais Deloye ne semble pas le remarquer. Il insiste :

« Non, non. Finissons-en. »

Laforge est satisfait. Il veut tordre ce type, se dit Brunet. Il voit bien où il veut en venir, il voit bien que Laforge doute. Il veut découvrir s'il se cache quelque chose derrière le frère atterré. L'émotion qui l'a fait basculer dans cette espèce de délire incontrôlé est-elle authentique ou fabriquée ?

Plus tard, lorsqu'ils reparleront de cette première rencontre avec Franck Deloye, Laforge confiera à Brunet qu'à l'instant où il avait vu le frère d'Antoine, il avait compris que cette enquête en apparence si simple avait dérapé. Franck pouvait être l'assassin d'Élodie Favereau. Il ne lui accorde pas la moindre confiance. *Et si Antoine disait la vérité ?* La question s'impose à lui.

Face au jeune homme au regard noyé, le divisionnaire pousse un soupir blasé. Il ouvre un tiroir, en sort un dossier et le pose lourdement devant lui :

« Tous les faits sont consignés ici », explique-t-il.

Ce dossier est un leurre. Son patron l'a exhibé pour dérouter le jeune homme. À cette heure, rien n'a encore été consigné, il n'existe aucun dossier.

Laforge croise les mains dessus sans l'ouvrir et commence d'une voix monocorde, clinique :

« Élodie Favereau a été découverte cette nuit chez elle, tuée à coups de hache. Son corps est actuellement à l'autopsie. Le premier examen indique qu'elle a été touchée à la poitrine par un premier coup mortel. L'assassin, Antoine Deloye, lui a ensuite porté un coup à la cuisse, puis il l'a décapitée. Dans une mise en scène macabre, il a posé la tête coupée de la jeune femme sur la table basse du salon. Les yeux grands ouverts. Je vous épargne les photos. Croyez-moi, monsieur Deloye, j'ai vu des choses affreuses dans ma vie, mais comme cela, jamais. Voilà les faits. Je continue ? »

Une seconde larme s'échappe de son œil droit, et Franck ne la chasse pas. Elle demeure là, suspendue à son menton.

« Oui…

— Comme vous voulez… Les cris… » Il fait une pause, il en rajoute : « Les hurlements ont alerté ses voisins de palier. Les Marchand, deux retraités. Il était huit heures et demie environ.

— Elle a hurlé ? »

A-t-il l'air surpris ? s'interroge un instant le divisionnaire. Ce Franck Deloye l'intrigue vraiment.

« Tout est là », rétorque Laforge, en frappant la chemise épaisse du plat de la main. Il poursuit, indifférent au regard de noyé que lui jette Franck.

« Ils ont entendu la porte d'entrée claquer et des pas dans l'escalier. Dans leur déposition, ils indiquent qu'ils ont entendu quelqu'un sortir de l'appartement d'Élodie peu après. Ils voulaient aller sonner chez elle, mais ils ont vu par l'œilleton de leur porte votre frère revenir avec un bouquet de fleurs une vingtaine de minutes plus tard et ça les a rassurés. Ils disent que votre frère est reparti plus tard, vers dix heures. Ils lui ont trouvé un air bizarre et ils se sont dit qu'il s'était passé quelque chose. Mais ils n'ont pas osé sortir tout de suite. Ça se comprend, des personnes âgées, terrorisées… Ils ont fini par aller sonner. Comme la porte n'était pas fermée à clef, ils sont entrés, et là, ils ont découvert le corps… » Une nouvelle pause, avant de poursuivre d'une voix forte et sans compassion.

« … le corps affreusement mutilé d'Élodie Favereau, l'amie de votre frère.

— C'est terrible, murmure Franck les yeux plantés, comme aimantés, sur le dossier.

— Je continue ? répète le divisionnaire.

— Oui. Oui… S'il vous plaît…

— Bien… Les voisins estiment qu'ils ont pénétré dans l'appartement entre vingt-trois heures et vingt-trois heures trente. Ils ne se souviennent pas bien, les pauvres gens… Nous pensons que c'est plus tard, mais peu importe. Quand ils ont découvert le corps supplicié d'Élodie, les cris de Mme Marchand ont alerté d'autres voisins, qui ont aussitôt appelé la police. Une première équipe est arrivée vers minuit et demie. Inutile de vous dire dans quel état ils ont trouvé les époux Marchand. On a fait venir le Samu et il a fallu attendre près de deux heures avant de pouvoir recueillir leurs témoignages. La pauvre vieille dame a dû être hospitalisée. Il faut espérer qu'elle se remettra du traumatisme, cela risque de prendre du temps, et votre frère en sera également tenu pour responsable. »

Le commissaire sait parfaitement qu'à cette heure Mme Marchand a regagné son domicile. Il insiste : « La scène était abominable, vous pouvez me croire…

— Mais pourquoi avez-vous arrêté mon frère ? s'exclame Franck, semblant émerger de son hébétude. Qu'est-ce qui vous prouve que c'est lui ?

— Il n'y a absolument aucun doute, monsieur Deloye.

— Comment est-ce possible ? Il aimait Élodie. Je le sais. Antoine doit être totalement anéanti à cette heure. Est-ce qu'il a avoué quoi que ce soit ?

— Il n'a pas avoué.

— Vous voyez bien !

— Mais nous disposons d'un élément indiscutable.

— De quoi s'agit-il ? » lance-t-il presque agressif. Ses jambes ne flagellent plus.

« Les images de la caméra de surveillance, dans la rue. Votre frère a oublié que Boulogne-Billancourt en est truffé et il a été filmé.

— Filmé ? Son ton est incrédule.

— Absolument. Nous avons une vidéo sur laquelle on voit un homme, le visage dissimulé sous une capuche, sortir de l'immeuble et jeter un paquet dans une bouche d'égout. Ce paquet, c'est la hache qui a servi à tuer Élodie. »

Le regard de Deloye semble vaciller, comme traversé par un accès de panique. Pour la première fois, sa surprise semble bien réelle. Brunet profite de cet instant, captivé. Du grand art. Son patron se tait, il fait durer, impassible, observe la réaction de son interlocuteur. Deloye cligne des yeux, ouvre la bouche, inspire furtivement.

« Si son visage était caché, comment pouvez-vous accuser Antoine ? » reprend-il d'une voix ferme. Mais est-elle légèrement assourdie ? « Une foule de gens peuvent se ressembler dans la nuit.

— C'est exact. À commencer par vous…

— À commencer par moi, rétorque Franck. Sauf que ce n'est pas moi.

— Non, puisque c'est lui.

— Qu'en savez-vous ? siffle Franck d'un ton agressif.

— Au moment où l'homme s'est débarrassé du paquet, sa capuche a glissé. On voit très distinctement le visage de votre frère. Le paquet, on l'a retrouvé, c'est la hache qui a tué Élodie. Dessus, comme dans l'appartement, on a relevé l'ADN de votre frère. Voilà ce que nous savons, monsieur Deloye.

— Je refuse d'y croire ! C'est monstrueux ! » s'exclame Franck d'un ton révolté. Ses jambes se remettent à trembler sans qu'il cherche à les contrôler.

Laforge lui présente alors une photo tirée de la vidéo. On voit nettement le visage de l'homme saisi par la caméra de surveillance, presque de face, capuche tirée en arrière.

« Qu'en dites-vous ? C'est bien votre frère, non ? »

Franck, dans un geste qui semble lui coûter un effort surhumain, prend le cliché des mains du commissaire. Un éclair dur, puis les yeux se voilent, il devient hagard, et finit par lâcher d'une voix mal assurée : « Oui. Oui, oui… C'est bien Antoine, là. Il peut y avoir eu une erreur ? Non ? Monsieur le commissaire ?

— Non, monsieur Deloye, aucune erreur possible. Votre frère a tué Élodie. Il l'a massacrée. »

7

Sans avoir besoin de rien se dire, Robert Laforge et Étienne Brunet réagissent à l'unisson : muets, impassibles, ils ont le regard fixé sur le jeune homme qui, recroquevillé sur la chaise de plastique bancale, semble soudain la proie d'une crise d'angoisse incontrôlable. Franck paraît se laisser aller à un torrent de douleur qui le submerge, sans chercher à lutter. Il tremble de plus belle, jure en crispant tellement les poings que ses phalanges sont livides. Ils n'ont pas un geste vers lui, pas une parole. Ils l'observent avec intérêt, cherchant à déterminer si cette démonstration de douleur extrême est déployée pour les abuser.

Un détail les frappe tous deux : malgré son désarroi, Franck n'a plus laissé couler de larmes, et c'est les yeux parfaitement secs qu'il finit par parler :

« Il faut que je voie mon frère.

— Bien sûr, bien sûr, répond Laforge, sérieux et conciliant. Mais pas tout de suite…

— C'est important… Il faut que je lui parle.

— Que voulez-vous lui dire ? »

Franck le regarde, soudain plein de défiance, puis se ressaisit : « Je veux savoir pourquoi il a fait ça, bien sûr.

— C'est impossible dans l'immédiat, monsieur Deloye. Votre frère est en garde à vue. Il doit d'abord répondre à nos questions. Personne ne peut le voir. C'est la procédure.

— Je comprends, concède Franck, à présent calme et résolu. Mais je pourrais vous être utile. À moi, il dira des choses qu'il ne racontera à personne.

— Je pense, en effet, que nous aurons besoin de vous.

— Je suis son frère jumeau. Vous savez, entre jumeaux…

— Oui, entre jumeaux, complète Laforge, il existe en effet des liens que vous êtes les seuls à savoir décrypter. Bien entendu, monsieur Deloye, je n'hésiterai pas à faire appel à vous. Vous nous serez d'une grande utilité, j'en suis certain.

— Vous savez, moi aussi, j'ai besoin de comprendre… Il m'a si souvent répété qu'Élodie était la femme de sa vie.

— Parlez-nous un peu de vos relations avec lui. Vous vous voyez souvent ?

— Je n'arrive pas à réaliser qu'il a tué Élodie… », répond Franck avec abattement, comme s'il n'avait pas entendu la question du commissaire divisionnaire.

Alors qu'il dit ces mots, ses jambes se remettent à s'agiter, et c'est un regard désespéré qu'il lance à Laforge. Est-ce d'avoir prononcé le nom d'Élodie ? Quel lien unissait Franck à la petite amie de son frère ? Laforge prend note de cette réaction et la remise dans un coin de sa tête, à côté de cette exclamation étrange, quelques minutes plus tôt : « *Pas elle !* » C'est peut-être dans les relations des deux frères avec Élodie qu'il faudra chercher les explications de sa mort. Une histoire de jalousie ? Peut-être que Franck et Élodie étaient amants et qu'Antoine a voulu se venger ? Ou l'inverse ? Le divisionnaire gamberge. Franck aurait pu se venger du bonheur de son frère en tuant sa fiancée ?

Dans l'immédiat, il décide d'en rester là et de clore leur entretien. Il l'interrogera sur Antoine plus tard.

« Nous en avons terminé pour aujourd'hui.

— Déjà ? s'étonne Franck. Vous ne vouliez pas que je vous parle de mon frère ?

— Nous reprendrons, n'ayez crainte, monsieur Deloye. »

Franck Deloye semble à nouveau nerveux.

« Laissez-moi au moins le voir quelques instants, insiste-t-il.

— C'est impossible dans l'immédiat, monsieur Deloye. Soyez ici demain à dix heures. Nous aurons assurément progressé. Le commissaire Brunet va vous raccompagner. »

Brunet, qui s'est levé aux premiers mots de Laforge, pose sa main sur l'épaule de Franck avec autorité. Le jeune homme se lève lentement, mais, arrivé à la porte, il se ravise :

« Vous ne voulez pas en savoir plus sur mon frère ? »

Sa voix s'est adoucie, légèrement enjôleuse.

« J'en sais suffisamment pour le moment, réplique Laforge, un brin énigmatique. Nous reprendrons cette conversation demain. Il faut maintenant que j'en finisse avec votre frère.

— Mais que va-t-il se passer maintenant ? » insiste Franck.

Laforge laisse passer quelques secondes avant de répondre. Il plante ses yeux noirs dans les yeux translucides du jeune homme. Franck soutient son regard puis cède, et c'est la tête tournée vers la fenêtre qu'il écoute la réponse du commissaire, prononcée d'un ton cassant : « Nous allons continuer à faire notre travail, cher monsieur. Nous ne lâcherons pas votre frère tant qu'il ne nous aura pas tout dit. Il reste quelques zones d'ombre à éclaircir.

— Vous pouvez compter sur mon aide, répète le jeune homme.

— Mais nous y comptons bien, monsieur Deloye. » Franck se retourne face au commissaire et répond d'un ton soumis : « Mais je dois lui parler, il faut que je sache, vous comprenez, c'est mon frère !

— Je sais bien, monsieur Deloye. Votre frère jumeau… D'une certaine façon, c'est une partie de vous-même…

— Dites-lui qu'il pourra compter sur moi, s'il vous plaît.

— Soyez rassuré : je pense qu'il le sait déjà, réplique Laforge, un peu étrangement.

— Merci, monsieur le commissaire divisionnaire. À demain, alors, à dix heures. »

Il tend la main pour serrer celle du divisionnaire. « Merci, monsieur le commissaire », murmure-t-il.

Laforge la prend, la retourne, l'examine :

« C'est incroyable, vous n'avez pas d'empreintes digitales ? Comme votre frère ! » feint-il de s'étonner.

Cette anomalie, identique à celle d'Antoine, il l'a notée depuis le début de leur entretien. Il avait attendu le moment propice pour l'aborder. Histoire de voir comment il allait réagir. Franck ne s'en émeut pas :

« Antoine et moi nous sommes nés ainsi, commissaire. Notre mère disait que c'était de famille. C'est une maladie génétique très rare, et il a fallu que ça tombe sur nous… Vous vous rendez compte, même nos mains sont identiques ! »

D'un coup, son visage s'assombrit, se durcit : « Nous nous ressemblons, mais je peux vous certifier une chose : pour le reste nous sommes totalement à l'opposé et j'aurai l'occasion de vous l'expliquer, commissaire. »

Laforge ne poursuit pas sur ce terrain. Il reprend :

« Juste une dernière question : vous connaissiez Élodie ?

— Bien sûr. C'était l'amie de mon frère et je l'aimais comme… »

Il cherche ses mots, lève une main…

« Oui ? Comme ? insiste Laforge.

— Comme une sœur… »

Un faible sourire vient brusquement illuminer le visage de Franck, et dans un élan il quitte la pièce, sans ajouter un mot.

« Reste là, intime Laforge à Brunet, qui s'apprête à le suivre.

— Eh bien, il est poli, notre nouvel ami, tu as vu ça ? » plaisante Brunet, une fois la porte refermée.

Il aimerait savoir pourquoi Laforge n'a pas dit à Franck qu'Antoine l'a accusé du meurtre. Pourquoi il a décidé de ne pas les confronter l'un à l'autre. Lui, il aurait tenté le coup. Curieux, ce revirement abrupt, pourquoi l'a-t-il laissé partir aussi vite ?

« Ce type n'est pas un ami… Plante-toi ça dans le crâne, Étienne, rétorque Laforge, cinglant.

— Je plaisantais, Robert… »

Laforge hausse les épaules en empoignant son téléphone :

« Vite, vous faites sortir Antoine Deloye de la salle d'interrogatoire, immédiatement, et vous l'amenez en pièce 44 », ordonne-t-il.

Il s'adresse à Brunet : « Et toi, dis à Delamotte de ne pas lâcher Franck Deloye d'une semelle. »

Il raccroche et va se planter devant l'écran de contrôle de la caméra de surveillance qui couvre le couloir du second. Brunet le rejoint en toute hâte. Antoine apparaît le premier, sortant de la salle d'interrogatoire, tenu fermement par le bras par Garlantezec. Puis survient Franck, que l'on voit de profil, débouchant sur le palier. La scène ne va durer que quelques secondes, mais ils se la repasseront tant de fois qu'ils en connaîtront les moindres détails. Les deux frères ont un mouvement de surprise. Franck s'arrête, hésitant, puis fait un pas en direction de son frère, se ravise et, sans dire un mot, le regarde s'éloigner vers l'autre bout du couloir, poussé par le policier en civil. Antoine se retourne rapidement vers son frère, le temps de lui lancer un regard insistant. Mais si bref qu'il est difficile aux policiers d'y déceler de l'incompréhension, du dégoût ou de la haine. Va-t-il l'interpeller, tenter d'échapper aux flics qui l'accompagnent pour se jeter sur celui qu'il accuse d'avoir tué celle qu'il prétend aimer ? Non, rien de cela. Après ce bref échange muet, il détourne la tête et se laisse conduire sans prononcer un mot.

Franck reste un moment sans bouger, regardant son frère jumeau disparaître dans un bureau sur la gauche. Quand la porte se referme sur lui, il s'engage dans l'escalier. Sur l'écran, les deux policiers le voient traverser l'accueil du commissariat et s'éloigner à son tour dans la rue, d'un pas lent, en direction de la station de métro.

« Il a l'air complètement paumé, fait remarquer Brunet.

— Ah oui ? Moi je le trouve sacrément calme, au contraire…

— Sonné, plutôt, après ce qu'il vient d'apprendre… »

Laforge ne répond pas. Concentrés sur l'écran, ils regardent Lamotte prendre Franck en filature.

En se repassant la vidéo, Laforge et Brunet s'arrêtent sur une image furtive : le coup d'œil échangé entre les deux jumeaux. Impossible de l'interpréter, est-ce de la haine, de la complicité ?

Au quatrième visionnage de la vidéo, un autre détail leur apparaît. Un mouvement presque imperceptible, parfaitement simultané : les deux frères ouvrent le poing droit avant de le refermer aussitôt. Les deux flics y voient tour à tour un geste d'encouragement réciproque et de défi. Ou est-ce un message, dans un code qui n'appartiendrait qu'à eux ? Ils ont beau repasser l'enregistrement, ils sont incapables de trancher.

Laforge demeure un instant silencieux devant l'image figée, avant de commenter, d'une voix sourde : « Nous allons en baver, Brunet. »

Brunet n'épilogue pas. De toute évidence, son patron considère Franck Deloye comme un deuxième suspect sérieux. Mais il se trompe ! Le coupable, il est là, bouclé à nouveau en salle d'interrogatoire, et il n'y a pas de temps à perdre pour le déférer. Mais pour l'heure, mieux vaut s'abstenir de lui faire part de ses convictions. Il sent Laforge bouillir, et il ne ferait que déclencher l'orage.

Brunet enfile des gants, attrape le verre dans lequel Franck a bu et le glisse dans un sachet plastique.

« Emporte ça au labo, qu'ils bossent en urgence sur l'ADN. Je suis sûr qu'ils ont le même…

— Putain, même gueule, même ADN et pas d'empreintes… On est…

— Dans la merde, Étienne ! » conclut Laforge.

Au moment où son second disparaît il lance : « Et je veux tout savoir sur ce gars. »

Une fois seul, il relance la vidéo.

Sophie et Philippe Deloye regagnèrent leur deux-pièces de la rue Victor-Massé dans le neuvième arrondissement, le 31 août, dans l'après-midi. La fraîcheur avait enfin succédé à la chaleur humide des derniers jours. Sophie se sentait encore un peu faible, mais elle n'aurait pas supporté de rester à l'hôpital quelques heures de plus. Philippe avait pris sa matinée au service des impôts à Sèvres. Les collègues avaient prévu un pot dans deux jours. Il était si fier de ses jumeaux qu'il avait décidé qu'il viendrait avec eux. « Vous verrez comme ils se ressemblent ! s'émerveillait-il à la première occasion. Comme deux gouttes d'eau ! » Sur les photos qu'il leur avait montrées, ce n'était pas si frappant que cela. « Les bébés sont tous pareils, tu sais », avait d'ailleurs commenté Patricia, comme lui agent au service des impôts aux entreprises. Mais les mots du docteur Daout lui restaient en mémoire. « Il ne faudra pas vous tromper. »

Avec Sophie, ils avaient adopté la métaphore des gouttes d'eau, aimable et rassurante. Les gamins étaient désormais « leurs petites gouttes d'eau d'amour ».

Heureux comme jamais. Les mots n'étaient pas assez forts pour transmettre ce qu'ils avaient ressenti à l'instant où ils avaient posé leurs petits garçons dans leurs lits à barreaux. Ils demeurèrent longtemps devant eux, l'un contre l'autre, mains enlacées, à les regarder dormir, attendant qu'ils se réveillent, s'abandonnant à ce moment unique.

Le petit installé dans le lit de gauche ouvrit les yeux le premier.

« Antoine, nous sommes là, murmura Sophie pour attirer l'attention de son fils.

— Tu es sûre que c'est Antoine ? s'amusa Philippe.

— Non », admit-elle avec un sourire, sans oser s'approcher pour vérifier le nom du bébé sur son bracelet.

Le regard transparent de l'enfant balaya la pièce, s'arrêtant un instant sur le visage de ses parents bouleversés. Puis, il tourna sa petite tête sur sa gauche. Sophie et Philippe virent immédiatement avec quelle intensité il fixait, sans s'en détacher, son frère.

Ils eurent presque le sentiment que c'est la puissance de ce regard qui réveilla son jumeau. Il s'agita doucement, puis tourna la tête à son tour vers son frère. Les deux enfants restèrent ainsi, les yeux dans les yeux, comme incapables d'échapper au regard de l'autre.

Jamais Philippe et Sophie n'oublièrent cet instant qui leur parut durer une éternité. Ils ne se l'avouèrent pas sur le moment, mais chacun crut observer comme un défi que leurs deux fils se lançaient. L'expression d'une rivalité désormais indéfectible. Ils évacuèrent aussitôt cette pensée troublante, pour ne plus voir là qu'un échange d'amour, un amour que seuls sans doute des jumeaux pouvaient partager.

Ils ne devaient en reparler que bien plus tard.

Heureusement, le garçon qui avait ouvert les yeux le premier poussa un petit cri et se mit à pleurer, entraînant son frère à sa suite.

« Vite, s'exclama Sophie avec soulagement, ils ont faim, les vilains !

— Ma petite goutte d'eau chérie », s'était enflammé Philippe en emportant dans ses bras celui qui s'était réveillé le premier, et en le couvrant de baisers.

8

Tant que le commissaire ne les invite pas à s'asseoir, ils restent debout, l'œil sur leur chef. Sans paraître remarquer leur attente, Robert Laforge, chemise grise, col ouvert, cravate dénouée, prend le temps de consulter un dossier qu'un gars de la documentation vient de lui apporter. Il tient le dossier marron bien droit devant lui, si bien que personne ne peut entrevoir ce que le patron lit avec tant d'intérêt. Agit-il à dessein pour aiguiser leur impatience ? Laforge retire ses fines lunettes, réfléchit un instant, les rechausse. Enfin, pose le document et défait sa cravate. Les boutons de sa chemise résistent à grand peine à la rondeur tendue de son ventre.

« Putain, jure-t-il à brûle-pourpoint, l'un de ces deux types est un sacré enfoiré ! »

Il ne relève pas la tête, persiste à ignorer les cinq policiers alignés devant lui, condamnés à patienter. L'un de ces deux types ? Il parle des jumeaux, c'est sûr. Ils ne tiennent pas déjà le coupable ? Seul à prendre une telle liberté, Brunet va finalement s'installer à sa place favorite, sur le canapé de cuir. Il écarte d'épais dossiers et une pile de journaux qui paraissent n'avoir jamais été ouverts.

Laforge referme le dossier, pose ses lunettes sur le bureau, se gratte le crâne, parcourt du regard les hommes debout dans la pièce, attendant que leur patron les invite à prendre leurs aises, au lieu de faire le planton, les bras croisés.

« Messieurs, je crains que cette affaire ne soit beaucoup plus compliquée que ce que nous avons pu penser dans un premier temps », annonce-t-il d'un ton froid, sans un signe pour les autoriser à s'asseoir.

« Que se passe-t-il, patron ? » s'étonne Pauchon dans un élan naïf.

Laforge le fusille d'un regard qui dit clairement : il ne peut jamais la fermer, celui-là ?

Christian Pelletier, commandant depuis peu, quarante-cinq ans et toujours célibataire (il y a trop de gonzesses sur terre pour se satisfaire d'une seule, plastronne-t-il régulièrement, ce qui a le don de faire rire Laforge aux éclats), se dit que les jours du nouveau sont comptés. C'est qu'en six ans de brigade sous les ordres de Laforge, il en a vu défiler des gamins comme lui, qui n'avaient pas compris que lorsqu'on fait ses débuts ici, on ferme sa gueule. Il faut faire sa place patiemment, et discrètement. Lui-même, en dépit des six années passées sous les ordres du divisionnaire, n'est toujours pas assuré de l'avoir définitivement gagnée, sa place. Alors, le nouveau, ce Pauchon, est mal barré.

Comme s'il n'avait pas perçu l'agacement visible du patron, ou comme s'il n'en faisait aucun cas, Pauchon poursuit :

« Qu'est-ce qui vous fait dire ça, commissaire ? »

Tous s'attendent à ce que leur chef explose et incendie le lieutenant. Pelletier le plaindrait presque. Il y en a qui ne s'en sont jamais remis : mutation immédiate et dossier marqué au fer rouge qui les poursuivra toute leur carrière. Laforge est ainsi : il a la rancune tenace et il bénéficie du soutien total de sa hiérarchie. En haut, on ne refuse rien au divisionnaire Robert Laforge. Parce qu'il obtient des résultats (à l'en croire, les meilleurs de la PJ) mais aussi parce qu'il a su se faire craindre de ses supérieurs eux-mêmes. Pourtant, Laforge sait que ses ennemis, et dans la police il en a désormais un paquet, attendent qu'il se plante.

Laforge ne leur fera pas ce plaisir. Et surtout pas sur cette affaire tordue.

Il plisse les yeux (mauvais signe, se dit Pelletier), dévisage le lieutenant (très mauvais signe…), et attend dans un silence lourd de menaces que le jeune flic imprudent finisse par baisser les yeux. Alors seulement, son regard glacial toujours fixé sur Pauchon, il déclare :

« Brunet, explique-nous pourquoi cette affaire est plus compliquée que prévu. »

Étienne Brunet se lève lentement, comme si son immense carcasse avait besoin de temps pour se déplier. Même s'il a arrêté de fumer il y a quelque temps déjà, sa voix de quinquagénaire est restée rauque, chargée de nicotine. Il commence :

« En effet, l'enquête n'est pas close. Il y a encore quelques points à vérifier.

— Ah bon ? » s'étonne Pauchon en se tournant vers lui. Il prend les autres à témoin : « On pensait que c'était bouclé, hein, les gars ? Qu'est-ce qui se passe, chef ? »

Aucun ne renchérit ni n'acquiesce. Tous choisissent d'ignorer sa sortie ; que ce petit con creuse sa tombe tout seul. Ils sont certains que le patron va lui rentrer dans le lard. Mais, contrairement à leur attente, Laforge conserve son calme et quand il reprend la parole, son ton est posé. Personne ne se fait d'illusions, le patron s'occupera vite du jeunot.

« Nous avons, en effet, plusieurs points à vérifier. Il faut tirer au clair le problème Franck Deloye, le frère jumeau d'Antoine, celui que nous avons arrêté cet après-midi. Je vous résume : depuis le début, tout accable Antoine, sa gueule sur les vidéos, les témoignages des voisins, sa liaison avec Élodie et son ADN sur la hachette. » Il étale sur son bureau le dossier marron qu'il tenait en main. « Je viens de recevoir les premiers résultats, précise-t-il. C'est bien le sien. » Il poursuit : « Nous avons également les vêtements que nous avons retrouvés chez lui. Bref, le mec a beau nier, il est bon pour être déféré chez le juge et bouclé sur-le-champ. Tout roule. Sauf qu'Antoine accuse son frère jumeau d'avoir assassiné sa copine. Il affirme même que son frère est une espèce de monstre qui a toujours été malfaisant, depuis l'enfance. Il nous a raconté que leur père l'avait chassé après qu'il avait décapité leur chien, alors qu'il n'avait qu'une quinzaine d'années. Bon, au début, on n'y croit pas trop, les images de la vidéo sont parfaitement nettes, c'est bien lui qui a été filmé, pas le moindre doute possible, on se dit qu'il essaye de nous balader. Mais voilà que le frangin se pointe sans qu'on ait seulement à prendre la peine de le convoquer. Vous l'avez vu comme nous. C'est dingue comme ils se ressemblent, jamais vu un truc pareil. Mêmes yeux, même corpulence, même coupe de cheveux et probablement, en bon jumeau, le même ADN... De vrais clones. En plus, il vient nous voir habillé avec le même blouson que celui que porte le type sur la vidéo. Restent les empreintes digitales, vous allez me dire. Même chez les jumeaux mono-zygotes, elles sont différentes. Exact. Mais là, cerise sur le gâteau, les deux types sont atteints d'une maladie génétique tellement rare que même moi je ne savais pas qu'elle existait : l'adermatoglyphie, messieurs ! Je vous explique : absence totale d'empreintes, la peau est lisse sur les doigts, mais aussi sur les paumes des mains et la plante des pieds ! En fouillant, j'ai retrouvé l'histoire d'une Suissesse qui s'est fait refouler à la frontière des États-Unis parce qu'elle n'avait pas d'em-preintes. *Immigration delay disease*, ils appellent ça... Bref, on ne peut pas compter sur les empreintes et probablement pas non plus sur l'ADN pour les diffé-rencier. Franck nous a fait son show, sympa, poli, le type prêt à se mettre en quatre pour aider les flics. Bon garçon, s'apitoyant sur son frère, refusant d'y croire, refusant pour l'instant de l'accabler. Mais je suis prêt à parier que ça ne tardera pas, surtout quand il saura que son frère l'accuse. Ensuite, quand il a vu la vidéo, le Franck s'est mis à trembler comme une gonzesse, comme si un truc dérapait. Bref, un peu trop poli pour être honnête, on s'est dit avec le commissaire Brunet. Bref, la merde intégrale. T'en dis quoi, Étienne ? »

Brunet se contente d'acquiescer d'un signe de tête.

« Alors, poursuit Laforge, on a fait en sorte que les jumeaux se croisent au second. Nous avons visionné l'enregistrement à plusieurs reprises, ils échangent un regard curieux, sans rien dire, mais ils ont une espèce de clignement des yeux, très rapide, en poussant un peu, on pourrait y voir un clin d'œil et, très vite aussi, ils serrent les poings, exactement au même moment. Est-ce un défi, un signal entre eux, une sorte de code secret ? Ou bien est-ce un réflexe totalement involontaire ? Pas de réponse à ce stade. En revanche… »

Laforge laisse sa phrase en suspens, il s'interrompt quelques secondes, prend le temps de regarder tour à tour chacun des hommes qui lui font face. Enfin, il conclut : « Ce qui est sûr, à ce stade, c'est que l'enquête n'est pas terminée. Que tout le monde ait bien ça dans la tête. Nous ne pouvons pas écarter la deuxième hypothèse. Pour résumer, nous connaissons le visage de l'assassin. Nous avons son nom : Deloye. Le problème, c'est que nous avons deux types qui ont le même nom… le même visage et tout le reste… Ce que nous devons trouver, c'est le prénom du meurtrier. Jusqu'à présent, nous ne nous sommes occupés que de celui qui s'est présenté à nous logiquement, mais désormais, nous sommes obligés de nous pencher sur le cas du frère jumeau. Franck. De toute évidence, l'un des deux cherche à nous balader. Je vous le dis, il peut toujours s'accrocher. »

Pas un mot, pas un murmure. Un silence total, comme si chacun encaissait et avait besoin d'un moment pour prendre la mesure de ce qu'il vient d'entendre.

Garlantezec, le premier, se risque à intervenir :

« Est-ce que vous pensez que ça peut être l'autre l'assassin ? Franck, et pas Antoine ? C'est ça, patron ?

— Bravo, capitaine ! se moque Laforge.

— C'est incroyable cette affaire ! s'exclame Pauchon. Eh ben, il y a comme un os dans le potage, patron ! »

Il le fait exprès, ou quoi ? se demande Pelletier en observant ledit patron, qui fusille Pauchon du regard.

Garlantezec lance pour faire diversion :

« Et donc, il y en a un qui nous prend pour des branleurs ! Putain, j'aime ça !

— Moi aussi, Garlan, j'aime ça. Et je vous le répète, on va le niquer. À nous de trouver lequel des frères Deloye joue au plus malin. Alors pas de conneries, surtout ne les sous-estimez pas. Je pense que nous avons affaire à un vrai pervers, qui avait tout planifié. Sauf que sa capuche dégringole devant les caméras. Peut-être même qu'il l'a fait exprès, va savoir. Aussi, à partir de maintenant, on travaille à égalité sur les deux pistes. Et sans aucun a priori. »

Yves Garlantezec, la main posée sur son arme de service, s'enquiert : « Qu'est-ce qu'on fait avec Antoine Deloye ?

— Celui-là, je me le réserve et je vais m'en occuper pas plus tard que tout de suite. Vous, vous fouillez dans la vie des deux frangins. Vous vous démerdez, vous trouvez les gens qu'il faut, je veux tout savoir. Brunet, tu t'occupes d'organiser tout ça maintenant. Hors de question que le vrai coupable nous mène en bateau. Compris ? »

Étienne Brunet est le seul à entrevoir le léger sourire, aussitôt effacé, sur le visage de Laforge. Il connaît bien ce sourire, le signe de son excitation d'avoir trouvé un beau terrain de chasse et de sa détermination à ne pas lâcher prise.

« On se retrouve dans mon bureau », ordonne Brunet.

Les hommes le suivent en silence. Tandis qu'ils sortent du bureau de Laforge, tous entendent Pauchon répéter avec amusement : « Ben la vache, on est tombé sur un os ! Un fémur de mammouth !

— Ferme-la, tu veux ? » grogne Pelletier à voix basse.

Aucun n'ose se retourner quand Laforge hurle derrière la porte ouverte : « C'est ça, lieutenant Pauchon, et cet os, on va le lui faire bouffer jusqu'à la moelle. »

Il y a dans sa voix plus que du mépris quand il prononce le mot « lieutenant ».

9

Le commissaire divisionnaire Robert Laforge s'est fait violence pour garder la maîtrise de lui-même. Il est parvenu à dissimuler à ses hommes son inquiétude, la tension qui le gagnait seconde après seconde. Il s'est montré résolu, sûr de lui, car c'est ainsi qu'il doit être. Sans cela, quel respect pourrait-on avoir pour ce petit homme monté sur talonnettes, à demi chauve et ventripotent ? Se faire craindre par ses colères fulgurantes, faire sentir qu'il a en permanence un coup d'avance, c'est ainsi qu'il s'impose. Ne pas douter face à ses hommes. C'est la règle qu'il s'est toujours imposée.

Hors de question de laisser paraître qui il est vraiment. Un être tourmenté, en proie à des doutes ulcérants et des montées de rage irrépressibles.

Laforge s'est forgé un personnage de chef auquel on obéit sans discuter. Parce qu'il a toujours raison. Et que personne n'a envie de le contredire. Les hommes se figurent déjà le sort qui attend Pauchon. Ils ne le plaignent même pas. Il s'est comporté comme un imbécile et il n'a pas sa place parmi eux. Demain, c'est certain, Laforge l'aura fait muter et il disparaîtra de la brigade…

Ils savent à quel point il peut être dur et impitoyable, parfois presque cruel. Mais ils le suivent, pour sa puissance de jugement, sa fermeté sereine en toutes circonstances. Ils lui font confiance. Laforge est un meneur et, à leurs yeux, cela n'a pas de prix.

En ce moment précis, ils sont fiers d'être les hommes de Laforge.

Ils se dispersent dans les couloirs en commentant sans retenue ce qu'ils viennent d'apprendre.

À présent seul dans son bureau, Laforge se laisse gagner par cette colère haineuse, une vieille compagne qu'il connaît bien, sans jamais avoir cherché à comprendre d'où elle venait et pourquoi elle l'accompagne ainsi depuis toutes ces années. L'introspection ne l'intéresse pas.

Pourtant, à cet instant, il a le sentiment qu'il serait capable de tuer, pour assouvir cette fureur qui s'empare de lui et l'emporte hors de lui-même. La violence et la noirceur qui l'environnent alors paraissent sans limites.

La pointe du stylo qu'il enfonce dans le dossier posé devant lui se brise d'un coup, crachant de l'encre noire. Il serre les poings avec une telle force qu'une douleur vive lui fait rouvrir les yeux. Il ouvre les mains lentement et regarde les gouttes de sang perler sur ses paumes. Il les essuie sur le rebord de son bureau, examine les marques laissées par ses ongles et se lève. Il enfile sa veste, referme le col de sa chemise et, avec soin, il rajuste sa cravate noire.

La douleur l'a sorti de la transe.

Il est à présent parfaitement calme, concentré et animé par sa seule détermination. Ces moments où il laisse libre cours à sa rage sont les exutoires qui lui évitent de perdre pied. De céder aux envies qui le taraudent d'en finir à coups de poings avec ces ordures capables de martyriser de sang-froid des filles sans défense. Comme le type qui l'attend dans la salle d'interrogatoire à l'étage en dessous.

Mais est-il cette ordure ?

Avant de rejoindre Antoine, Laforge va s'embusquer quelques instants derrière la vitre sans tain. Antoine se tient replié sur lui-même, les jambes croisées sous la chaise, le front posé sur la table d'acier. La main libre a rejoint l'autre, celle qui est menottée au pied de la table, et la caresse. Impossible de dire s'il faut saluer ses qualités de comédien ou si ce type est sincèrement plongé dans l'affliction. Mais il ne lui laissera pas la moindre ouverture. C'est un tueur et il va le travailler comme il se doit. Travailler les suspects, à ce jeu, Laforge est un crack.

Un bon flic déteste rester dans le vague. Il ne supporte pas la moindre zone d'ombre. Laforge a besoin de comprendre ce qui, dans l'attitude d'Antoine Deloye, l'intrigue tant. Quelque chose l'a poussé à ne pas l'envoyer devant le juge, et il saura quoi.

Il ouvre violemment la porte de la salle d'interrogatoire. Deloye sursaute au bruit, se retourne à demi, tente de se lever, mais les menottes l'en empêchent. Il s'abandonne sur sa chaise, le regard suppliant.

« Je n'ai pas tué Élodie, je vous le jure, murmure-t-il tandis que le commissaire prend tranquillement place sur la chaise en face de lui.

— Aucune raison de te croire », assène Laforge d'un ton bref.

Le commissaire, à cet instant, n'a pas le moindre plan en tête.

Il procède toujours ainsi, à l'instinct. Le laisser venir, songe-t-il.

« Vous devez me croire. Comment osez-vous me traiter de cette manière ? La femme que j'aime est morte. C'est monstrueux.

— Comment j'ose ? Tu me débectes. S'acharner sur une fille de cette façon, il faut vraiment être une pourriture. Pourquoi tu as fait ça ?

— Je n'ai rien fait... »

Laforge contourne la table d'un bond, le saisit par les cheveux et lui tire la tête vers l'arrière en lui hurlant au visage :

« Regarde-moi, ordure !

— Lâchez-moi ! Vous n'avez pas le droit !

— Ta gueule. J'ai tous les droits, connard.

— Je veux un avocat ! le défie Antoine.

— Trop tard.

— C'est la loi, j'exige d'avoir un avocat.

— La loi, je m'en branle. Ici, il n'y a que toi, un pauvre mec, et moi, un flic qui a tous les droits. Je pourrais te défoncer la gueule, personne ne broncherait. Alors, tu arrêtes de pleurnicher et tu me parles un peu d'Élodie... »

Antoine plante ses yeux translucides dans ceux du flic, soutient son regard : « D'accord, je vais vous parler. Mais lâchez-moi. Vous me faites mal. »

Laforge maintient un instant son étreinte puis le libère. Il lui donne une légère tape sur la joue, reprend place sur sa chaise en un mouvement si rapide qu'il semble ne l'avoir jamais quittée, enclenche l'enregistrement de la caméra et l'encourage : « Vas-y, je t'écoute. »

Antoine fixe la caméra au-dessus du miroir sans tain, comme s'il ne pouvait affronter plus longtemps le regard du flic assis devant lui. Il gardera cette attitude tout au long de son monologue, sans montrer d'émotion ni se départir de sa voix monocorde. Comme Laforge le dira plus tard à Brunet, on dirait qu'il ne fait que réciter un texte appris par cœur.

« J'ai rencontré Élodie chez François Vincelles, un collègue. Il fêtait sa crémaillère à Neuilly. Le 26 mai, il y a presque deux ans. Je me souviens de tout, même des vêtements qu'elle portait, un jean, une chemise blanche et des ballerines noires. Toute la soirée, je ne l'ai pas quittée des yeux. Pourtant je ne suis pas timide, mais nous nous sommes à peine adressé la parole. J'ai juste appris par François que c'était sa cousine et qu'elle était prof de français. Je ne sais pas ce qui m'a retenu mais je n'ai pas osé aller vers elle. Élodie m'a raconté après qu'elle aussi m'avait remarqué et qu'elle avait tenté en vain de me parler. Mais j'étais comme un zombie, d'après elle, ça la faisait rire. Ce soir-là, nous avons tous pas mal picolé, Vincelles a mis la musique à fond et finalement, les voisins ont appelé les flics, qui ont mis fin à la fête vers deux heures du matin. Tout le monde est parti en même temps et quand on est sortis de l'ascenseur, elle m'a donné son numéro de téléphone. Après ça, et même le jour où elle m'a présenté à ses parents, elle se vantait de m'avoir dragué. Ça aussi, ça la faisait rire. C'était une fille simple, directe, vive, heureuse de vivre, et tellement belle. Vous ne pouvez pas imaginer à quel point cette femme m'a plu. Immédiatement, je suis tombé amoureux. Je l'ai appelée le lendemain matin pour l'inviter à dîner. C'est elle qui a proposé qu'on se voie le soir même. Nous sommes allés chez Diep, un chinois de la rue Pierre-Charron. Elle portait une robe vert pâle. J'aurais voulu que le dîner dure encore des heures, tant nous avions de choses à nous dire. En une soirée j'ai tout su d'elle. En sortant, nous nous sommes embrassés et je l'ai raccompagnée chez elle à Boulogne. Dès ce premier soir, je lui ai dit que je l'aimais. Et après, nous ne nous sommes plus quittés, il n'y a jamais eu un seul nuage entre nous. J'étais heureux avec elle et elle avec moi. Nous partagions tout, nous avions les mêmes goûts, les mêmes désirs. Nous avions décidé de nous marier, on voulait faire notre vie ensemble. Vous comprenez, commissaire ? Comment pouvez-vous croire que j'ai tué la femme que j'aimais par-dessus tout ? Depuis le premier instant où nous nous sommes croisés ? »

Laforge s'attend à le voir fondre en larmes. Mais rien de tel, et c'est ce qui le glace. Le jeune homme devant lui semble presque triompher. Son regard quitte la caméra, il fixe le commissaire et se tait.

« Pourtant vous ne viviez pas ensemble, remarque Laforge.

— C'était un choix. On est jeunes, on avait le temps, on avait de l'argent, on n'est plus en 1950, commissaire. On pouvait rester plusieurs jours sans se voir, d'ailleurs. On avait envie de se marier en mai, le

26, pour fêter nos deux années d'amour, on en parlait, on devait s'en occuper. Ça vous paraît bizarre ?

— Rien ne me paraît bizarre, Deloye, des trucs bizarres, j'en ai vu. Et ton frère dans tout ça ? Il n'a pas de petite amie ? Il était jaloux de ton bonheur ?

— Malheureusement, vous avez raison, commissaire. Je pense que Franck n'a jamais admis que je sois heureux. Il a toujours été comme ça avec moi. Envieux et jaloux.

— Et c'est pour ça qu'il a tué ta fiancée ? En réalité, c'est toi qu'il visait, il voulait te faire du mal ?

— Je ne vois pas d'autre raison possible. Tout le monde aimait Élodie. Il n'y avait aucune raison de lui en vouloir. Il l'a assassinée pour me détruire, c'est affreux, mais c'est la vérité. Maintenant, je vous ai parlé, je veux un avocat.

— Bien sûr. C'est la loi, tu auras un avocat, ne t'en fais pas. »

Quand je le déciderai, termine Laforge pour lui-même. Sans ajouter un mot, le commissaire se lève pour sortir.

En voyant cela, Antoine bondit et se met à hurler.

« Ce n'est pas moi ! C'est Franck qui a tué Élodie. Lui, lui ! Mon avocat ! Je veux mon avocat ! »

À cet instant, Brunet les rejoint dans la pièce. Silencieux derrière son miroir, il n'a rien perdu de l'entretien, et il a vu la tension monter chez son chef. Il s'interpose entre lui et Antoine, qui secoue la table dans de vaines tentatives pour se libérer. D'une main ferme, il le contraint à se rasseoir.

« Notre client veut rentrer chez lui, on dirait ! » persifle-t-il.

Laforge respire, reprend le contrôle.

« Il va rester là encore un peu, au calme pour réfléchir », réplique-t-il d'une voix sourde.

Deloye regarde les deux flics tour à tour. Il semble se reprendre, et se fige soudain, comme si un élément important lui revenait en mémoire.

« À quelle heure Élodie a été tuée ? demande-t-il d'un ton pressant.

— Fais un effort, tu devrais t'en rappeler ? Pourquoi tu veux savoir ça ? »

Soudain plus assuré, Antoine redresse le buste, semblant défier les deux hommes : « Parce que j'ai un alibi, voilà pourquoi !

— Un alibi ? Tiens donc, c'est nouveau ça ! répond Laforge, l'air soudain intéressé.

— Oui ! J'ai passé toute la soirée avec mon pote Fabrice, dans un bar du seizième.

— Dans un bar…

— Les Princes, porte de Saint-Cloud. Plein de gens m'ont vu !

— Et à quelle heure y étais-tu ? » intervient Brunet.

Ce nouvel élément trouble vivement son adjoint, observe Laforge. Donc, voilà que cet enfoiré sort le même alibi que son frère.

« Toute la soirée. Vous pourrez vérifier.

— Tu étais avec des gens ?

— Plusieurs, je vous ai dit, j'ai retrouvé mon ami Fabrice Peyrot. Vous pourrez vérifier ! répète-t-il d'un ton bravache.

— Ce sera vite vu, ne t'inquiète pas ! » lance Laforge en quittant la pièce, suivi par son second.

Dans le couloir, Brunet peste : « Putain, tu as raison : l'un des jumeaux est en train de nous balader.

— Faut que tu arrêtes de dire putain à tout bout de champ, Étienne !

— T'as raison, putain de merde !

— Putain d'abruti !

— C'est de moi que tu parles ?

— À ton avis ? »

Les deux hommes éclatent de rire. Ces brefs moments de complicité, si rares, Brunet ne les échangerait contre rien au monde. C'est comme s'ils tissaient entre eux des liens indéfectibles.

Ce que Laforge ignore, c'est qu'un autre flic a suivi, dissimulé derrière la vitre, l'interrogatoire d'Antoine Deloye : Hervé Pauchon. Il était entré discrètement dans la pièce, se tenant en retrait, derrière Brunet. « Tu peux rester », avait seulement glissé le commissaire avant qu'il ne lui pose la question.

Inconscience, bêtise, ou arrogance ? Pauchon ne se demande pas comment le patron réagirait s'il le surprenait ici. Il observe avec avidité Deloye, ses yeux secs fixés sur ses mains, qu'il frotte avec application, comme s'il avait besoin de les réchauffer. Il ne comprend pas pourquoi Laforge ne pousse pas plus loin l'interrogatoire. Il peste intérieurement. *Mais bon sang, qu'est-ce qu'il fiche ? Moi, à sa place, je ne l'aurais pas lâché, là !*

En quittant la pièce pour aller prendre les ordres auprès de Brunet (heureusement que celui-là est moins tordu que le chef), il se dit que Laforge est convaincu qu'Antoine Deloye est le tueur, et qu'il ne veut pas en démordre. Sinon, pourquoi laisserait-il son frère dans la nature ?

10

Hervé Pauchon décolle avec précaution les scellés de plastique rouge qui barrent la mince porte de bois sombre. Il les remettra à leur place après. En théorie, il lui faudrait une commission rogatoire pour entrer au domicile d'Élodie Favereau. « Il y a la théorie et la pratique, Pauchon, lui a dit Brunet. Et je ne vais pas alerter le juge pour si peu. Tant que tu ne te fais pas remarquer… »

Un tour de clef, il note la solide serrure à cinq points et l'œilleton, et il pénètre dans l'appartement d'Élodie Favereau. Une demoiselle prudente, se dit-il.

Brunet lui a demandé d'aller fouiller dans l'appartement de la victime à la recherche d'éléments qui témoignent de ses liens avec Antoine. Pour désigner Antoine, il a employé le mot « tueur », sans hésitation. « Je veux les photos, les lettres, un journal, que sais-je… Démerde-toi pour rapporter le maximum de choses. Le patron veut savoir ce qu'il y avait vraiment entre eux. Il n'a pas l'air convaincu par leur histoire d'amour sans nuages », avait-il raillé. Lui aussi, il est un peu sceptique. Les belles histoires d'amour qui finissent avec une tête coupée, il ne connaît pas…

Il avait ajouté : « Tu la joues discret, je n'ai même pas dit à Laforge que c'est toi que j'envoie.

— Pourquoi ?

— Va falloir te réveiller, mon gars. Il ne faut pas la ramener avec Laforge, tu n'as toujours pas compris ? Allez, rapporte-lui quelque chose, ça fera remonter ta moyenne ! » avait conclu Brunet. Son ton menaçant était sans équivoque.

Sa mission est simple. Ils doivent mettre au clair les relations du couple et la personnalité de la jeune fille. Ils ne s'en étaient pas souciés à la première fouille, tellement ils étaient persuadés que cette affaire était déjà réglée. Mais à présent, il faut reprendre du début. Donc on creuse pour tout savoir sur la fille et sur cette romantique histoire d'amour parfait dont Antoine leur rebat les oreilles. Quand il aura passé au crible l'appartement, il ira interroger les voisins et les proches.

À peine passé la porte, le lieutenant Pauchon est frappé par l'atmosphère qui règne dans l'appartement. Bien sûr, il y a la large tache de sang sombre sur la moquette beige, l'empreinte laissée par la tête sur la table basse, et l'odeur âcre qui stagne dans l'appartement dont les fenêtres sont restées hermétiquement closes. Et les traces laissées par les flics de la scientifique, qu'il remarque immédiatement. Non, ce qui l'intrigue, c'est l'état d'abandon dans lequel semble avoir été laissé le petit deux-pièces. Le sentiment s'impose peu à peu au policier : c'est comme si l'appartement avait été déserté depuis des jours.

Il a été quitté précipitamment, le lieutenant Pauchon en a la certitude.

Pourtant, à première vue, tout semble parfaitement entretenu. Le papier peint beige orné de minuscules fleurs bleu pâle a été posé récemment. Une couche de plâtre a été appliquée sur un pan de mur près de l'entrée – pour reboucher un trou ou recouvrir une trace d'humidité ? La moquette gris clair est propre, sans taches, hormis celles qu'a laissées la boucherie qui a eu lieu ici. Sur le mur de droite, la traînée de sang a coagulé. Rouge sombre, presque noire, large et épaisse, témoin de la barbarie qui a souillé l'appartement. Par réflexe, il la photographie. Sous une table, il repère un petit bout de pain. Il se penche : rassis, dur comme du béton. Une assiette, propre, est restée sur le bord de l'évier, et sur les plaques chauffantes une casserole de lait à moitié vide. Il a débordé et laissé des résidus cramés. Sur le plan de travail, un bol, avec deux morceaux de sucre de canne intacts. Il ouvre le frigo, attrape la bouteille de lait Candia, la porte à son nez : le lait a tourné. Autour de la poubelle pleine volent quelques mouches. D'autres préfèrent la tache de sang. Il ouvre une fenêtre aux carreaux impeccables, tente de les chasser. Dans le salon, une bouteille de bordeaux est restée en équilibre sur l'accoudoir du fauteuil. Elle est vide. La scientifique l'a laissée en place, emportant seulement les verres. Pauchon sait qu'on a uniquement relevé dans le petit appartement les empreintes d'Élodie, aucune autre. Elle n'avait pas beaucoup de visites, apparemment… Une fine couche de poussière recouvre la commode dans l'entrée. Il y pose un doigt, laisse une petite trace.

Ce qui frappe au premier regard, bien sûr, c'est, posé sur le sol devant la fenêtre de droite, le bouquet de roses rouges encore sous cellophane, glissé dans un vase vide. Il compte les fleurs, douze, regarde l'étiquette épinglée. Un fleuriste du boulevard de la République, à Boulogne-Billancourt. Il va falloir y faire un tour et vérifier qui les a achetées et quand, se dit Pauchon.

C'est la première chose que Pauchon photographie, tant ce bouquet resplendissant jure de façon sinistre dans ce décor. Ensuite, il prend en photo le salon, centimètre carré par centimètre carré. Après cela seulement, il pousse la porte de la chambre. Il découvre un grand lit défait, avec deux oreillers posés l'un sur l'autre.

Pour faire entrer la lumière, il tire les jolis rideaux de coton blanc qui tombent délicatement sur le parquet verni. Une télé à écran large trône sur un guéridon de bois noir. Il y promène son index. Le même voile de poussière que dans le salon. Il s'approche du mur à droite du lit, où est punaisée une dizaine de photos. La scientifique n'a rien emporté, selon l'injonction de Laforge, de même qu'il a exigé que l'on remette le lit dans l'état où ils l'avaient trouvé, après avoir effectué leurs prélèvements. En désordre, donc. Sur toutes les photos apparaît le visage parfois souriant, parfois grave de la jeune femme, prise seule. Un peu égocentrique peut-être, mais c'est l'époque qui veut ça… Une seule, un peu à l'écart des autres, la montre en compagnie de Deloye, à la terrasse d'un café. Elle tient une tasse à la main, tandis qu'il lève un verre de bière comme pour trinquer, en fixant l'objectif. Sur la table est posée une seconde tasse de café. Probablement pour la personne qui est derrière l'appareil.

Élodie a un léger sourire, la main posée sur celle de son compagnon à l'intense regard clair. Lui ne sourit pas. Sur le dossier de la chaise vide, Pauchon devine un blouson sombre à capuche, semblable à celui qui a été filmé par la caméra de surveillance. Décidément, pense-t-il, ce blouson est en passe de devenir une star... Il décroche la photo et la glisse dans la poche de sa veste. La penderie est entrouverte. Il ouvre les portes en grand. Quatre robes, deux jeans, un chemisier blanc et, au sol, deux paires de chaussures à talons hauts, une de ballerines noires. Dans le premier tiroir, trois soutiens-gorges blancs avec la culotte assortie. « Ce n'est pas possible qu'elle n'ait que ça comme vêtements », marmonne le lieutenant à mi-voix. Les autres tiroirs sont vides. Pas de valise ni de sac.

Il finit par la salle de bains. À des détails, il note que les gars de la scientifique l'ont passée au peigne fin. Il aligne sur le bord de la baignoire sabot son maigre butin : un tube de dentifrice, une épingle à cheveux, un flacon de lotion démaquillante, des Kleenex et une boîte de Doliprane qui n'a pas été ouverte. Il photographie le tout.

L'ensemble paraît bien anodin.

Un appartement ordinaire, habité par une jeune femme soigneuse et sans histoire. Mais Pauchon note sur son calepin cette impression d'abandon qu'il a ressentie dès qu'il est entré.

Après cela, il aura beau fouiller l'appartement dans ses moindres recoins, il ne trouvera aucune autre trace de vie. Élodie Favereau habitait-elle vraiment ici ?

Pour lui, la réponse est évidente : elle avait quitté l'appartement depuis plusieurs jours. Quelques semaines peut-être. « Comme si elle avait dû quitter les lieux un peu vite, comme si elle avait pris la fuite », explique-t-il au téléphone à Brunet, avant de refermer les fenêtres, d'éteindre et de quitter les lieux.

Il retourne cette idée tandis qu'il referme l'appartement et remet les scellés en place.

Maintenant, il va voir ce que les voisins ont à lui raconter.

11

« Il faut se concentrer sur la fille, la clef pourrait être dans ses relations avec les Deloye », approuve Laforge, l'œil brillant.

Étienne Brunet vient de rapporter à son patron sa conversation avec le gars qu'il a envoyé sur place. Laforge n'a pas posé de question et Brunet est resté flou, inutile de l'énerver. Le chef a forcément compris qu'il s'agit de Pauchon, mais dans le doute…

« Il semblerait que la fille avait déserté l'appartement depuis plusieurs jours. Et même précipitamment, il restait une casserole de lait sale. Pas une valise, pas un sac, presque pas de vêtements, elle a pris ses affaires et elle a laissé tout le reste en plan. Ce qui veut dire, et c'est là que je ne pige pas, qu'elle serait revenue chez elle juste pour se faire massacrer.

— Bon boulot, il y a forcément quelque chose, là, commente Laforge. Il faut comprendre ce qui s'est passé. Pourquoi elle est partie, où elle est allée et surtout pourquoi elle est revenue. »

Le divisionnaire ordonne : « Mets deux gars sur Élodie, tu décides qui. Qu'ils aillent interroger chaque personne de l'entourage, les parents, les copines, les collègues, la coiffeuse, les profs de fac… Et aussi le cousin, là, le Vincelles chez qui ils se sont rencontrés. Je veux savoir quelles étaient ses relations, s'ils savent s'il s'est passé un truc avec Antoine Deloye, qu'est-ce qu'ils pensent de son amour sans nuage avec la "femme de sa vie". » Laforge a prononcé ces derniers mots presque avec dégoût. Il est évident qu'il n'y croit pas.

« Donc tu es certain que c'est Antoine ? avance Brunet.

— Je ne suis certain de rien, Étienne. Sauf que je vais choper le coupable. Et je sens que pour le coincer, il faut qu'on ait l'air de ne pas douter une minute. C'est quand ils commencent à flipper qu'ils font des erreurs. S'il comprend qu'on a des doutes, il va nous embrouiller encore plus. »

Il se tourne vers son adjoint :

« Alors on va continuer à lui montrer qu'on ne gobe pas un mot de ses conneries. Viens avec moi. »

Aussitôt qu'ils pénètrent dans la salle d'interrogatoire, Antoine réclame à nouveau son avocat. Il prévient : « Je ne vous dirai plus un mot tant qu'il ne sera pas là, commissaire.

— Il faudrait savoir, mon vieux, le provoque Laforge. Je te rappelle que tu as signé une décharge hier où tu renonçais à la présence d'un avocat. C'est trop tard, maintenant ! »

Il bluffe, il n'est jamais trop tard, dans ce genre de procédure. Brunet sait que ça amuse son patron. Et aussi, qu'il n'en a rien à foutre.

« Eh bien j'ai changé d'avis, je veux que vous contactiez une avocate que je connais. Elle me sortira d'ici.

— Et qu'est-ce qui t'a fait changer d'avis comme ça, explique-moi ?

— Je vois bien que vous ne me croyez pas. Je veux mon avocate.

— Et elle s'appelle comment, ta sauveuse ?

— Me Hénin. »

Il répète d'un ton insistant : « Catherine Hénin.

— Une femme… Connais pas… Mais, puisque tu y tiens, on va la prévenir, pas de problème, ment Robert Laforge. Mon adjoint va s'en occuper.

— Tout de suite !

— On s'en occupe, je te dis. »

Laforge fait un signe de tête à son adjoint : « Brunet, tu y vas ? » Il attend qu'il soit sorti avant d'aller vers la table :

« Tu vois, il suffit de demander ! »

Il s'assoit en silence, retire sa veste, fait du regard le tour de la pièce, se relève, tapote la caméra, sort de la pièce, inspecte le couloir, revient, s'installe à nouveau sur la chaise en fer, soupire, se gratte la gorge, ferme les yeux, ajuste sa cravate. Il se lève une fois de plus, passe derrière le jeune homme. Un homme qui a tout son temps et qui attend patiemment que tout soit en ordre pour reprendre son travail. Antoine n'a pas bronché, pas dit un mot, se contentant de suivre les mouvements du policier.

À brûle-pourpoint, d'une voix douce, presque amicale, curieuse, Laforge glisse : « Au fait, quand as-tu vu Élodie pour la dernière fois, tu ne me l'as pas dit ? »

Il pose la main sur l'épaule d'Antoine, dans un geste paternaliste.

« Ne me touchez pas ! gronde Deloye.

— Comme tu voudras », répond le commissaire, imperturbable, en retirant sa main.

Mais il reste derrière le jeune homme, l'obligeant à se contorsionner pour l'entrevoir. Il reprend :

« Je voulais juste savoir à quand remonte votre dernier rendez-vous. Il faut qu'on reprenne la chronologie des faits. Je cherche seulement à comprendre.

— Je veux mon avocat ! »

Puis, d'un coup, il semble renoncer : « Nous avons passé la soirée ensemble deux jours avant… sa mort. Nous sommes allés manger une pizza au Santa Lucia, rue des Canettes, près de Saint-Sulpice.

— Eh bien voilà ! Et après la pizza ?

— Ensuite nous sommes rentrés passer la nuit chez elle.

— Bon, bon, bon… Vous avez fait l'amour, je suppose ? s'enquiert Laforge d'un ton placide.

— Vous avez vraiment besoin de savoir ça ? siffle Antoine d'un ton hargneux. Oui, on a baisé la moitié de la nuit, vous êtes content ?

— Et depuis, vous ne vous êtes pas revus ?

— On s'est téléphoné, bien sûr, nous nous appelions plusieurs fois par jour. On devait passer le week-end ensemble.

— Tiens donc !

— J'avais réservé dans un relais & châteaux en Touraine.

— Bien joué ! ironise Laforge.

« — Qu'est-ce que vous voulez dire, *bien joué* ? » s'agace Deloye.

Monsieur s'énerve, constate le divisionnaire avec satisfaction. Il change de registre de façon imprévisible, reprend d'un ton glacial :

« Non, Deloye, figure-toi qu'on n'est pas contents. Pas contents du tout. Ça se fait pas, de décapiter les gentilles nanas après les avoir baisées, tu vois ?

— Vous êtes ignoble. Je n'ai pas commis ce crime horrible. Tout le monde vous dira à quel point j'aimais Élodie.

— Alors tu devais avoir une bonne raison, si tu l'aimais tant ?

— Je ne lui ai rien fait ! Vous… Vous…

— Oui ? Je quoi ? »

Le commissaire s'est placé devant Antoine, l'attitude si menaçante malgré sa taille qu'on croirait qu'il va se jeter sur lui.

« Vous me faites peur, souffle le jeune homme.

— Et la petite Élodie, à ton avis, elle a eu peur ? Tes états d'âme, mon vieux, je m'en branle. Ici, il n'y a que toi et moi. Je fais ce que je veux. Alors, tu arrêtes de faire le con et de nous raconter des craques !

— J'exige de parler avec mon avocat !

— Les gars qui se retrouvent assis ici, Deloye, ils n'exigent rien du tout », réplique Laforge avec un sourire mauvais.

Il lui pointe durement l'index sur le front, et assène d'une voix forte, sans laisser à Antoine le temps de réagir :

« On sort de chez ta copine, connard. Son appartement est à moitié vide, à l'abandon. Visiblement

Élodie l'avait quitté il y a plusieurs jours. Et toi tu me dis que vous y avez roucoulé il y a trois jours à peine ? Tu as des témoins ? Quand je dis qu'elle l'avait quitté, moi je crois plutôt qu'elle s'était enfuie. Elle avait foutu le camp de chez elle. Et tu veux savoir comment j'interprète ça ? L'amour de ta vie s'est barré parce que tu lui foutais la trouille. Et elle avait bien raison d'avoir la trouille, parce que tu l'as massacrée, la pauvre fille. Alors tu arrêtes de me raconter des salades ! »

Antoine soutient le regard du commissaire. « Vous vous trompez. Je ne l'ai pas tuée. Et je vous jure que nous avons passé la nuit chez elle il y a trois jours.

— Tu l'as massacrée à coups de hache ! explose Laforge. Tu veux revoir les photos ?

— Je l'aimais tellement, dit Antoine Deloye d'un ton implorant.

— Ouais, à la vie, à la mort ! » grince Laforge.

Antoine secoue la tête, la baisse et murmure : « Vous ne pouvez pas comprendre… »

Brunet choisit ce moment pour revenir dans la pièce. « Me Hénin ne répond pas. Je lui ai laissé un message. Elle va rappeler… » Brunet ment sans aucune vergogne. Il s'est contenté de rester à les écouter derrière la porte. Laforge avait été très clair : « Pas d'avocat pour l'instant, je veux le cuisiner en paix. »

Deloye ne réagit pas à cette annonce. Il continue, dans un mélange étonnant d'assurance et d'hésitation : « Élodie n'avait pas peur de moi, elle avait peur de Franck.

— Nous y voilà ! s'exclame Brunet avec ravissement.

— Explique-nous ça…

— Non. Je ne dirai plus rien tant que mon avocat ne sera pas là.

— OK… soupire Laforge. Mais le commissaire Brunet n'a pas réussi à la joindre… Tu sais, on tient compte du fait que les prévenus coopèrent.

— Je vous dis que non. Vous pouvez me tabasser, me menacer tant que vous voulez, je ne répondrai plus. Gardez vos questions pour mon frère ! Vous l'avez interrogé, lui ? Pourquoi est-ce que vous vous acharnez sur moi ?

— Donc tu es incapable de faire un truc pareil, mais ton jumeau, oui ?

— Ne soyez pas cynique, commissaire. Franck a le mal en lui. »

Laforge poursuit, ironique, à l'adresse de Brunet : « Tu vois, c'est simple ! Je te l'ai dit, c'est le frangin qui a fait le coup. Tu ne veux pas me croire… Ce jeune homme est innocent ! Deux jours avant qu'Élodie soit massacrée par Franck Deloye, le méchant jumeau, les deux tourtereaux ont passé une nuit d'amour dans le nid douillet d'Élodie Favereau. Le gentil jumeau qui est devant nous était tellement amoureux qu'il ne s'est pas aperçu qu'Élodie n'habitait plus là. L'amour est aveugle, Brunet ! »

Ils sortent dans un éclat de rire calculé, tandis que Deloye réclame à nouveau son avocat.

« Cause toujours », s'exclame Laforge en refermant la porte violemment.

Dehors, le divisionnaire explose :

« Non mais tu l'as entendu bêler, cet enfoiré ?

— Putain, Robert, nous sommes en infraction, tente Brunet. On doit contacter son avocat.

— Il me faut juste un peu de temps, je le sens.

— La procédure sera déclarée nulle. On ne peut pas continuer comme ça.

— Fais chier…

— Robert, tu le sais parfaitement. Ça va nous péter à la gueule.

— OK, fais comme tu veux, finit-il par céder. Mais débrouille-toi pour faire traîner encore un peu. Pour l'instant je ne veux pas de casse-couilles ici.

— Je vais voir ce que je peux faire. Tu n'as pas à te faire de mouron, il est à toi. Si c'est lui l'assassin, tu l'auras, ça ne fait pas l'ombre d'un doute. »

Laforge s'immobilise au milieu du couloir. Il sort une cigarette et avant de l'allumer, il lève les yeux sur son adjoint, qui le dépasse de plus d'une tête. Il dit sombrement :

« Ouais, si c'est lui… On est dans un foutu sac de nœuds, Étienne, plus le temps passe, plus ça joue en faveur du coupable. C'est l'un des deux frangins. Mais lequel est un salopard ?

— Tu hésites vraiment ? s'étonne Brunet.

— Tant que je n'aurai pas la certitude absolue que c'est Antoine, j'hésiterai, Étienne. Vraiment. »

Il se reprend et ordonne d'une voix assurée : « Il faut continuer à fouiller du côté de la fille, Brunet. Il me faut tout sur elle. Putain, on perd du temps ! »

Il se reprend, demande : « Et le téléphone de la fille ?

— On ne l'a toujours pas retrouvé. Notre gars est formel, il n'est pas dans l'appartement. »

Laforge enrage.

*Le chauffe-biberon tout neuf, un « spécial jumeaux »,
émit un bref tintement.*

*Philippe tenait fermement ses deux garçons, un dans
chaque bras, pendant que le lait chauffait. Il avait déjà
les gestes sûrs d'un papa.*

*Les gamins braillaient de concert sans que cela
semble le gêner.*

*« Ça vient, ça vient, mes chéris », murmura Sophie,
impatiente de nourrir ses enfants à la maison, pour la
première fois. Elle fit perler une goutte de lait sur le
dos de sa main. « Parfait, à table, mes chéris ! »*

« Je prends Antoine », proposa-t-elle.

*Elle caressa son dos, ses cuisses dodues. « Que sa
peau est douce », sourit-elle.*

*Dans la chaleur étouffante de cette fin d'août, les
petits ne portaient qu'une couche et une fine chemise.*

*Sophie sentait sa poitrine lourde, mais elle avait
renoncé à les allaiter. L'un de ces « petits voyous »
avait pincé si fort son mamelon droit le matin précé-
dent, à l'hôpital, que la douleur était encore vive.
Et puis elle n'avait pas aimé la façon dont son bébé
avait crispé sa petite main, refusant de lâcher prise.*

« Celui-là, c'est un glouton », avait commenté l'infirmière, celle qui avait un léger accent espagnol. Elle semblait les avoir pris en affection, allez savoir pourquoi. Avec douceur, elle l'avait aidée à écarter la bouche vorace de l'enfant. Sur le sein gauche, l'autre petit bébé s'était endormi, indifférent aux hurlements de son frère. Le biberon que l'infirmière lui avait mis d'autorité dans la bouche l'avait calmé. La tête penchée sur le côté, Sophie avait regardé la jeune femme caresser le crâne de son fils. « Petit monstre », avait-elle murmuré affectueusement. La scène avait ému Sophie au point de lui faire monter les larmes aux yeux, mais la douleur à son sein l'avait tirée de son attendrissement.

« On va s'occuper de ça, avait assuré l'infirmière avec gentillesse. Ça arrive souvent. »

Le soir, un cercle bleu était apparu sous le mamelon. C'était à peine si elle pouvait poser la main dessus. Elle aurait été incapable de dire lequel de ses jumeaux l'avait blessée ainsi et l'idée de tenter à nouveau de donner le sein l'effrayait un peu. Elle verrait plus tard, lorsque la douleur aurait disparu.

Sophie prit le bébé qui s'agitait sur le bras gauche de Philippe. Elle l'embrassa sur le front et alla s'asseoir au salon. Philippe l'imita et ce fut dans un silence réconfortant qu'ils nourrirent leurs enfants. Ils n'avaient pas besoin de parler pour partager leur bonheur. Chacun profitait de ce moment, les yeux posés sur l'enfant niché dans ses bras tandis qu'il vidait goulûment le biberon.

« Doucement, mon petit Antoine », finit par dire Philippe.

Il lui retira la tétine et le bébé se remit à hurler de plus belle.

Sophie avait réagi aussitôt : « Tut, tut, tut ! C'est moi qui ai Antoine !

— Mais non, c'est moi ! Regarde ! »

Philippe tira sur la manche de la chemise jaune pâle du bébé qui se tortillait au creux de son coude. Il examina son poignet droit. Puis le gauche. Sa première réaction fut l'amusement : « Il n'a plus son bracelet.

— Le mien non plus », constata Sophie, plus gravement.

Elle semblait troublée par cette découverte.

« Nos petits n'ont pas de noms ! continua Philippe. Les jumeaux anonymes ! »

L'enfant dans les bras, la tétine toujours serrée entre ses lèvres, Sophie se leva pour se rendre à la chambre. Quelques secondes plus tard, Philippe l'entendit appeler d'une voix pressante. Sa femme semblait anxieuse. Elle avait déposé le bébé dans l'un des berceaux.

« Regarde », lui dit-elle, sans se préoccuper du bébé qui geignait et gesticulait.

Elle tenait un petit bracelet dans chaque main. « Celui-là, Antoine, était dans le lit de droite, tout au fond sous le drap. Et l'autre, Franck, pareil à gauche. Comment est-ce possible ?

— Donne », murmura-t-il.

Comme elle ne réagissait pas, il lui prit des mains l'un des bracelets et le passa vivement autour de la menotte de l'enfant qu'il portait. « Il n'y a pas de quoi s'affoler, mon amour », dit-il d'un ton calme.

Il enleva et remit le bracelet, sans le moindre effort.

« *Tu vois, constata-t-il, ils n'étaient pas suffi-samment serrés. Ils ont glissé quand nous les avons couchés. Il ne faut pas chercher plus loin.*

— Et s'ils s'en étaient débarrassés volontaire-ment ? souffla Sophie.

— Ils sont bien trop petits pour ça, voyons... Peut-être que les bracelets les gênent ? » poursuivit-il sans logique. Histoire de la tranquilliser. Histoire aussi de ne pas céder aux interrogations qui l'assaillaient à son tour.

« *C'est troublant, non ? insista Sophie. C'est comme s'ils refusaient leur identité.*

— Ne dis pas n'importe quoi, Sophie. Ils n'ont que quelques jours...

— Qu'est-ce qu'on fait maintenant ?

— Maintenant, maintenant... », dit-il avec hésitation.

Sophie s'accrochait au regard de son mari. Philippe sentait qu'elle était au bord de la panique. Il réfléchit, puis reprit d'un ton ferme :

« *J'ai d'abord pris celui qui était dans le lit à droite. Donc c'est Antoine. Dans la cuisine, le temps de faire chauffer les biberons, tu m'as donné Franck. Dans le bras gauche. Je suis certain de ne pas avoir changé de bras. Ensuite tu l'as repris. »*

Il désigna le bébé dans le petit lit : « Donc celui-là, c'est Franck. Voilà. Tout est dans l'ordre, il n'y a aucune raison de s'inquiéter.

— Tu es sûr de toi ? J'ai bien repris Franck ?

— Oui, affirma-t-il.

— Et s'ils s'étaient trompés à la maternité ? insista-t-elle.

— Arrête de délirer, s'il te plaît. Dans le lit, c'est Franck et celui-là, c'est Antoine. Point final ! »

Elle prit l'enfant dans les bras de son mari et l'allongea dans le berceau libre, à droite. Elle entreprit de resserrer le bracelet. Mais en vain, il restait bloqué, toujours aussi lâche sur le petit poignet.

« C'est trop grand, il va falloir trouver autre chose, constata-t-elle, résignée. Ils se ressemblent tant. »

Philippe reparut, brandissant un stylo feutre. Sur le poignet de l'un, il inscrit un « F » et sur l'autre un « A ».

« Eh bien voilà, c'est facile ! Nous y arriverons avec le temps », promit-il d'un ton enjoué.

Dans un élan, Sophie vint se blottir contre lui et fondit en larmes. Il la prit dans ses bras, sanglotante. « Nous y arriverons », répéta-t-il, conscient de parler autant pour la rassurer elle que lui-même. « Ne t'en fais pas, il y a plein d'astuces ! »

Serrée contre lui, elle ferma ses yeux humides. Elle ne vit pas le bébé couché à droite repousser le petit linge qui lui servait de doudou, puis le reprendre rageusement et le porter à sa bouche.

Lui, il l'avait vu. Si distinctement qu'il frissonna. Il avait cru lire comme du défi dans le regard si clair de son fils, avant qu'il ne referme les paupières. Il effaça cette image, murmurant « je t'aime » à l'oreille de Sophie.

« Ils sont si mignons, approuva-t-elle en rouvrant les yeux et en se détachant de Philippe. Regarde, ils se sont endormis. »

12

Aux aguets, immobile derrière la porte, le commissaire Étienne Brunet attend que la colère de son patron s'apaise. Il devine la crise plus qu'il ne l'entend. La porte qui les sépare est épaisse. Cependant, il reconnaît le son mat des poings frappant sur le bureau, il imagine les traits crispés, la cravate défaite, la transpiration qui perle sur son front. Combien en a-t-il connu, de ces moments ? Après tant d'années, il a appris à attendre que la rage s'apaise. Il a renoncé depuis longtemps à se poser des questions. Il se contente de se dire que c'est la manière de Laforge d'évacuer le trop-plein de pression et de stress, sans chercher plus loin. Brunet est un homme pragmatique : à quoi bon compliquer les choses ? Ce qu'il sait, c'est qu'après ces crises de rage, son chef se montre toujours d'une efficacité impressionnante.

Une fois, une seule, il était entré sans crier gare. C'était il y a onze ans, ils étaient en poste aux stups de Nice. Il s'en souvient comme si c'était hier, il pleuvait ce matin-là et il avait traversé le commissariat trempé jusqu'aux os, les cheveux dégoulinants. Il avait de très bonnes raisons de se précipiter. Le type avait été repéré dans un bar à putes de la vieille ville. Un gitan, sur lequel ils travaillaient depuis des semaines, au point de ne plus en dormir, enchaînant des planques interminables, et les colères inoubliables du patron. Ils avaient mis sur le coup tous les indics de la Côte d'Azur jusqu'à Marseille, et cela avait fini par payer. On trouvera toujours un salopard pour trahir. Pour du pognon, pour des vieilles histoires pas réglées, pour se débarrasser d'un rival ou simplement pour se faire bien voir des flics, les raisons ne manquent pas.

Le type, un gitan lui aussi, ne valait pas mieux que celui qu'il avait donné aux flics.

Selon leur informateur, il y avait urgence, sans doute moins d'une demi-heure avant qu'il ne disparaisse, une fois de plus. Voilà pourquoi, ce jour-là, Brunet s'était précipité dans le bureau de Laforge sans hésiter, et sans penser à frapper. Il n'a jamais oublié le spectacle qu'il avait découvert : un homme prostré dans un coin de la pièce, chemise à demi ouverte, les avant-bras griffés jusqu'au sang, tapant rageusement des poings sur la moquette. Et une telle honte désespérée dans les yeux de Laforge, lorsque celui-ci, l'entendant entrer, avait levé les yeux, qu'il avait fui et refermé la porte en hâte, sans s'excuser. Laforge avait reparu deux ou trois minutes plus tard, à peine, impeccable, l'air parfaitement sûr de lui. Il avait mené l'opération en personne et de main de maître, et le gitan s'était fait piéger comme un débutant.

Quand il l'avait coincé, Laforge lui avait enfoncé son arme dans la bouche comme s'il était prêt à la lui faire avaler. Il ne l'avait retirée qu'en constatant que le truand s'était pissé dessus. Le type qui l'avait balancé s'était fait mitrailler quatre mois plus tard en sortant de chez lui, par un homme à moto. C'est Brunet qui, sur l'ordre du patron, avait lâché le nom du traître au gitan. « Ça nous fait deux ordures en moins », s'était félicité Laforge le jour où ils avaient appris son exécution.

Le divisionnaire Robert Laforge n'aime pas les balances, et ne leur accorde aucune confiance. Lorsqu'il sait qu'elles ne peuvent plus lui servir, il les envoie au casse-pipe sans états d'âme. « Les ordures, ce n'est pas ce qui manque », dit-il.

Il est ainsi. Un homme dur, impitoyable, et peu importent ses fêlures. Point final. Brunet n'est pas le genre à se poser trop de questions. Chacun, si l'on cherche un peu, n'a-t-il pas ses propres zones sombres ?

Jamais ils n'ont évoqué l'épisode du bureau de Nice.

Il tend l'oreille, et se décide à frapper à la porte. Ce n'est qu'après de longues secondes qu'il entend l'autorisation d'entrer. Laforge présente son visage habituel. Sérieux, réfléchi et déterminé, comme s'il était plongé dans la lecture de rapports.

Brunet tend un feuillet :

« C'est le premier rapport d'autopsie. Favier s'est démené comme un malade pour faire vite.

— Qu'est-ce que ça dit ?

— Comme nous le pensions, c'est le coup de hachette qui l'a tuée. Ce ne sont que ses conclusions liminaires mais, selon Favier, le premier coup à la poitrine a été fatal. Il a été si puissant qu'il lui a fracassé la cage thoracique. Élodie a dû crier avant de se faire frapper, car elle est morte sur le coup. Le cœur a carrément explosé, ce qui explique la présence de sang jusque sur le mur à deux ou trois mètres du corps. Le toubib est formel, il est impossible que le meurtrier n'ait pas été lui aussi couvert de sang.

— Ça a giclé à ce point ?

— Ouais, un vrai geyser. D'après Favier, son assassin a dû en prendre plein la gueule.

— Il faudra examiner de près la vidéo… Je n'ai pas vu de sang sur le type qui sort de l'immeuble. Ni sur son visage, ni sur les vêtements.

— Justement, les vêtements trouvés chez lui ont également été analysés. Aucune trace de sang. Ils sont comme neufs.

— J'en étais sûr. »

Étienne Brunet ne commente pas et poursuit, les yeux sur le feuillet : « L'entaille est presque horizontale, ce qui indique qu'Élodie était debout lorsqu'elle a été frappée. Elle mesure huit centimètres de long sur cinq de profondeur. Favier explique que le second coup est plus résiduel. Comme s'il avait frappé la cuisse de la fille sans le vouloir, dans l'élan, ou alors il aurait laissé tomber la hache sur elle. Favier indique qu'elle était morte quand il l'a décapitée. A priori, le type s'est servi de la hache comme d'un couteau. Selon lui, un bon moment après parce qu'il y a très peu de sang autour de la blessure.

— Combien de temps ?

— Au minimum une vingtaine de minutes.

— On a l'heure de la mort ?

— Entre 20 et 22 heures, il lui faut davantage de temps pour être plus précis. »

Brunet pose devant Laforge une photo du visage ensanglanté de la jeune femme : « Favier a relevé ça !

— Ça quoi ? Je ne vois rien.

— Là, le petit "F" sur son front. Écrit avec son sang. Le crime est signé sous la mèche de cheveux.

— "F", c'est quoi ? Franck ? » réagit Laforge. Puis, après un bref silence :

« Je ne l'ai pas vu quand j'ai écarté ses cheveux… Quoi d'autre ?

— Une surprise… » Brunet ménage son effet.

« Oui ? s'impatiente Laforge.

— Il a trouvé du sperme dans le vagin. Favier est formel : elle a eu un rapport sexuel avant d'être tuée. Sans violence.

— Combien de temps avant ?

— Il dit moins d'une heure. Tu te rends compte : ce salaud l'a baisée avant de la massacrer. Les analyses sont toujours en cours, mais je me les coupe si on ne trouve pas l'ADN de Deloye.

— Étienne, ne fais pas de paris que tu es sûr de gagner ! »

Le petit sourire ironique disparaît aussitôt. Laforge redevient totalement sérieux et concentré et affirme d'un ton grave : « Déjà, je peux te dire que les deux frangins ont le même ADN. Comme je vous l'ai dit, c'est la norme chez les jumeaux monozygotes. Il faut vérifier, mais je sais déjà qu'on perd notre temps avec ça. Nous avons une chance sur un milliard pour que leur ADN soit différent.

— Comme on avait une chance sur un milliard qu'ils aient chopé cette putain de maladie génétique dont j'ai déjà oublié le nom !

— L'adermatoglyphie ! Ça pourra te servir un jour !

— Tu sais que tu es un comique, Robert !

— Ouais…

— Antoine Deloye le sait et c'est pour ça qu'il mouille son frère, tente Brunet.

— On verra ça », élude Laforge.

Il saisit le rapport, chausse ses lunettes et le parcourt en silence. Il relève la tête, tapote du bout des doigts sur le bureau et finit par demander :

« À ton avis, qu'est-ce qu'il a bien pu faire pendant tout ce temps, avant de lui trancher le cou ?

— Il est resté là tranquillement, à la regarder se vider de son sang, en prenant son pied, imagine Brunet. À aucun moment, il ne s'est senti en danger, même si elle avait crié un peu plus tôt. Personne n'a bougé dans l'immeuble, après tout. Ensuite, avant de se barrer, il s'est lavé et il s'est changé. Tu te rappelles, ils ont relevé des gouttes de son sang du salon jusqu'au carrelage de la salle de bains et des traces dans le siphon de la baignoire.

— Tu ne te demandes pas pourquoi nous n'avons pas trouvé de vêtements couverts de sang dans l'appart. Réfléchis, Étienne !

— Putain, je vois où tu veux en venir : il était à poil quand il l'a massacrée.

— Exact, mon vieux. Tu sais ce que je pense ? Ce fumier l'a tuée après l'avoir baisée et il est resté là à contempler sa victime, à profiter de ce moment, peut-être que c'est là qu'il a décidé de la décapiter. Va savoir, avec un tordu pareil… Ce qui m'intrigue, c'est qu'il soit resté aussi longtemps à la regarder avant de foutre le camp. Vu comme tout ça est organisé, il avait déjà prévu de la décapiter depuis longtemps. En tout cas, il a pris son pied, cet enculé. Tu as vu comment il a arrangé les cheveux sur le visage de la fille ?

C'est le crime d'un putain de psychopathe, Étienne. Ce mec est un vrai dingue. Et ça ne date sûrement pas d'aujourd'hui. Il était sans doute déjà taré quand il était gamin. Il va falloir fouiller sérieusement de ce côté-là. »

*D'autres auraient renoncé, se seraient dit que fina-
lement cela n'avait aucune importance et que, le temps
passant, les choses rentreraient dans l'ordre.*

*Mais pas eux. À leurs yeux, c'était même impen-
sable. Ils n'avaient pas fait tous ces efforts pour avoir
ces enfants, et ne même pas être capables de les distin-
guer l'un de l'autre !*

*Pour tout le monde, la famille, les amis, il fut
toujours impossible de différencier Franck d'Antoine
et, ils le reconnaissaient volontiers, eux aussi se trompaient fréquemment.*

*Mais pas question de baisser les bras : ils avaient
deux fils et chacun avait un prénom. Une identité à lui.*

*Après la naissance, Sophie et Philippe restèrent long-
temps convaincus qu'avec les années leurs « deux gouttes
d'eau », comme Philippe se plaisait à appeler ses fils,
malgré l'agacement de plus en plus visible de sa femme,
finiraient par afficher des différences, même minimes,
qui leur permettraient de les reconnaître sans hésitation.
Mais le temps n'y fit rien. Et leurs proches disaient même
qu'en grandissant, ils se ressemblaient de plus en plus.
Jusqu'à cet étrange épi qui poussait sur leurs tempes.*

Dans les premiers mois, à l'époque où ils habitaient encore Paris, ils se firent sans trop de mal à cette situation inhabituelle : ils avaient des jumeaux tellement identiques que même eux s'amusaient à s'y perdre. C'était encore un jeu. Le jeu de ces grasses matinées du dimanche où Philippe et Sophie Deloye se plaisaient à traîner au lit, auquel ils ne mettaient fin qu'à l'instant ultime où le marché tout proche de la rue Lepic allait fermer. Ils prenaient les bébés avec eux dans le lit. Avec un stylo feutre, ils les marquaient de leurs initiales sur l'épaule, les déshabillaient et ébouriffaient leurs cheveux fins. Ensuite, ils mélangeaient les bébés tout nus comme on le ferait de deux as de cœur, fermaient les yeux, les laissaient gigoter sous les draps, et ils jouaient à deviner qui était qui. Ils pariaient et celui qui gagnait avait le privilège de ne pas se lever pour le biberon de quatre heures, pour toute la semaine à venir. L'enjeu était rarement respecté. Sophie, attentive et aimante, se réveillait dès qu'elle entendait ses fils pleurer. L'essentiel était ailleurs : ils ressentaient pour leurs jumeaux un amour infini, qui leur semblait unique. Ils les avaient gagnés au prix de tant de sacrifices. Ces enfants étaient leur récompense, ils en profiteraient quoi qu'il advienne.

Ils mirent au point une méthode qui leur paraissait infaillible : ils se cachaient et appelaient l'un des enfants par son prénom. Celui qui répondait était forcément le bon. Le test s'avérait toujours concluant et cela suffisait à les rassurer.

Il y avait aussi ces différences infimes qu'ils constataient et auxquelles ils s'accrochaient dur comme fer :

Franck était plus vif et plus turbulent. Il se réveillait toujours un peu avant son frère, mangeait quelques bouchées de plus, souriait plus volontiers. Antoine se montrait légèrement plus taciturne, plus réfléchi.

Au fond d'eux-mêmes, ils en étaient persuadés, ils savaient qui était qui, à ces détails que seuls des parents peuvent déceler. C'est du moins ce qu'ils expliquaient à ceux qui leur demandaient comment ils faisaient.

Ces années de la petite enfance de « leurs deux petits monstres », comme ils les appelaient volontiers, furent pour eux une période enchantée.

Philippe et Sophie grondaient leurs « vilains petits coquins » lorsqu'ils s'apercevaient que, pour jouer, les jumeaux avaient échangé leurs vêtements. Parfois, ils se précipitaient tout nus devant leurs parents et leur demandaient de leur petite voix sucrée qui était qui. Ces espiègleries finissaient par des jeux et des chatouillis joyeux sur le lit. Puis chacun reprenait sa place et son prénom. Sagement. Une gaieté tranquille régnait dans la famille.

Mais peu à peu, les jeux prirent fin. Débuta une période où Philippe et Sophie voulurent pouvoir les identifier avec certitude, avec un entêtement presque obsessionnel. Ils s'appliquaient à les différencier l'un de l'autre, imaginèrent une multitude de stratagèmes pour les reconnaître sans coup férir : des vêtements de couleurs différentes, la raie des cheveux à droite pour Antoine et à gauche pour Franck, un brace-let, une bague ou un collier à l'un et pas à l'autre. Ils coupaient l'épi sur la tempe d'un des jumeaux. Ils écrivaient leurs noms sur le dos de leurs mains. Les jumeaux rendaient coup pour coup, tout en donnant le sentiment que tout ça restait un jeu. Celui dont on avait coupé l'épi rasait celui de son frère à l'identique, ils changeaient le côté de la raie dans leurs cheveux, ou la traçaient au milieu du crâne. Les parents pensèrent un moment à leur teindre les cheveux. Ils y renoncèrent quand les jumeaux menacèrent de se tondre la tête.

« Abandonner, avait un jour confié Sophie à son amie Christelle, qui lui conseillait de ne pas s'obstiner, ce serait admettre que nous n'avons qu'un fils. » Elle avait ajouté, cinglante : « Mais nous avons deux fils : Antoine et Franck. Et contrairement à ce que tu penses, en dépit de leur ressemblance, ils sont vraiment différents. Tu serais surprise de le constater. » Christelle se l'était tenu pour dit, interloquée par la véhémence de son amie, la plaignant secrètement.

Philippe et Sophie ignoraient que les jumeaux avaient perçu dès leur plus jeune âge le trouble et les interrogations que suscitait leur ressemblance.

Ils brouillaient les pistes. Ce n'était qu'un jeu mais c'était leur secret. Un secret que seuls des jumeaux pouvaient partager.

13

Christian Pelletier a bien frappé mais il n'a pas attendu que le patron lui dise d'entrer. Au regard que lui lance Laforge, il prend conscience de sa bévue. Il le sait pourtant : on n'entre pas à sa guise chez le boss, quelle que soit la raison. Il va se faire passer un savon et il se tortille, mal à l'aise. Brunet vient à son secours.

« Qu'est-ce qui se passe, Christian ? demande-t-il.

— J'ai terminé le visionnage des caméras de surveillance, commissaire, bredouille-t-il.

— Et alors ? » le presse Laforge d'un ton agacé.

Il paraît prêt à fondre sur le commandant. Le dragueur de la brigade, celui qui se targue de séduire tout ce qui porte un jupon, et qui pense amuser son patron tant il le fait s'esclaffer avec ses « exploits », n'en mène pas large. Laforge a le don de le mettre dans ses petits souliers, et il perd toujours contenance en présence de ce chef qui semble attendre de lui qu'il refasse ses preuves en permanence. Laforge n'a jamais un mot d'encouragement à son égard, sauf lorsqu'il le pousse à parler de ses conquêtes. Ce sont les seuls moments où il le voit s'abandonner et rire de bon cœur. Alors, pour lui complaire, il en fait des tonnes.

« On est tout ouïe, commandant, reprend Laforge d'un ton ironique.

— Excusez-moi, patron. Deloye est arrivé le premier à 18 h 32, la capuche baissée. Il n'avait rien dans les mains. Donc, apparemment, la hache était déjà dans l'appartement. La fille arrive une demi-heure plus tard. On la voit mal. Impossible de dire si elle semble inquiète ou pas. En tout cas, elle entre sans hésiter.

— Tu es certain que c'est elle ?

— Affirmatif. Sur l'image, elle est de dos mais on la voit lever la tête en direction de sa fenêtre éclairée.

— Donc elle sait que quelqu'un l'attend chez elle, précise Brunet. Et ensuite ?

— Ensuite, rien de particulier, quelques personnes entrent et sortent, rien de suspect. Il y a du nouveau à 20 h 32. On voit Deloye quitter l'immeuble. Sa capuche est rabattue sur son front, mais il est parfaitement reconnaissable. Il revient vingt minutes plus tard, à 20 h 51 précisément et là, il a un bouquet de fleurs à la main. Des roses. C'est le bouquet qu'on a trouvé dans l'appartement.

— C'est bien lui ? insiste Brunet. Donc il est sorti, putain, c'est dingue ! Qu'est-ce qu'il a bien pu aller foutre quand il est sorti ?

— Les fleurs, patron !

— Mouais, bien sûr, les fleurs…

— Oui, je suis affirmatif. Mêmes vêtements, même démarche… C'est lui. J'ai visionné toutes les autres caméras de la rue, patron ! » annonce Pelletier, manifestement satisfait de pouvoir prouver à son patron qu'il a bien fait son boulot.

130

« C'est le minimum à faire, commandant, riposte Laforge. Nom de Dieu, il faut vraiment te tirer les vers du nez ! »

Pelletier feint d'ignorer l'attaque et poursuit : « Il a marché jusqu'à la place Marcel-Sembat. Arrivé là, il disparaît dans l'escalier du métro et on le perd une poignée de secondes. Il ressort de l'autre côté de la place et fonce vers un fleuriste qui était en train de fermer. Là, l'image devient assez lointaine, mais on le voit discuter avec le fleuriste qui regarde sa montre d'un air de dire que c'est trop tard. Deloye sort un billet de sa poche. Une grosse coupure à mon avis, parce que le type file et revient avec le bouquet une minute plus tard. Des roses rouges sous cellophane, on les voit clairement quand il revient à l'immeuble. Apparemment, il n'a pas attendu sa monnaie. Il a tourné les talons et ensuite il est revenu tranquillement chez Élodie sans prendre le souterrain du métro.

— Putain, ça change pas mal de choses sur le déroulé du crime, intervient Brunet.

— Tu as raison, Étienne, le coupe Laforge. Voilà comment je vois les choses, vu l'heure du décès estimée par le légiste et surtout le témoignage des Marchand : il l'entraîne dans la chambre, si ça se trouve, elle est aux anges, et ils baisent. Ensuite, ils vont dans le salon, ils finissent la bouteille de vin et il la tue. Ça se passe forcément avant huit heures et demie. Reste à savoir s'il la décapite avant ou après être allé acheter les fleurs. Ça ne m'étonnerait pas de ce malade que ce soit à son retour », conclut Laforge.

Pelletier juge bon d'ajouter :

« Vous avez raison, patron.

— Je ne t'ai pas demandé ton avis, Pelletier », le tacle Laforge. Il s'adresse à Brunet, comme si l'autre n'existait pas : « Je voudrais que tu vérifies les horaires avec précision. »

Brunet ne discute pas. « On vérifiera », confirme-t-il d'un ton neutre, tandis que Laforge se tourne vers son second :

« Il faudra le témoignage du fleuriste, Brunet. »

Pelletier croit malin de répéter : « Je pense comme vous, commissaire, c'est à son retour qu'il a tué la fille.

— Arrête de penser, commandant. Tu auras le temps quand tu seras à ma place, si ça t'arrive un jour !

— Excusez-moi, patron. C'est que cette affaire me tient à cœur, tente Pelletier.

— J'espère bien, commandant. Mais dis-moi, est-ce qu'il a rabattu sa capuche à un moment ou un autre ?

— Il me semble que non… Il pleuvait un peu… Mais je peux vérifier, répond Pelletier qui reste planté devant ses deux supérieurs.

— Bonne idée ça, vas-y, file, soupire Brunet avant que le patron n'explose. Tu as fait du bon boulot, ajoute-t-il pour le rassurer.

— Dis-moi, intervient Laforge, notre gars, après avoir jeté la hache, à 22 h 02, il va où, vers le métro ?

— Impossible à dire, patron. On le voit traverser l'avenue et marcher vers les petites rues. De ce côté-là il n'y a plus de caméras.

— Bon Dieu, il y a des caméras de surveillance dans la station de métro, non ? Tu t'y colles et vite.

— Bon, retournes-y maintenant », lui conseille Brunet.

Pelletier s'éclipse aussi vite qu'il est entré. Il aurait pu plaider sa cause devant Laforge, glisser qu'il n'a pas été évident de se procurer aussi vite toutes les vidéos des caméras de surveillance… La RATP, il s'en veut de ne pas y avoir pensé.

« La porte ! » hurle Laforge.

Le commandant revient sur ses pas, mais Brunet, plus prompt que lui, l'a déjà refermée.

Adossé contre la porte, Brunet regarde son patron allumer une cigarette. Il souffle la fumée dans sa direction :

« Tu en veux une ?

— Tu sais bien que je ne fume plus…

— Je sais bien… Mais un vrai flic est un flic qui fume !

— Je ne peux pas avoir que des qualités, Robert ! »

Laforge secoue la tête de dépit. « Tu ne sais pas ce que tu rates. C'est le pied, cette clope !

— Tu vas choper le cancer, patron !

— Comme ça je n'aurai plus à supporter ta gueule de con !

— Exact, fume ! Moi aussi je serai débarrassé ! »

Cela ne s'explique pas. Davantage encore que quand ils voient l'aboutissement de toutes ces foutues enquêtes qu'il a menées à ses côtés (sa femme dit méchamment : « invisible dans son ombre »), c'est dans les moments comme celui-là que Brunet se félicite le plus du choix qu'il a fait de suivre ce patron si difficile. Il aime ces échanges un peu bêtes et complices, lorsque le visage de son patron s'éclaire d'un sourire furtif. Laforge se reprend, son visage se ferme.

« Alors, qu'est-ce que tu penses de tout ça, Étienne ?

— J'en pense que tu as raison, ce type est un vrai taré… Il est à poil, comme tu disais. Elle crie quand elle aperçoit l'arme. Il lui balance un coup, laisse tomber la hache sur elle et silence. Après, il va à la porte, pour voir si le tapage a attiré l'attention des voisins, il prend une douche et se rhabille. Ensuite, il est allé acheter des roses avant de la massacrer en lui tranchant la tête… Putain, je vois la scène. Il met les fleurs dans un vase, il embrasse le cadavre, et puis il sort la hache et il s'en sert comme d'un couteau pour lui couper la tête. Elle a beau être bien aiguisée, ça a dû lui prendre un temps fou. Et être une vraie boucherie, il s'est sûrement remis à poil, pour qu'on ne retrouve pas une seule tache sur ses vêtements… Il prend la tête à deux mains et l'installe sur la table basse. Elle glisse, alors il la cale avec le cendrier. Il écrit un "F" sur son front, et pour parfaire le tableau, il rabat les cheveux de la fille sur son visage. Il sait qu'il laisse son ADN, le même que son frangin, mais aucune empreinte. Putain, rien que de penser à tout ça, ce plan longuement mûri et cette sauvagerie, ça fout le frisson.

— Ouais, je pense que ça s'est passé comme tu le racontes. C'est un sacré malade.

— Un putain de psychopathe, oui !

— Si tu préfères… J'ai une autre question : et si Antoine Deloye disait la vérité ? Si c'était son frère le coupable ? Qu'est-ce que tu en dis ? »

Brunet est pris de court. À dire vrai, il a du mal à envisager cette hypothèse.

« Déconne pas, Robert ! On tient notre mec. Basta !

— Basta, mes couilles…

— Franchement, Robert…

— Tu sais qu'il ne faut rien négliger, le coupe Laforge. À ce stade et si ça peut te rassurer, je pense qu'Antoine a une longueur d'avance, moi aussi. Mais, à y réfléchir, son frangin a pas mal d'arguments, il peut encore le coiffer au poteau. » Du ton de la plaisanterie, il passe brusquement à la menace. « Tant que je ne serai pas certain à cent dix pour cent de la culpabilité d'Antoine, pas question de laisser tomber l'autre. T'as compris ? »

Brunet acquiesce, d'une voix presque inaudible.

Laforge tire sur sa cigarette. À peine entamée, il l'écrase dans le cendrier d'un geste rageur. Il reprend à mi-voix : « J'ai l'impression que l'un des frères Deloye est un putain de malin. Je ne sais pas lequel des deux, ni vers où et vers quoi il cherche à nous attirer. Mais crois-moi, Étienne, il est fort, vraiment fort.

— Eh ben, il verra que des deux, le plus malin, c'est nous, se rassure Brunet.

— T'inquiète, cet enfoiré ne nous aura pas. Fais-moi confiance, j'ai ma petite idée. »

Quand Laforge semble si sûr de lui, inutile de lui demander des détails. Brunet sait que son patron ne répondrait pas. Laforge ne parle jamais en l'air. S'il a sa « petite idée », il saura bientôt de quoi il retourne.

Laforge, avec un vague sourire de satisfaction, tend à Brunet le feuillet qu'a abandonné Pelletier sur le bureau et change de sujet :

« On a interrogé leur alibi ? Comment s'appelle-t-il déjà ?

— Peyrot. Fabrice Peyrot. J'ai envoyé Deltil prendre sa déposition.

— Dis-lui plutôt de le ramener ici. J'ai envie de le voir, ce monsieur. Les deux frangins disent qu'ils ont passé la soirée avec lui. Il y en a forcément un qui ment. Et celui qui ment, il y a de fortes chances...

— Que ce soit l'assassin », conclut Brunet.

À l'instant où Laforge va allumer une autre cigarette, la porte s'ouvre, avant même que l'intrus ait frappé. Le brigadier-chef Mathieu Nice annonce : « Commissaire, le prévenu Deloye demande à vous voir.

— Brigadier, la prochaine fois, vous frappez et vous attendez que je vous donne l'autorisation d'entrer. Compris ? »

Surpris par cette réaction cinglante, Mathieu Nice reste un instant interdit.

« Oui, oui, excusez-moi, commissaire », finit-il par bredouiller, sans oser lui rappeler son grade.

Des mois plus tard, il se demandera toujours si le divisionnaire a voulu l'humilier, et pourquoi. Tout de même, il est brigadier-chef depuis trois mois ! Et le patron ne peut pas l'ignorer puisque c'est lui qui l'a fait nommer.

« Qu'est-ce qu'ils ont tous à entrer sans frapper ? s'interroge le divisionnaire, en prenant Brunet à témoin. On n'est pas dans un moulin. »

Il sourit, mais Brunet reste coi. Laforge ne lâche jamais rien, sur aucun plan.

Ce n'est que cinq ans plus tard que leur vint l'idée de leur donner un frère ou une sœur. Une petite fille, espéraient-ils. Le docteur Daout les mit en garde. Ils s'engageaient à nouveau sur des chemins périlleux, « et encore plus à votre âge ». Sophie avait à présent trente-neuf ans. Mais le médecin les accompagna avec la même attention, et Sophie se trouva enceinte dès la première fécondation in vitro. Catherine Daout en appela aux mystères de la nature pour se réjouir de cette réussite et d'une naissance sans histoire, le 6 janvier.

Le docteur Catherine Daout se souvient de l'instant où, juste après la naissance de Claire, dans la chambre de l'hôpital où leur mère était assoupie, les jumeaux étaient venus se blottir contre elle. Émue, elle avait offert ses larmes aux yeux secs des enfants.

Ils eurent beau protester, il leur fallut bien accepter leur petite sœur dans leur chambre. Pour les amadouer, Philippe et Sophie avaient acheté ce lit superposé dont ils rêvaient. Devant leurs chamailleries pour occuper le lit du haut, il fut décidé qu'ils changeraient de place toutes les semaines. Malgré cela, ils durent tout de même tirer au sort pour désigner celui qui dormirait en haut le premier.

De toute façon, leur petite sœur avait des nuits agitées et si bruyantes que Sophie et Philippe la prenaient la plupart du temps avec eux dans le salon, où ils dépliaient tous les soirs le canapé clic-clac. Ce n'est qu'aux petites heures du matin, quand elle dormait enfin profondément, qu'ils la recouchaient dans son berceau dans la chambre des garçons.

Finalement, Antoine et Franck adoptèrent rapidement leur sœur. Ils la trouvaient si mignonne, répétaient-ils en la couvrant de baisers. C'était un bébé menu et souriant, aussi brun que les jumeaux étaient blonds, avec les yeux noirs de leur père. Ils n'avaient que cinq ans et demi mais ils assuraient qu'ils aimaient s'occuper d'elle et avaient même appris à changer ses couches, à l'habiller et à lui donner le biberon.

Claire mourut le 27 avril suivant. Un dimanche matin.

La petite avait encore passé la nuit avec ses parents et ils avaient profité de ce jour de repos pour continuer à dormir. Ils étaient épuisés depuis la naissance de Claire. Ils n'avaient pas mesuré qu'il serait si difficile de se remettre au rythme des couches et des biberons, cinq années après.

Les garçons savaient désormais préparer leurs céréales silencieusement en se levant, avant de retourner jouer. Ce matin-là, dans un demi-sommeil, Sophie les entendit s'affairer dans la cuisine. Elle apprécia le *calme, décida d'attendre d'être alertée par les cris de sa fille affamée, et se rendormit.*

Elle se réveilla dans un sursaut, alarmée. Sa montre indiquait 10 h 46. À cette heure, la petite aurait dû se faire entendre. Sophie se leva et se rua dans la chambre des enfants, sans se soucier du bruit et de réveiller Philippe. Elle le lui dit par la suite : « Je ne sais pas pourquoi, j'ai su tout de suite qu'il s'était passé quelque chose de grave. »

Dans la pièce plongée dans la pénombre, elle aperçut la petite allongée. Les deux frères étaient figés dans la même attitude, debout de chaque côté du berceau, les mains serrées sur les barreaux, le regard fixé sur leur sœur. Sophie ne sut jamais lequel des deux dit de sa voix enfantine, en tournant ses yeux translucides vers sa mère : « On n'a rien fait de mal. » L'autre ne détourna pas la tête, mais lâcha les barreaux et se mit à caresser d'un geste mécanique la joue de l'enfant inerte.

Les secours appelés d'urgence conclurent à la mort subite du nourrisson.

Philippe et Sophie Deloye ne devaient jamais se remettre de ce deuil, tandis qu'Antoine et Franck donnèrent l'impression qu'ils avaient très vite oublié. « C'est comme si, expliqua le docteur Bugeaud qu'ils consultèrent à l'époque, ils voulaient effacer l'existence de leur petite sœur. Un simple épisode dans leur vie de frères jumeaux. Sans doute une façon pour eux d'évacuer leur chagrin. » Le médecin avait été catégorique et rassurant : « C'est ensemble que vos deux garçons vont surmonter la perte de leur petite sœur, grâce aux liens qui les unissent. Il est évident qu'ils feront le deuil beaucoup plus rapidement que vous. Ne craignez rien pour eux. »

C'est à cette époque que Philippe cessa d'appeler ses fils « mes petites gouttes d'eau ».

14

Sans hâte, Laforge descend à la salle d'interrogatoire, suivi de Brunet. « Il faut que tu appelles le juge, Robert. Il s'impatiente. Il a déjà téléphoné deux fois cet après-midi, lui glisse son bras droit en parvenant au deuxième étage.

— Moi aussi, je m'impatiente », se contente de répliquer le divisionnaire. Brunet se le tient pour dit.

Au moment d'ouvrir la porte, Laforge se tourne vers lui : « J'y vais seul. »

Brunet répond d'un « bon » laconique et gagne la salle contiguë, d'où il pourra suivre l'interrogatoire derrière le miroir sans tain.

Il voit son chef debout face à Deloye. Ils parlent mais il n'entend rien. Laforge a coupé le micro. Pestant contre ce chef qui n'en fait jamais qu'à sa tête, il s'efforce de deviner ce qu'ils se disent en se concentrant sur leurs lèvres.

« Tu voulais me voir ? interroge d'entrée Laforge.

— Oui, commissaire.

— Je t'écoute. Mais je te préviens : ne me fais pas perdre mon temps. J'ai suffisamment d'éléments pour t'envoyer devant le juge. Et, je te le dis franchement, j'en ai déjà plein le cul de toi et ta sale histoire. Ton cas est réglé, mon vieux », soupire-t-il d'un ton blasé.

Laforge est décidé à jouer quitte ou double. Bluffer est le meilleur moyen de bousculer son adversaire. Et de le pousser à la faute.

« Je suis déjà passé à autre chose, ajoute-t-il, histoire de pousser le jeune homme dans ses retranchements. Alors, qu'est-ce que tu me veux ?

— Je veux parler de mon frère.

— Et qu'est-ce qu'il y a, avec ton frère ?

— C'est un assassin.

— Tu devrais changer de disque. Ça n'est pas très convaincant, ta rengaine. Écoute, Franck a été mis hors de cause. Son alibi est en béton... Pour être franc, ta défense est bancale. Très très bancale... Il faudrait que tu aies des choses plus solides à nous mettre sous la dent...

— Vous devez m'écouter, commissaire. »

Cette fois, il n'y a pas la moindre trace d'hésitation dans sa voix.

Brunet voit son patron de profil faire une moue de dépit, hocher la tête, puis, prenant l'air résigné, tirer la chaise sur le côté et s'asseoir. Il croit lire sur ses lèvres : « Vas-y. »

Laforge annonce : « Bon, vas-y. J'enregistre.

— Franck a toujours été un être malfaisant. Il est malin, pervers. Et maintenant, il est en train de réussir son coup, une fois de plus. Vous allez vous faire avoir, comme il a trompé tout le monde depuis toujours. Méfiez-vous de lui.

— Ça n'est pas des choses solides, ça. Tu me l'as déjà dit. Si tu n'as rien d'autre, on ne va pas aller loin. »

Antoine ne semble pas s'émouvoir du doute mêlé de dégoût affiché de Laforge.

« Tout à l'heure, je vous ai raconté le jour où il a tué notre chien, et où mes parents l'ont mis dehors. Mais il a fait bien pire que ça.

— Voyez-vous ça ?

— Franck a tué notre petite sœur.

— Vous avez une petite sœur ? » Laforge feint l'étonnement.

« Nous avions. Oui. Elle s'appelait Claire et elle n'avait que quatre mois quand elle est morte. Franck et moi, nous étions encore des enfants. À l'époque, on habitait à Paris. C'est après qu'on a déménagé à Montrouge. C'était petit, Claire avait son berceau dans notre chambre. Elle était si mignonne et je l'aimais tellement… Ce que je vais vous dire, personne ne le sait, et je ne l'ai jamais dit à mes parents. Mais aujourd'hui, je me rends compte que je dois en parler. C'est la seule façon de vous convaincre qu'il a commis ce meurtre atroce.

— Et que toi, tu es innocent ? ironise Laforge.

— Oui, commissaire.

— Bien. Raconte-moi comment Franck a tué Claire.

— Vous allez avoir du mal à me croire, je le sais bien. Mais c'est la vérité.

— Je t'écoute.

143

— C'était un dimanche, le matin. Franck m'a réveillé de bonne heure, vers sept heures. Il tenait un oreiller à la main. Il m'a dit en montrant ma sœur qu'elle ne nous embêterait plus et que nous aurions notre chambre pour nous tout seuls. Il m'a forcé à me pencher sur elle. "Regarde, elle est morte", m'a-t-il dit. Au début, je n'arrivais pas à comprendre. Alors, il m'a expliqué qu'il l'avait étouffée avec l'oreiller. Il n'avait pas l'air triste, ni inquiet, il avait un sourire satisfait. Il m'a dit que c'était pour moi qu'il avait fait ça, pour me faire plaisir, pour qu'on se retrouve tous les deux. Vous vous rendez compte, on n'avait même pas six ans. Ensuite, il m'a obligé à aller avec lui prendre notre petit déjeuner comme si de rien n'était, et de ne pas faire de bruit pour ne pas réveiller nos parents, et puis après il a voulu qu'on joue. J'étais petit, je crois que je ne réalisais pas, je n'ai rien osé dire. Quand nous sommes revenus dans la chambre, il m'a fait jurer de ne jamais rien dire à personne. Il m'a dit qu'il me ferait pareil si je parlais. Je suis sûr qu'il l'aurait fait. Et moi, je me suis tu. Tout petit déjà, il me faisait peur.

— Il n'y a pas eu d'enquête ? Tes parents ne se sont jamais doutés de rien ? intervient Laforge.

— Les médecins ont diagnostiqué la mort subite du nourrisson et je pense que mes parents n'ont pas voulu en savoir davantage. Ils les ont crus. Ils n'avaient aucune raison de le soupçonner. Enfin, apparemment. Je me suis souvent demandé si cette histoire avait resurgi quand ils l'ont finalement mis à la porte. Pendant toutes ces années, ils ont refusé de voir Franck tel qu'il était vraiment. Je peux vous dire qu'il leur en a fait baver. Mais des parents ne diront jamais que leur fils est un monstre. C'est impossible à vivre, je suppose. Et peut-être encore plus quand on a déjà perdu un enfant.

— Donc, tu accuses ton frère d'avoir tué ta sœur, il y a plus de vingt ans ?

— C'est la vérité.

— Et aujourd'hui, c'est lui qui a assassiné ta copine. C'est ça ?

— Oui, commissaire. Vous ne me croyez pas, je le vois bien.

— Bien sûr que si, je te crois. Ton frère est un monstre et toi, tu es un ange ! Et tu as attendu tout ce temps pour t'en rendre compte !

— Ne me torturez pas, supplie Deloye. J'ai porté ce poids toute ma vie. Au fond, mon frère m'a toujours fait peur. Oui, c'est un monstre. Oui, il a tué ma sœur. Oui, il a assassiné Élodie.

— Et tu serais prêt à répéter tout ça devant lui ? »

Le jeune homme reste un instant sans répondre.

« Je ne sais pas…

— Tu ne sais pas…

— C'est tellement difficile. Il me fait toujours peur, peut-être encore plus aujourd'hui. Je ne sais pas si je trouverai la force de l'affronter. Il est très fort… Mais je ne veux pas payer à sa place, c'est fini, je ne veux plus. Il a fait suffisamment de mal, et à moi plus qu'à tout autre. Il faut que je me libère de lui.

— Te libérer ?

— Oui, commissaire. Depuis notre naissance, je suis sa chose. Il faut que je me sorte de son emprise. Toute ma vie, mon frère jumeau m'a fait du mal. Et aujourd'hui, il assassine la femme que j'aime. Alors… »

Le commissaire ne dit plus rien, il attend.

« Je ne sais pas comment dire ça… Je le hais, commissaire… Je n'ai pas d'autres mots : je le hais au-delà de tout. Je voudrais qu'il soit mort. Aidez-moi, s'il vous plaît… débarrassez-moi de lui. Envoyez-le crever en taule ! »

Brunet voit Antoine, les yeux embués, accrocher la main de Laforge dans un geste de désespoir, et son chef la retirer vivement.

En se levant pour quitter la pièce, Laforge rebranche le micro. Brunet entend Antoine Deloye l'interpeller : « Méfiez-vous, commissaire. Mon frère est malin, et dangereux. Il vous aura comme il m'a eu. Je vous aurais prévenu… Il gagne toujours. »

Laforge s'arrête :

« Pourtant, il n'a pas gagné le jour où tes parents l'ont mis dehors ? Qui a gagné ce jour-là ? Toi, non ?

— Non, vous vous trompez, commissaire. Ce jour-là, aussi étrange que cela puisse vous paraître, Franck a obtenu ce qu'il voulait. Il voulait rompre avec eux, les faire mourir de chagrin. Il gagne toujours…

— Si tu le dis… »

Sans un mot de plus, Laforge sort en claquant la porte.

15

Au 20 de la rue Carnot, Hervé Pauchon, jeune lieutenant de trente et un ans, marié depuis deux ans et demi
avec Sylvia, gardienne de la paix dans le huitième, et
tout jeune papa, recolle du mieux qu'il peut les rubans
des scellés sur la porte d'Élodie Favereau. Lorsqu'il se
retourne, un homme âgé qu'il n'a pas vu approcher, un
sac Carrefour Market dans chaque main, l'interpelle :

« Vous êtes de la maison ? »

Hervé met quelques secondes à réaliser que « de la
maison » signifie « de la police ».

« La maison poulaga, précise l'homme immobile
derrière lui.

— Oui, répond-il en sortant sa carte.

— Pas besoin. Ça se voit tout de suite, inspecteur,
continue avec sérieux le vieillard. J'ai l'œil. Vous
sortez de chez la pauvre demoiselle ? »

Pauchon juge inutile de lui préciser qu'il n'y a plus
d'inspecteurs chez les flics depuis des lustres.

« Vous habitez ici ?

— Depuis trente-six ans, inspecteur. Ici, c'est un
immeuble sans histoire. Jusqu'à cette nuit... Tout le
monde est bouleversé, vous pouvez me croire...

— Vous étiez chez vous la nuit du meurtre ? »

L'homme pose ses sacs devant la porte de l'appartement en face de celui d'Élodie et annonce d'une voix forte :

« C'est ma femme et moi qui avons découvert la malheureuse jeune fille hier soir. C'était vraiment pas beau à voir, vous pouvez me croire, inspecteur. Jamais je ne pourrai oublier… »

Sa voix se brise soudain. Il ajoute : « Cette tête posée sur la table… c'était… »

Pauchon attend patiemment. Il a compris l'identité de son interlocuteur.

« Monsieur Marchand ? suggère-t-il doucement.

— Pardon ?

— Vous êtes monsieur Jean-Charles Marchand, le voisin d'Élodie ? dit le lieutenant en haussant le ton.

— Exact ! »

Pauchon ne va pas laisser passer cette chance. Il s'approche du vieil homme, saisit le sac de commissions posé à terre sans lui laisser le temps de refuser, fait un signe de la main droite :

« J'ai des questions à vous poser. Pouvons-nous entrer chez vous ? Nous serons mieux pour discuter.

— À votre service, inspecteur. Mais vous savez, nous n'avons pas grand-chose à ajouter. J'ai déjà tout raconté à vos collègues.

— Je me présente : lieutenant Pauchon. Police judiciaire. Je fais partie de la brigade chargée de l'enquête. Je vous suis. »

En poussant la porte blindée, M. Marchand claironne : « Raymonde, je suis avec un monsieur de la police ! »

— J'arrive ! répond une voix féminine venue du fond du couloir. Demande au monsieur s'il veut un café. Il m'en reste.

— Vous voulez un café ?

— Avec plaisir. Mais…

— Mais, rien du tout… Installez-vous dans le salon, lance Raymonde Marchand depuis la cuisine.

— Elle a l'ouïe fine ! sourit le vieil homme. C'est elle qui a entendu la jeune fille crier. Moi, rien du tout. Il faut que je me fasse déboucher les tuyaux ! »

Il sourit de plus belle, content de lui. Il désigne un fauteuil recouvert de velours bordeaux : « Asseyez-vous, inspecteur. Mais vous savez, on n'a pas grand-chose de plus à raconter. »

Pauchon s'enfuit, saoulé par une demi-heure de discussion à sens unique, après avoir avalé une assiette de gâteaux secs et deux grandes tasses de café trop sucré réchauffé par Mme Marchand. Mais il n'a pas perdu son temps.

Pour des gens qui n'avaient rien à dire… D'emblée, il a compris que ces deux retraités tranquilles avaient besoin de s'épancher, et ne le lâcheraient qu'après avoir libéré leur trop-plein d'émotions. « Vous parler, ça nous fait tellement de bien, lui a confié Raymonde Marchand. Je me demande si nous pourrons un jour oublier cette horreur. »

D'abord, les Marchand lui brossent le portrait d'une voisine si ordinaire que Pauchon cesse de prendre des notes, et commence à se demander s'il n'a pas fait une erreur et s'il ne perd pas un temps précieux. Il va être difficile d'échapper à ces deux-là, et il va se faire taper sur les doigts au commissariat, s'il reste absent trop longtemps. Laforge ne lui passera rien.

Raymonde Marchand, en robe de chambre rose, rentre tout juste de l'hôpital, « où les médecins se sont bien occupés d'elle ». Elle ne parviendra jamais à se remettre de ce qu'elle a vu, ne cesse-t-elle de répéter. Élodie était – et ça lui fait « tellement mal de parler d'elle au passé » – une jeune femme sympathique, souriante, serviable. Tout un chapelet de superlatifs et de compliments qu'elle conclut sur cet avis définitif : « Si c'est pas malheureux tout ça. C'est affreux ! Nous n'oublierons jamais, hein, Jean-Charles ?

— Jamais ! approuve M. Marchand. Vous pouvez nous croire, inspecteur.

— Vous lui parliez souvent ? s'enquiert Pauchon.

— Non, de temps en temps, mais ça se voyait que c'était une jeune femme très convenable. »

Bien sûr, ils s'étaient aperçus qu'elle avait un amoureux, « à son âge, c'est bien normal ». Ils l'avaient vue avec ce jeune homme à de nombreuses reprises. Il semblait charmant et poli, ce qui est si rare de nos jours ! « Si nous avions su », souffle le vieil homme sur un ton de conspirateur. Tous deux le reconnaissent sans l'ombre d'une hésitation sur la photo que Pauchon leur présente. Ils ne vivaient pas ensemble mais il venait souvent (« il avait ses clefs, c'est comme ça, maintenant, hein ? »), et elle est catégorique : « Jamais nous n'avons entendu la moindre dispute, hein, Jean-Charles ? » M. Marchand confirme d'un puissant « oui », nuançant, un sourire entendu aux lèvres, comme s'il s'en félicitait : « À mon âge, je suis un peu sourdingue. »

Mme Marchand lève les yeux au ciel : « Ah ça, il ne faudrait pas vieillir ! » avant de demander si la police est certaine que ce jeune homme qu'ils ont croisé si souvent est vraiment le monstre qui a sauvagement assassiné leur gentille voisine ? Il n'y a aucun doute, répond Pauchon, ils détiennent toutes les preuves nécessaires.

« Et Antoine Deloye a avoué. » Le mensonge est sorti sans qu'il sache trop pourquoi.

« Antoine… Je ne savais pas qu'il s'appelait comme ça. C'est un prénom normal, pourtant ! » s'exclame la vieille dame. Inutile de chercher à creuser ce qu'est un prénom « normal », se dit Pauchon.

Elle marque un instant de doute : « Vous êtes certain de son prénom ? Le jour où elle nous l'a présenté, il me semble que ce n'était pas Antoine. Tu ne t'en souviens pas, Jean-Charles ?

— Non, je n'ai jamais eu la moindre idée du prénom de ce garçon… Et donc, inspecteur, c'est bien lui l'assassin ?

— C'est bien lui, je vous le garantis.

— En y réfléchissant, reprend Mme Marchand sur le ton de la confidence, et Dieu m'est témoin que je n'arrête pas d'y penser, ça ne m'étonne qu'à moitié. »

Ah. Y aurait-il enfin quelque chose à glaner ?

« Qu'est-ce qui vous fait dire ça, madame Marchand ?

— Eh bien, vous savez, je n'aimais pas la façon dont il me dévisageait quand je le croisais sur le palier, parfois… Avec ses yeux tout blancs, pouah ! Il avait quelque chose de dérangeant. Sinon il était toujours très poli avec moi. Un garçon élégant, propre, et distingué. Il devait avoir une bonne situation. Mais son regard était si… comment dire ?

— Glaçant ? avance Pauchon.

— Oui, c'est ça, glaçant… Il me mettait mal à l'aise. »

Elle parle d'un ton dépité, comme si elle se reprochait de s'être laissé berner : « J'aurais dû me méfier davantage de cet homme. Le mal est partout, inspecteur.

— Il venait souvent ?

— Presque tous les jours. Je vous l'ai dit : il avait ses clefs. Il venait à la mi-journée, ou en fin d'après-midi. Il arrivait qu'il passe quand elle n'était pas là et il repartait sans l'attendre. Mais le plus souvent il passait la nuit ici avec elle.

— Vous êtes sûre ?

— Je les entendais, et puis, je l'aurais vu partir, inspecteur, se vante-t-elle.

— Vous pouvez la croire, rien ne lui échappe ! renchérit son mari.

— Et ces derniers jours, vous l'avez vu ?

— Qui ? Elle ou lui ?

— Lui.

— Ah, oui ! Il est venu plusieurs fois. Je suis même certaine qu'il est resté dormir. Tout seul. Elle, la pauvre demoiselle, elle n'était pas là. »

Elle se lamente : « Il devait se croire chez lui.

— Pauvre enfant… » M. Marchand intervient comme s'il n'avait pas prêté la moindre attention à ce que vient de dire son épouse. La bouche pleine, quelques miettes égarées sur son polo fermé jusqu'au dernier bouton, il a dû déjà avaler une bonne dizaine de gâteaux secs.

Il soupire, pour lui seul : « Je m'en souviendrai jusqu'à mon dernier souffle… »

Combien de fois ont-ils répété qu'ils ne pourront jamais oublier ? tente de calculer le lieutenant.

Depuis qu'il les écoute, Pauchon a observé que Mme Marchand se lève pour aller à la porte au moindre bruit. Une vraie concierge ! Il poursuit :

« Revenons à hier soir. Est-ce que vous avez aperçu le fiancé d'Élodie ?

— Ah, oui, oui, oui. Je n'espionne pas mes voisins, inspecteur, mais il a dû arriver vers six heures et demie. Et la petite jeune fille un peu après. Mais comme je vous l'ai dit, il avait ses clefs.

— Je me souviens que tu m'as dit que ça faisait plusieurs jours qu'on n'avait pas vu Élodie, intervient Jean-Charles Marchand.

— Ah, oui, inspecteur. Ça faisait une bonne douzaine de jours que je ne l'avais pas croisée. On s'est dit qu'elle avait dû partir en voyage. Les jeunes, ça bouge beaucoup de nos jours. Mais comme je vous ai dit, lui, en revanche, il est venu pendant son absence.

— Vous pouvez la croire, inspecteur, ma femme a l'œil ! »

Ça, Hervé Pauchon n'en doute pas un instant.

« Et donc, ce soir-là, Élodie est arrivée à quelle heure ?

— Pas longtemps après lui… Je dirais une vingtaine de minutes.

— Elle était comment ? Anxieuse ?

— Non, non. Comme d'habitude. Je n'ai rien remarqué d'anormal, si c'est ce que vous cherchez à savoir.

— Vous l'avez croisée ?

— Heu, non, je l'ai vue par l'œilleton, plutôt, j'avais cru entendre frapper… » Elle s'excuse presque.

« Donc, madame Marchand, vous avez vu Antoine Deloye et ensuite Élodie Favereau revenir hier soir, c'est bien ça ? Et rien dans leur comportement ne vous a intriguée ? Rien ne laissait présager ce qui s'est passé ?

— Oh oui, ils étaient comme d'habitude. J'ai seulement été surprise de la revoir. Rien de plus. Il faut aussi que je vous dise que lui, je l'ai même vu ressortir et revenir avec des fleurs.

— Pour ça, vous pouvez la croire, inspecteur, dit une fois de plus M. Marchand, qui n'est plus sourd du tout, depuis quelques instants. Au moindre bruit, Raymonde va se fourrer derrière son judas !

— Oui, eh bien, de nos jours, il vaut mieux être méfiant ! s'insurge Madame. La preuve, tu as vu ?

— Quelle heure était-il, coupe Pauchon, vous vous en souvenez ? »

Mme Marchand se concentre, réfléchit… « Je dirais… vers huit heures et demie ? On avait fini de manger depuis un moment…

— Et vous avez entendu crier avant ou après ?

— Avant, mais pas très longtemps avant… Cinq, dix minutes, peut-être… »

Raymonde jette un regard de reproche au policier. Il ne faudrait pas qu'il s'imagine qu'elle passe ses journées à noter tout ce que font les voisins !

« J'ai entendu comme un appel au secours, une voix aiguë, je me suis bien dit que ça semblait venir de chez la jeune fille, tient-elle à préciser. Mais il n'y a eu qu'un seul cri et, ensuite, une espèce de bruit sourd. Mais c'était diffus, et si bref que ça ne m'a pas alertée. J'ai quand même été voir à l'œilleton. Le palier était désert, pas un bruit. J'ai vu sortir le jeune homme, mais un moment après, il est revenu, il avait un bouquet de fleurs. Et comme mon pauvre Jean-Charles n'avait rien entendu, je me suis dit que c'était la télé. Ou peut-être qu'ils s'étaient disputés, une querelle d'amoureux… Vous savez, à nos âges… Et puis, il faut dire que notre immeuble est plutôt bruyant. S'il fallait téléphoner à police secours à chaque bruit bizarre, on n'en finirait pas ! »

Pauchon croit comprendre… La vieille dame ne reconnaîtra pas qu'elle est restée tout ce temps derrière son judas à observer le palier, à tendre l'oreille, à la fois terrorisée et curieuse. Sans penser à appeler la police. Car c'est bien un appel à l'aide, clair et inquiétant, qu'elle a entendu. Inutile d'insister.

« Et ensuite, vous avez vu Antoine Deloyc repartir ? s'enquiert-il.

— Ah oui, je l'ai bien reconnu, même s'il avait la capuche de son blouson à moitié rabattue sur le visage. Et là, il m'a fait peur, il était bizarre, inspecteur. Vraiment bizarre. Et là, je n'ai pas honte de le dire, il m'a fait peur.

— C'est-à-dire, madame Marchand ?

— Il a tiré la porte et il s'est tourné vers la nôtre avant de prendre l'escalier. Il fixait l'œilleton avec ses sales yeux blancs, comme s'il savait que j'étais derrière. Pour être franche, même si je savais que le verrou était mis, j'ai cru qu'il allait venir sonner, et je me suis reculée. Quand j'ai regardé à nouveau, il avait disparu.

— Quelle heure était-il ?

— Je dirais aux alentours de dix heures.

— Pas plus tard ?

— Non… D'ordinaire, à cette heure-là, je suis déjà au lit. »

Elle interpelle son mari : « Tu te souviens ce que je t'ai dit, à ce moment-là ? »

M. Marchand opine du chef.

« Je lui ai dit qu'il était arrivé quelque chose à la jeune fille. Hein, Jean-Charles ? »

Elle ajoute d'une voix oppressée : « J'aurais préféré me tromper. Ah là là là… Quelle histoire ! Ce qu'on a vu ensuite, jamais je ne l'oublierai, inspecteur. Tout ce sang, partout. Et la tête de cette malheureuse…

— Mais pourquoi avez-vous attendu si longtemps avant d'aller voir ?

— Comment est-ce que j'aurais pu penser qu'il était arrivé une chose pareille ? Jamais, pas une seule seconde ! Mais quand même, j'avais un mauvais pressentiment. Nous sommes allés nous coucher mais ça n'arrêtait pas de tourner dans ma tête. Impossible de m'endormir. Alors, un peu avant minuit, j'ai réveillé mon mari et on est allés frapper à sa porte. C'est que j'avais peur d'y aller toute seule.

— C'était affreux, vous pouvez me croire, inspecteur, ajoute Jean-Charles Marchand avant d'attraper un gâteau sec.

— Et dire qu'il a fallu que ça tombe sur nous », conclut Mme Marchand d'un ton désolé, prenant le policier à témoin.

16

Robert Laforge, dans le silence de son bureau, raccroche enfin. Sur son front, de fines perles de transpiration témoignent de l'effort qu'il a dû faire pour rester calme.

Le sentiment de perdre son temps le hérisse, et rien ne l'agace plus que les interminables conversations au téléphone. Celle qu'il vient d'avoir avec le juge Pierrick Anglade lui a paru ne jamais devoir prendre fin. Il a bien senti l'impatience du magistrat. Tous les juges sont impatients…

Le divisionnaire sourit, s'essuie le front, il est satisfait. Il a dû batailler mais, au final, il a obtenu ce qu'il souhaitait : prolonger la garde à vue d'Antoine Deloye quelques heures encore avant de devoir le déférer.

Les juges, il faut les avoir avec soi. Tout au long de sa carrière brillante, il s'est appliqué à ne jamais les heurter. Il faut les caresser dans le sens du poil, même les flatter, parfois. Et surtout, leur donner l'impression que ce sont eux qui mènent la danse. Pourtant, ce n'est pas l'envie qui lui a manqué, bien souvent, de les envoyer balader. Des bureaucrates insupportables avec leurs certitudes, pour la plupart. « Des petits cons qui ne sortent pas de leurs bureaux et qui croient tout savoir », maugrée Laforge. Mais il y a une chose que les années lui ont apprise : la fin justifie les moyens.

Le juge Anglade est de ceux qui se prennent pour les maîtres du monde, à peine sortis de l'école de la magistrature. Mais Laforge a su se montrer convaincant.

Prenant tout son temps, il a décrit au juge Anglade la scène de crime, sans lui épargner le plus petit détail, en rajoutant des caisses sur les précisions sordides. Il faut leur apprendre la vie, à ces petits juges, ricanait-il *in petto*. Puis il avait passé en revue tous les éléments à charge contre Antoine Deloye, la hache, les analyses ADN, les images de la caméra de surveillance, la liaison avec la victime… Il a évoqué l'alibi fourni par Deloye, ajoutant rapidement : « Un alibi probablement bidon, monsieur le juge.

— Bidon ? Il faudra quand même vérifier, monsieur le divisionnaire, l'avait coupé Anglade, un brin professoral. Ce n'est pas à vous que je vais l'apprendre : s'il peut prouver qu'il était ailleurs à l'heure du crime, ce n'est pas lui.

— C'est bidon. Forcément puisque la caméra l'a pris à vingt-deux heures en sortant de l'immeuble.

— Si vous êtes formel, alors… »

Enfin, Laforge avait parlé de l'absence totale d'empreintes et de la maladie génétique dont souffrait Antoine Deloye.

« Vous êtes sûr de ce truc ? s'était étonné le juge.

— Absolument. C'est une bizarrerie génétique très rare, mais ça existe. Il est né avec…

— Elle est passionnante votre affaire… » Anglade s'était repris : « Je veux dire, NOTRE affaire ! »

Laforge sentait le juge bouillir, il avait déjà tenté de l'interrompre à plusieurs reprises. L'affaire était limpide, qu'attendait le commissaire pour lui envoyer le prévenu ? Le prévenu… Il n'y a qu'un juge pour parler comme ça d'une ordure qui a tranché la tête de sa copine, s'était dit Laforge.

Anglade avait laissé passer un silence, puis avait repris avec raideur.

« Qu'est-ce que vous préconisez, monsieur le divisionnaire ?

— Je veux le faire avouer, monsieur le juge. Avec cette histoire d'empreintes, il nous faut des aveux pour le tribunal. J'ai juste besoin d'un peu de temps. Le prévenu Deloye nie. Il est coincé, mais il s'entête à nier. L'atout qu'on a, mais il faut faire vite, c'est qu'il a refusé la présence d'un avocat.

— Ah tiens ? C'est bizarre, non ? avait glissé le juge d'un ton soupçonneux. Vous lui avez vraiment laissé le choix, commissaire ?

— Qu'est-ce que vous croyez ? avait répliqué Laforge d'un ton goguenard. Il a voulu faire son malin. Mais nous, ça nous arrange.

— Oui… Je comprends. Il a bien signé le PV de notification ? Je ne voudrais pas que nous ayons un vice de procédure, monsieur le divisionnaire.

— Monsieur le juge…, avait soupiré Laforge avec patience.

— Donc ce type est un parfait imbécile ? »

Laforge s'était bien gardé de le contredire.

« Je ne comprends pas ce que vous attendez pour me l'envoyer, monsieur le divisionnaire ? Vous le tenez !

— Je suis certain de pouvoir obtenir des aveux, monsieur le juge.

— Bon, d'après moi, il ne fera pas un pli, fanfaronne Pierrick Anglade. De toute façon, avec ce qu'on a, aveux ou pas, alibi ou pas, il est bon pour les assises. Je me trompe, commissaire ?

— Absolument pas, il est même bon pour perpète. Et en bonus, avec un bon jury, une période de sûreté. Mais il faut que vous me le laissiez un peu. Je vous demande ça comme une faveur. Je sens qu'il est sur le point de craquer et ce serait dommage. Il y a encore quelques points qui restent à éclaircir, et il faudrait qu'on soit fixés. Pourquoi il a massacré son amie d'une manière aussi dégueulasse, par exemple. C'est un truc de psychopathe, c'est évident. Laissez-moi le cuisiner et je vous le servirai tout chaud.

— Vous avez besoin de combien de temps ?

— Laissez-le-moi au moins toute la nuit.

— Vous êtes gourmand, commissaire ! C'est bon, je vous le laisse, mais je le veux demain matin à neuf heures dans mon bureau. Avec ou sans aveux.

— Je vous l'amènerai en personne, monsieur le juge, avait assuré Laforge sans laisser paraître sa satisfaction.

— Quand même, dites-m'en un peu plus, monsieur le divisionnaire, un psychopathe, vous pensez ?

— Il est difficile à cerner, et assez inquiétant. Le jeune winner parfait, apprécié au boulot, gagnant un fric fou… Soit il est vraiment pervers et malin, soit c'est un vrai schizophrène. Il s'effondre en larmes et dans la seconde qui suit, il redevient d'un calme saisissant en vous transperçant avec ses yeux décolorés.

— Vous me mettez l'eau à la bouche, monsieur le divisionnaire ! J'en regretterais presque le délai que je vous ai accordé.

— Demain, neuf heures !

— Je ne peux rien vous refuser, avait plaisanté le juge. Soyez à l'heure, commissaire divisionnaire ! »

Le juge avait enfin raccroché, sans un « au revoir », sans entendre Laforge murmurer : « Comptez sur moi, un vrai coucou suisse... »

Il se demande combien de fois le juge lui a servi du « divisionnaire ». Petit con. Laforge sait les risques qu'il a pris en affirmant au juge que Deloye avait renoncé à la présence d'un avocat.

Et surtout en taisant l'essentiel : qu'Antoine Deloye a un frère jumeau, et qu'il l'accuse de l'assassinat d'Élodie. Et qu'à ce stade, il hésite à trancher.

Il dispose de la nuit pour confondre l'assassin d'Élodie Favereau.

Il saisit un crayon dans le pot à stylos devant lui, et le brise d'un coup sec, avant de laisser tomber les deux morceaux dans la poubelle à ses pieds.

17

Fabrice Peyrot a l'allure de tous ces jeunes gars qui prospèrent sur les marchés financiers : costume Hugo Boss, mocassins Weston à pampilles, Rolex, barbe de trois jours, respirant le pognon, et cette assurance qui les rend antipathiques d'emblée. Du moins aux yeux d'un vieux routier comme Laforge. Celui-là est grand, en plus, les cheveux châtains avec des mèches blondes. « Le profil type, se dit le divisionnaire en le regardant faire son entrée dans son bureau. Le beau mec qui doit plaire aux gonzesses et qui le sait, mais avec ce je ne sais quoi de stupide dans le regard. »

Laforge et Brunet n'ont pas besoin de se parler pour se comprendre. Ils se régalent, avec ce genre de blanc-bec. Confrontés aux rustauds de la police, leur assurance ne tient jamais longtemps.

Tout sourire, Laforge lui serre la main. Il voit parfaitement la façon dont le jeune type le dévisage, d'un air de penser : « C'est ça ? Ce petit gros au front dégarni court sur pattes, le chef de la police judiciaire ? » Mais il a la main un peu moite.

Sans attendre que Laforge l'invite à s'asseoir, Peyrot prend place d'autorité sur la chaise placée au centre.

Celle qui est bancale, note Laforge avec satisfaction. Le trader a décidé de le prendre de haut. Immédiatement, il demande ce qu'il fait là, pour combien de temps ils en ont, ce qu'on lui veut… Tout juste s'il n'ajoute pas : « Dépêchons, je n'ai pas que ça à faire. J'ai des clients qui m'attendent et ma Smart décapotable est mal garée. »

Fabrice Peyrot ne peut pas savoir que le flic qui lui fait face, avec son physique peu avantageux, ne fait qu'une bouchée des trous-du-cul comme lui.

Le capitaine Régis Deltil leur a rapporté qu'il a fallu agiter la menace d'une commission rogatoire pour qu'il accepte de le suivre au commissariat. Durant tout le trajet, le policier est resté muet, refusant de répondre à ses questions insistantes et se contentant de lui dire qu'il était « convoqué au commissariat pour être auditionné dans le cadre d'une affaire importante, et que le commissaire divisionnaire Laforge voulait l'entendre », avant d'enclencher la sirène et de commencer à zigzaguer dans la circulation. « C'est un connard », avait glissé Deltil à son chef, avant de l'introduire dans le bureau du patron et de s'éclipser. Mais la précision était inutile, Laforge avait jugé d'emblée.

Au lieu de commencer à l'interroger, le commissaire se lève en annonçant : « Je reviens dans un instant, monsieur Peyrot. » Et il le plante là, seul dans son bureau, un peu déconcerté et n'osant pas quitter sa chaise. Très bien, le beau gosse avec ses mèches blondes va commencer à comprendre qu'ici, ce n'est pas lui qui décide du rythme des opérations, et à gamberger. Il sait qu'Antoine a été cueilli par deux flics en début d'après-midi, devant tout le monde et, bien sûr, ça a pas mal jasé. Est-ce que la police est sur une affaire de délit financier, et recherche des complicités au sein de l'agence ? Peyrot a beau se répéter qu'il n'a rien magouillé avec lui, il a déjà perdu de sa superbe lorsque le divisionnaire revient, après l'avoir laissé mijoter seulement cinq ou six minutes, qui lui ont paru une éternité.

Il a eu tout le temps de décider qu'il est préférable qu'il prenne ses distances avec Deloye.

« Monsieur Peyrot, commence Laforge, vous êtes un ami d'Antoine Deloye ?

— Disons plutôt une relation de travail. »

Robert Laforge ouvre ostensiblement un calepin et prend un stylo. « D'où vous connaissez-vous ?

— Nous travaillons dans la même banque d'affaires, à la Défense. Nous sommes tous les deux traders mais j'opère sur le long terme. Je le croise rarement dans la journée car nous ne travaillons pas au même étage. Nous nous fréquentons parfois, mais de là à dire que nous sommes amis, c'est exagéré.

— Et son frère, Franck, vous le connaissez ?

— Où voulez-vous en venir, commissaire ?

— Je crois, monsieur Peyrot, que vous n'avez pas compris où vous vous trouvez », précise Laforge d'une voix que la douceur rend glaçante.

Il adore ce moment, quand les petits cons réalisent qu'ils feraient mieux de ne pas trop faire les malins.

« Je répète, donc, est-ce que vous connaissez Franck Deloye ?

— Oui, bien sûr, mais…

— Et donc, coupe Laforge, d'un ton exagérément patient, Franck, le frère jumeau d'Antoine Deloye, est-il un ami, un copain, une "relation" ?

— Je les connais tous les deux. Il m'arrive de passer des soirées avec l'un ou l'autre. Parfois avec tous les deux. Mais je ne les considère pas vraiment comme des amis. »

Il tente : « Pour être exact, nous nous fréquentons rarement.

— C'est pourtant vous qui l'avez informé que son frère avait été arrêté. Je me trompe ?

— Oui, en effet. Cela m'a paru normal de lui dire. C'est son frère, quand même », bafouille le jeune homme. Il semble à présent se demander dans quel merdier il s'est fourré.

« Bien sûr, c'est parfaitement normal, c'est ce qu'on fait pour les amis.

— Les frères Deloye ne sont pas des amis. De simples relations, comme je vous l'ai dit », insiste maladroitement Peyrot.

Le commissaire referme son calepin d'un geste vif, puis le rouvre, le front plissé et le stylo prêt :

« Bien, cessons de tourner autour du pot. Je veux seulement savoir si vous étiez hier soir avec un des frères Deloye.

— Mais pourquoi, qu'est-ce qui se passe ? tente le jeune homme, l'air troublé.

— Monsieur Peyrot, je vous le rappelle, ici, c'est moi qui pose les questions. Avez-vous passé la soirée d'hier avec Antoine Deloye ou avec Franck Deloye ?

— Avec Antoine Deloye, oui.

— Vous en êtes certain ?

« — Oui, vous pourrez vérifier. Antoine était là, avec plein d'autres gens de la boîte. Je n'ai pas fait spécialement attention à lui et nous n'avons pas beaucoup discuté. Il y a tellement de bruit dans ces bars. »

Laforge écrit dans son carnet, en prenant tout son temps, tandis que Peyrot se raidit, de plus en plus mal à l'aise.

« Où aviez-vous rendez-vous ?

— Aux Princes, un café porte de Saint-Cloud.

— À quelle heure ? insiste Laforge d'une voix parfaitement calme.

— Je dirais vers neuf heures et demie. Je ne me souviens plus précisément.

— Environ, ce n'est pas tout à fait suffisant, monsieur Peyrot, pouvez-vous me donner l'heure précise de son arrivée ? C'est vraiment important.

— Je ne sais pas, moi... Peut-être même un peu plus tard. Je ne passe pas mes soirées à regarder ma montre !

— Et quand est-ce qu'il est reparti ?

— Assez tôt, vers minuit, il me semble.

— Et il est resté tout le temps avec vous ?

— Comment ça ? Oui, oui. Enfin, il s'est levé à un moment pour aller fumer dehors.

— Il y est resté longtemps ?

— Ben je sais pas, moi, on discutait, je n'ai pas fait gaffe... Le temps d'une cigarette... »

Un quart d'heure plus tard, Laforge attrape les deux feuillets sortis de l'imprimante, sous son bureau. « Il ne vous reste plus qu'à signer votre déposition », précise-t-il en parcourant les feuilles des yeux. « Donc, je résume, vous m'arrêtez si je me trompe : Antoine Deloye vous a rejoint au bar Les Princes, près de la porte de Saint-Cloud, un bar où vous avez vos habitudes. Heure estimée : entre 21 h 30 et 22 heures. C'est bien ça ?

— Oui, je suis désolé de ne pas pouvoir être plus précis, s'excuse-t-il.

— Je continue : Antoine Deloye travaille dans la même banque que vous mais dans un autre bureau. Lorsqu'il est arrivé, vous étiez attablé avec un couple d'amis, tous deux banquiers d'affaires en Andorre, Béatrice et Nicolas Piette. Il ne les connaissait pas. Il ne s'est pas présenté lui-même, c'est vous qui l'avez présenté à vos amis mais vous n'êtes pas certain que les uns et les autres aient vraiment prêté attention à son nom, car il y avait beaucoup de bruit et de monde. Comme vous, il a commandé une bière pression. Il portait un blouson gris anthracite à capuche, un jean et aux pieds des baskets. Vous en êtes certain parce que vous avez plaisanté en lui demandant s'il allait à la banque habillé comme ça, et si c'était sa nouvelle tenue pour mettre les clients en confiance. Vous avez continué à discuter, mais Antoine, qui selon vos termes est d'habitude "un grand bavard", n'a pas beaucoup participé à la conversation. Vous attribuez cela au fait qu'il y avait beaucoup de bruit et qu'il ne connaissait pas vos amis Piette. Cependant, vous avez passé un moment agréable, tout le monde semblait détendu. Vous n'avez pas parlé boulot, ni de vos collègues, et il n'a jamais été question de placements financiers. Vous avez parlé un peu de politique, du gouvernement Hollande et de Valls, puis de voyages. Le couple Piette

168

revenait de New York. Antoine a dit qu'il y était déjà allé et vous avez évoqué un séjour que vous prévoyez de faire bientôt aux Maldives. Le patron du bar s'est assis à votre table pendant quelques minutes. À aucun moment il n'a été question de la fiancée d'Antoine, Élodie Favereau. Deloye a quitté votre table un moment pour aller fumer à l'extérieur du bar. Vous avez repris chacun un verre, puis vous vous êtes quittés assez tôt. Antoine Deloye est parti le premier, vers minuit, en disant qu'il était fatigué, et vous-même avez quitté le bar peu après. Il est allé payer ses consommations mais il ne vous a pas invité, ni vos amis. Vous ignorez dans quelle direction il est parti. »

Laforge fait une pause, regarde le jeune homme :

« Et j'ai bien noté que tout au long de la soirée, il vous a paru parfaitement normal. Vous n'avez remarqué aucun signe de nervosité dans son comportement. Enfin, pour vous, Antoine Deloye n'est pas un ami, mais un garçon sans histoires, avec lequel on ne s'ennuie pas. Bref, un collègue de bonne compagnie. C'est bien ça ? »

Comme le jeune homme ne répond pas, le commissaire insiste : « C'est bien cela, monsieur Peyrot ?

— Oui, oui, c'est bien ça. Écoutez, je sais que je n'ai pas de questions à poser, mais permettez-moi tout de même de vous demander une chose, monsieur le commissaire », ajoute-t-il prudemment.

Eh ben voilà ! Un vrai agneau, se dit Laforge. Il le laisse poursuivre d'une voix qui se veut assurée mais trahit sa fébrilité :

« Je ne saisis pas ce que vous cherchez. Je sais qu'Antoine Deloye a été arrêté aujourd'hui à la banque.

Que se passe-t-il, et qu'est-ce que la soirée d'hier soir a à voir avec ça ?

— Je vais vous le dire. Mais pourriez-vous d'abord m'expliquer une chose, vous aussi. Le frère d'Antoine, Franck Deloye, a déclaré qu'il a passé la soirée avec vous. Aussi bizarre que cela puisse paraître, tous les deux affirment qu'ils étaient en votre compagnie.

— Mais non, c'est impossible. J'étais avec Antoine.

— Impossible, pourquoi ?

— Parce que… »

Laforge perçoit le doute qui s'empare du jeune homme.

« Je vais répondre à votre place, monsieur Peyrot : parce qu'Antoine avait ses habitudes aux Princes et donc ça ne pouvait être que lui. Faut pas chercher plus loin…

— Mais qu'est-ce qui se passe, bon sang ? » souffle Fabrice Peyrot, à présent si paniqué qu'il donne l'impression d'être prêt à partir en courant.

Laforge hausse le ton sans crier gare. Précis et impitoyable :

« Je vais vous dire ce qui se passe, monsieur Peyrot : Élodie Favereau a été assassinée à coup de hache hier soir. Tout accuse Antoine Deloye. Alors je vous le demande encore, parce que votre témoignage est capital. Êtes-vous certain que c'est bien avec Antoine Deloye que vous avez passé la soirée hier soir ? Vous êtes son alibi.

— Antoine a tué Élodie ? C'est une histoire de fou ! » Peyrot suffoque presque.

Il semble réaliser brutalement pourquoi il a été convoqué : « Il l'a tuée avant de venir aux Princes ?

— Selon toute vraisemblance. Si vous voulez connaître les détails, lui assène Laforge, votre ami a coupé le cou de sa copine. Vous voulez voir les photos ?

— Non, non ! C'est affreux ! Pas Antoine ! C'est… C'est dingue !

— Apparemment, c'est votre ami qui est dingue, Peyrot.

— Ce n'est pas mon ami ! Je vous l'ai dit !

— Ami, copain, relation de boulot, simple connaissance, je m'en fous. Ce n'est vraiment pas mon problème. Mon problème, c'est de savoir si vous avez passé la soirée avec Antoine ou avec Franck Deloye.

— Laissez-moi le temps de réfléchir, commissaire », implore le jeune homme.

Bien, le fringant trader a perdu de sa superbe, se réjouit Laforge. Il apprend que son pote est un assassin… Et que son témoignage est essentiel. Il va devoir se mouiller…

Fabrice Peyrot, le front luisant de sueur, se passe la main droite sur le visage et ferme les yeux. Après de longues secondes, il les rouvre, et déclare avec hésitation : « Non, je ne peux pas l'affirmer à cent pour cent.

— Qu'est-ce que vous ne pouvez pas affirmer à cent pour cent, monsieur Peyrot ?

— Que c'était bien Antoine. Ils se ressemblent tellement…

— En effet, et c'est pourquoi il est essentiel de savoir avec lequel des deux vous avez passé la soirée.

— Je ne les connais pas si bien que ça, tente le jeune homme. Honnêtement, il m'arrive de les prendre l'un pour l'autre. Mais je ne suis pas le seul, tout le monde les confond ! D'ailleurs, pour tout dire, je me suis déjà demandé s'ils n'en profitaient pas… Ils font des blagues avec ça.

— Des blagues ? Est-ce que vous pouvez être plus précis ?

— Ils sont un peu bizarres…

— Bizarres, le mot est faible, monsieur Peyrot. Est-ce que vous vous rappelez si au cours de cette soirée vous avez prononcé son prénom, ou s'il l'a fait lui-même ? »

Peyrot prend un long moment pour réfléchir avant de répondre : « Forcément, au moins au moment où je l'ai présenté à mes amis.

— Et il n'a pas réagi, il ne vous a pas contredit ? insiste Laforge.

— Pas que je me souvienne. »

Lorsque le commissaire se lève et se dirige vers la porte, Fabrice Peyrot quitte sa chaise avec empressement pour le suivre.

D'un geste ferme de la main, Laforge lui fait signe de ne pas bouger : « Non, vous, vous restez à notre disposition pour le moment. Le commissaire Brunet va vous conduire dans un bureau. Je vous demande de prendre tout le temps de réfléchir aux détails de la soirée. Inutile de vous répéter que votre témoignage est capital, monsieur Peyrot. Nous poursuivrons un peu plus tard. »

Laforge s'adresse à Brunet, suffisamment fort pour que le jeune homme l'entende : « Envoie un de nos gars aux Princes, vérifier ce que M. Peyrot vient de nous raconter. Je ne voudrais pas être obligé de le placer en garde à vue… »

Fabrice leur jette un regard incrédule, mais reste coi, vaincu. Inutile de tenter de discuter avec ce flic. Dans quels sales draps est-il fourré ? Il n'a plus qu'une envie : rentrer chez lui, loin de ce flic qui l'épouvante.

Ce n'était pas la première fois que Sophie et Philippe Deloye étaient convoqués à l'école, mais ce fut le premier avertissement sérieux. Entraînant des inquiétudes qui ne cessèrent de s'aggraver au fil des années. Jusqu'à en arriver, à l'adolescence de leurs enfants, à se débarrasser de l'un d'eux. « Se débarrasser », le mot peut paraître fort, et pourtant, c'est celui qui leur vint alors.

Séparément, leurs enfants étaient des anges. Ensemble, ils devaient se l'avouer, ils prenaient des allures de démons.

À l'école Gabriel-Péri, à Montrouge, les jumeaux semaient régulièrement la pagaille, exaspérant leurs instituteurs en jouant de leur ressemblance. Rien de bien grave, mais leurs blagues valaient à leurs parents d'être régulièrement convoqués par la directrice, Martine Loubet, une femme énergique qui en avait pourtant vu d'autres. Elle les alertait sur les facéties de « ces deux petits chenapans », et leur demandait de les punir car les sermons n'avaient aucun effet.

Elle reconnaissait que les deux gamins, futés et bons élèves, étaient attachants. Sophie et Philippe promettaient de sévir, mais, en réalité, ils ne prenaient pas très au sérieux les petites farces de leurs fils. Se faire passer l'un pour l'autre, changer de classe (car on avait jugé préférable de les séparer), tout ça n'était au fond qu'un jeu, signe de leur vitalité. Après tout, ne faisaient-ils pas ça à la maison sans que cela porte à conséquence ?

Jusqu'à ce jour de février, ils n'accordèrent pas grande importance à ces petits dérangements, préférant y voir l'expression de leur fantaisie d'enfants et de leur complicité. Sans doute se refusaient-ils à affronter la vérité qui devait s'imposer à eux par la suite.

Ils tentèrent bien d'abord de dédramatiser, après que la directrice leur eut raconté ce qui s'était passé, mais cette fois les faits reprochés aux jumeaux étaient graves. Ils s'inclinèrent. Pendant la récréation, en entrant dans les toilettes, Ludovic Marçais, un petit garçon de CE1, avait été frappé au visage d'un violent coup de poing par un des jumeaux, puis poussé dans un des cabinets. À travers la porte, son agresseur lui avait intimé l'ordre de rester là sans essayer de sortir, sans dire un mot ni appeler. « Sinon, la prochaine fois, je te tue. Et tu auras le même châtiment si tu me dénonces », l'avait-il menacé. Le garçonnet avait eu tellement peur, surtout à ce mot de « châtiment », prononcé avec tant de haine, qu'il avait obéi. Les élèves étant partis en cours de musique, l'institutrice ne s'était pas rendu

175

compte immédiatement de son absence, et Ludovic n'avait été découvert qu'à la fin de la journée par une dame de service, prostré dans les toilettes, en larmes et si effrayé qu'il avait d'abord refusé de désigner le coupable.

« Nous avons dû faire appel à la psychologue scolaire et faire venir les parents. Le pauvre garçon était tellement traumatisé que nous avons été à deux doigts de l'envoyer aux urgences. Inutile de vous dire dans quel état sont ses parents, poursuivit Martine Loubet. Ils veulent que le coupable soit puni, faute de quoi ils menacent de porter plainte. J'ai réussi à les calmer en leur promettant de faire la lumière sur cette affaire. Et j'y suis parvenue, Ludovic a fini par me dire qui l'avait agressé.

— Comment pouvez-vous être certaine que ce garçon ne ment pas ? Nos enfants ne sont pas méchants ! s'offusqua Philippe. Turbulents, peut-être. Mais ils n'ont jamais été malveillants, c'est aller un peu vite !

— Monsieur et madame Deloye, Ludovic ne m'a pas menti, je vous l'assure. Il était trop bouleversé pour ça.

— Il y a peut-être eu un différend entre eux, tenta Philippe. Ce ne serait pas la première fois que des gamins se chamaillent.

— Non, malheureusement, je suis désolée, mais il semble que cette agression était purement gratuite. Ludovic m'a dit qu'il n'avait jamais eu affaire à aucun des jumeaux. Ils ne sont pas dans la même classe, Ludovic est plus jeune, et les connaît à peine.

— Lequel des deux l'a frappé ? intervint Sophie d'une voix blanche.

— Comment ça, lequel des deux ? s'emporta Philippe. Tu ne crois quand même pas...

— Je suis incapable de vous le dire », poursuivit la directrice, faisant mine d'ignorer la querelle qui pointait entre les deux parents.

Elle avait fait venir les jumeaux dans son bureau, leur expliqua-t-elle. « Chacun de vos enfants a nié avoir agressé Ludovic mais aucun des deux n'a accusé l'autre. Il m'a été impossible d'en savoir plus, et de déterminer lequel a frappé le petit. Peut-être aurez-vous plus de succès », conclut-elle avec sévérité.

Ce que la directrice ne leur dit pas, c'est qu'elle a trouvé les jumeaux étrangement calmes, nullement troublés, ne se sentant absolument pas fautifs. Antoine et Franck l'avaient inquiétée par leur indifférence, comme s'ils n'avaient rien à voir avec tout ça et ne se souciaient aucunement de leur camarade.

Une fois à la maison, Sophie et Philippe tentèrent de les faire parler, se déclarant prêts à accepter leurs excuses, à faire preuve d'indulgence. Mais chacun des jumeaux se bornait à répéter : « Ce n'est pas moi, je le jure », tout en refusant d'accuser son frère.

Ce soir-là, tandis qu'ils tentaient de trouver le sommeil, Antoine les rejoignit dans leur lit et se glissa entre eux. Se serrant contre son père, il lui murmura à l'oreille, le plus doucement possible pour que sa maman n'entende pas : « C'est Franck qui a tapé le petit garçon, papa. Il est trop méchant. Il me fait peur. »

Il ferma les paupières et, voyant qu'il dormait à poings fermés, Philippe finit par le porter jusqu'à son lit.

Le lendemain, tandis qu'il préparait le petit déjeuner avec ses fils à la cuisine, Philippe profita du moment où Franck se rendait aux toilettes pour interroger son frère. Mais Antoine semblait ne plus se souvenir qu'il avait rejoint ses parents dans le lit, et encore moins qu'il lui avait fait des confidences.

Philippe n'insista pas, car Franck revenait déjà. Il ne parla pas à Sophie de ce que lui avait dit secrètement son fils avant de s'endormir dans ses bras.

À la suite de cet incident, les relations se dégradèrent rapidement avec les enseignants de l'école, et même les élèves, qui se tenaient à l'écart des jumeaux. Au point que Sophie et Philippe se résolurent finalement à les inscrire dans un institut privé, où le directeur, impressionné par leur intelligence, leur conseilla de leur faire passer des tests de QI.

141 pour Antoine et 140 pour Franck, qui parut vexé de manière disproportionnée d'avoir été devancé de ce petit point par son frère.

Ces résultats, très largement au-dessus de la moyenne, ravirent les deux parents. Que leurs enfants soient surdoués expliquait à leur yeux leurs comportements un peu divergents face à la norme, et ils ne *se faisaient pas faute de l'expliquer à leurs amis. Ainsi sont les papas et les mamans : fiers de leurs enfants, et oubliant vite, quoi qu'ils fassent ou quels qu'ils soient.*

Malheureusement, l'accalmie fut de courte durée.

18

« Qu'est-ce qu'on fait du mec ? » souffle Étienne Brunet à son patron, tandis que les hommes entrent l'un après l'autre dans son bureau.

Ils sont une petite dizaine et ils ont accouru dès que le briefing a été annoncé, abandonnant sur-le-champ ce qu'ils faisaient, ne voulant rien rater. Chez les flics, on les appelle « les hommes de Laforge », et ils tirent une certaine fierté de leur appartenance à ce groupe. Ils savent déjà ce que ce briefing signifie pour eux : la nuit sera longue. Pour ceux qui ont réussi à préserver une famille, malgré ce métier qui les bouffe, il faudra téléphoner à la maison. Prévenir que ce soir encore il sera inutile de les attendre pour dîner, et embrasser les gosses à la hâte. Ils auront au bout du fil une femme compréhensive, ou résignée, peut-être soulagée. Les autres, ils s'en foutent, ils n'ont personne à appeler, comme s'il n'y avait que leur boulot. Et leur fidélité à ce patron, pourtant si exigeant qu'on ne l'entend jamais féliciter personne, sans jamais pour autant s'attribuer un quelconque mérite ou recueillir les louanges de la hiérarchie pour lui seul.

Résoudre une affaire est une évidence nécessaire, il n'y a que l'échec qui l'affecterait. Et jusqu'à présent, il n'en a jamais connu.

« Quel mec ? réplique Laforge dans un murmure, avec un sourire complice. Le winner qui se demande à quelle sauce il va être mangé en se tordant les boyaux ?

— C'est ça.

— On se le garde sous le coude. Il me revient pas, ce type, et de toute façon, il faut le confronter à Deloye.

— Il flippe, en tout cas. Tu t'es encore fait un copain. »

Brunet n'insiste pas : Fabrice Peyrot devra patienter tant que le patron n'aura pas décidé de le laisser partir. Laforge sait parfaitement qu'ils ont peu de temps avant d'être contraints de le laisser quitter les lieux, les quatre heures réglementaires pour l'audition d'un témoin, mais Brunet sait parfaitement aussi qu'il ne le garde pas seulement pour les besoins de l'enquête. Il l'a dans le collimateur, pour des raisons qu'il n'éprouve nul besoin de justifier, et il a envie de se le payer.

Robert Laforge s'assoit en bout de table puis, sans même avoir à demander le silence, il commence :

« Messieurs, je pourrais tout arrêter là, envoyer Antoine Deloye devant le juge et rentrer tranquillement chez moi, me servir un petit whisky, puis ouvrir une bonne bouteille pour le dîner. En plus, ma petite femme m'a préparé une blanquette de veau, mon plat favori. »

Les hommes s'esclaffent. Chacun sait qu'il n'y a pas de Mme Laforge depuis un paquet de temps.

L'existence de Mme Laforge est d'ailleurs devenue un jeu entre eux, occasion pour le patron de se féliciter de ne pas s'être encombré d'une bonne femme pour l'empêcher de respirer. Rigolard, il ajoute comme un leitmotiv à l'adresse de ceux qui sont encore mariés : « Le célibat, y a que ça de vrai. Un bon flic est un flic divorcé. »

Seul Brunet sait que le patron ne plaisante pas vraiment. Il revoit le regard méprisant que Laforge avait jeté sur Pauchon le jour où il avait fait le tour du commissariat avec la photo de sa femme enceinte. « Nous attendons un petit garçon », claironnait-il. Il avait pris Laforge à témoin : « J'en ferai un flic, patron ! » et, le soir même, le divisionnaire avait renvoyé le jeune lieutenant auprès de sa « petite femme », alors que toute l'équipe était sur le pied de guerre pour coincer un souteneur géorgien qui avait méchamment tabassé une de ses filles. Pauchon avait eu beau insister pour participer à l'opération, Laforge n'avait rien voulu entendre. Et ce soir encore, Pauchon est le seul qui manque à l'appel.

Une nuit, Laforge s'était presque confié à Brunet. C'était pendant une planque éprouvante et, pour tuer le temps et résister à la tension qui montait, ils avaient passé en revue les gars de leur équipe de l'époque. « Je suis sûr qu'il n'existe pas un flic heureux », avait-il dit soudain. Brunet se souvient qu'il avait approuvé, pensant à sa propre situation. Il en était à son deuxième mariage, à son troisième gosse, et les relations avec Nathalie n'allaient pas au mieux. Quelque temps plus tard, contre toute attente, les choses s'étaient arrangées, et il se dit souvent qu'il a eu du pot avec elle. C'est un sacerdoce de vivre avec un flic de la PJ, il en a parfaitement conscience, mais il n'a pas varié d'un iota : le boulot passe avant tout. Et si Nathalie n'avait pas accepté ça, il l'aurait quittée, elle aussi.

Il y avait bien eu, dans le temps, une Mme Laforge, et un fils aussi. Sylvain. Il doit avoir la trentaine aujourd'hui. Il les avait connus, disons plutôt croisés, du temps où Robert et lui étaient encore de jeunes flics.

Il ignore totalement, tant son chef se montre secret sur sa vie, s'il est resté en contact avec eux, et où ils sont passés. Il n'a jamais tenté de savoir. Et inutile d'espérer que Laforge réponde aux questions.

Seul son travail compte pour lui.

Le divisionnaire, satisfait de l'hilarité que ses mots ont déclenchée, laisse les rires s'éteindre avant de poursuivre, sérieux, avec cette étrange autorité naturelle qui impressionne tous ceux qui le voient à l'œuvre :

« Oui, oui, messieurs, ce serait facile de clore cette affaire, puisque, sur le papier, nous avons notre assassin. Malheureusement, c'est un peu plus compliqué que prévu. Vous savez tous maintenant qu'Antoine Deloye a un jumeau, Franck, qui lui ressemble à un point tel que personne ne peut être sûr de savoir lequel des deux se trouve en face de lui. Peut-être que les parents auraient pu faire la différence, mais ils sont morts et enterrés. Le hic, je me répète mais c'est capital, c'est que le plus souvent, les jumeaux monozygotes ont le même ADN. »

Laforge laisse son auditoire digérer l'information. Personne, à cet instant, n'oserait se racler la gorge.

« Or les deux frères s'accusent mutuellement. Donc, même si tout semblait désigner Antoine, il se pourrait que l'assassin d'Élodie Favereau soit en vérité Franck. »

Dans un silence total, Laforge se lève et va se placer devant le paperboard, derrière son bureau. Il annonce : « À ce stade, je n'ai aucune conviction et je vous demande de ne pas en avoir. Voilà ce que nous savons. »

Laforge épingle sur le mur près du tableau la photo de la tête coupée d'Élodie. Les hommes s'agitent et se rapprochent pour regarder. Il écrit sans se retourner, lisant à voix haute ce qu'il note, sans ajouter le moindre commentaire :

— *27 ans*

— *Fille unique*

— *Père assureur, mère enseignante.*

— *A passé trois ans au lycée français de Londres de 2008 à 2011.*

— *Professeur de français au lycée Jacques-Prévert de Boulogne depuis deux ans, bien notée.*

— *Une fille sans histoire, décrite comme calme et réservée par les voisins et ses collègues.*

— *Tuée d'un coup de hache : le premier coup dans la poitrine a été mortel.*

— *Un deuxième coup à la cuisse, inutile. Accidentel ?*

— *Un F était dessiné avec son sang sur son front. F = Franck ?*

— *Vu les importantes projections de sang, et le fait qu'aucun vêtement taché n'ait été retrouvé, l'assassin était probablement nu quand il l'a tuée.*

— *La tête a été tranchée* post mortem *(plus ou moins une demi-heure après).*

— *A eu des rapports sexuels consentis dans les heures qui ont précédé.*

— *Appartement à moitié vide et paraissant aban-donné.*

— *Ne s'est pas présentée à son lycée à la rentrée (congé maladie).*

— *Son portable a disparu.*

— *Question : Élodie a-t-elle fui son domicile ? Pourquoi ? Pour aller où ?*

— <u>*Question : Pourquoi est-elle revenue ?*</u>

Laforge souligne les derniers mots d'un geste rageur, puis il fait basculer la page noircie de l'autre côté du paperboard et poursuit :

« Au tour des jumeaux Deloye. Voyons ce que nous avons. »

Puis il sépare la feuille en deux d'un trait vertical. À gauche, il écrit « A » pour Antoine et à droite, « F ».

A	**F**
— *28 ans*	— *28 ans*
— *En couple avec Élodie depuis deux ans.*	— *Pas de petite amie connue. Connaît et apprécie*
La « femme de sa vie », le mariage était paraît-il prévu pour bientôt.	*Élodie, s'est effondré en apprenant le meurtre.*
— *Bonne opinion des beaux-parents.*	— *S'est présenté spontanément au commissariat.*
— *Études brillantes (ESCP). Trader à la Bourse. Revenus élevés.*	— *Impression : poli, sympathique et sentimental* <u>*(TROP ?).*</u>
— *Apprécié au travail.*	— *Habite un studio*
— *Pas d'antécédents.*	*dans le XXe (perquise à faire).*
— *Vit dans un trois-pièces avec terrasse (perquise à refaire d'urgence).*	— *Vit de petits boulots en intérim (restauration).*
2 500 € de loyer.	— *Porte les mêmes vêtements que le tueur.*

— *Dit avoir passé la soirée avec Élodie deux jours avant et ne pas l'avoir revue depuis.*
— *Affirme avoir passé la soirée du meurtre au café Les Princes avec Fabrice Peyrot.*
— *Accuse F. du meurtre d'Élodie et d'avoir étouffé leur petite sœur quand elle avait 4 mois (jumeaux âgés de 5 ans 1/2).*
— *Déclare que F. est déséquilibré et pervers depuis l'enfance.*
— *Parents morts dans un accident domestique quand les jumeaux avaient 16 ans.*
— *N'a pas voulu d'avocat pendant sa garde à vue (revenu sur sa décision).*
— *Parle de relations conflictuelles avec F. Se présente comme sa victime.*
— *Pas d'empreintes, adermatoglyphie.*
— *Possède des vêtements identiques à ceux du tueur.*
— *Impression : malin et calculateur*
— *Question : Pourquoi A. accuse-t-il F. ?*

— *Chassé de chez eux par ses parents à 16 ans, accusé d'avoir tué leur chien, dont on a retrouvé la tête coupée dans le garage. Ses parents n'ont plus jamais voulu le revoir.*
— *Placé en famille d'accueil à 16 ans. CAP de cuisinier.*
— *Refuse de croire à la culpabilité de son frère. Dit aimer son frère. Demande à le voir, veut aider la police.*
— *Analyse ADN en cours (identique à celui de A. probable).*
— *Pas d'empreintes, même maladie génétique que son frère.*
— *Même alibi : aurait passé la soirée du meurtre au café Les Princes avec Fabrice Peyrot.*
— *Revient demain à 10 heures.*
— *Question : était-il l'amant d'Élodie ?*

Le commissaire a écrit en minuscules afin que tout tienne sur une seule feuille. Il la détache et prend le temps de l'épingler sur le mur. Le silence dans la pièce est toujours aussi pesant. Il inscrit sur un troisième feuillet :

186

LE TUEUR

— *Identifié sur les caméras de surveillance entrant dans l'immeuble d'Élodie à 18 h 30.*

— *Filmé à nouveau à 20 h 32, sortant à visage découvert pour aller jusqu'à la station. Passe par le souterrain du métro pour traverser la place, ressort près du fleuriste, achète un bouquet de roses et revient à l'appartement*

— *Identifié à nouveau sur la vidéo sortant de l'immeuble à 22 h 02. Part à pied.*

— *Probablement nu quand il tue Élodie, entre 20 et 20 h 30, il se douche, va acheter des fleurs puis la décapite (une demi-heure plus tard ?), aucune trace de sang retrouvée sur des vêtements.*

— *ADN sur la hache, dans l'appartement et le siphon de la douche : celui d'A. (et F., probablement).*

— *Sperme relevé dans le vagin d'Élodie (pas de viol), ADN Antoine Deloye.*

FABRICE PEYROT, témoin et alibi

— *Trader dans la même banque qu'Antoine. 32 ans.*

— *Alibi invoqué par les deux frères, ont passé la soirée aux Princes, bar chic porte de Saint-Cloud.*

— *Peyrot dit avoir passé la soirée avec Antoine, arrivé vers 21 h 30. N'a pas regardé l'heure.*

— *Admet que ça peut avoir été Franck. Connaît les deux frères, pense qu'ils se font parfois passer l'un pour l'autre.*

— *Un couple avec eux, qui ne connaissait pas les Deloye (à retrouver et interroger).*

— *Deloye (A. ou F.) a quitté le bar vers minuit.*

Laforge conclut, marqueur en main, dévisageant chacun de ses hommes tour à tour :

« Apparemment, tout repose sur le témoignage de Peyrot. On pourrait penser que les jumeaux sont complices, mais il est formel, un des deux est resté tout le temps au café, et a donc un alibi imparable, il y a plusieurs témoins. Donc, toute la question est de déterminer lequel était aux Princes. Et là, problème, Peyrot ne peut pas se prononcer. Voilà, messieurs, ce que nous savons à cet instant précis. »

Enfin il écrit au feutre rouge sur une nouvelle page vierge :

CONCLUSION : UN SEUL DES FRÈRES DELOYE EST L'ASSASSIN.

Garlantezec est le premier à rompre le silence pesant :

« Tout désigne quand même Antoine Deloye, commissaire, non ?

— Non, capitaine. La seule certitude que nous avons est que ce crime a été commis par l'un d'eux, grâce aux images vidéos et à l'analyse ADN. Mais lequel ? C'est ce que nous devons trouver cette nuit, avant d'envoyer le coupable devant le juge demain matin. »

Garlantezec ne désarme pas : « Qu'est-ce qui vous fait douter que ce soit Antoine, chef ? »

Laforge résiste à l'envie de répliquer : parce que je suis le chef, justement. Au contraire, il répond de cette voix calme qu'il a toujours dans les moments où il doit emporter l'adhésion de ses hommes :

« Si Antoine dit vrai, et que c'est lui qui était aux Princes, ça veut dire que Franck a menti, et ça n'est pas sans raison. Ce n'est pas plus compliqué que ça. Le tueur est un pervers, un psychopathe très intelligent. Ça, j'en suis sûr. Hier soir, lorsqu'il a exécuté Élodie Favereau, il a accompli un plan mûrement préparé. Mais il a oublié que Boulogne est truffé de caméras de surveillance. À moins que ça aussi, ça ait fait partie du plan. Maintenant il s'applique à brouiller les pistes. Il s'amuse avec nous en accusant son frangin. Il pense qu'on va perdre les pédales et qu'il va s'en sortir. Ils se ressemblent à croire qu'ils le font exprès, et depuis qu'ils sont petits, ils ont appris à en jouer. À ce que dit Antoine, Franck le terrorise depuis qu'ils sont gosses. L'appartement d'Élodie semble avoir été déserté pendant plusieurs jours, peut-être des semaines. Le principal du collège nous a appris qu'Élodie ne s'est pas présentée à la rentrée des vacances scolaires. Elle s'était mise en arrêt maladie, mais il n'a pas su pour quel motif. Où était-elle ? Est-ce que c'est en relation avec le meurtre ? Est-ce qu'elle a eu peur de quelqu'un ? De l'un des frères ? Pourquoi est-elle revenue hier soir pour se faire tuer ? Nous avons la nuit pour trouver les réponses à ces questions. Il y a un gentil et un méchant, à nous de déterminer lequel. À ce stade, je ne sais pas. Alors pour avancer, il n'y a qu'une solution : les travailler au corps, comme deux coupables, jusqu'à ce que l'un des deux craque. Fouillez jusqu'au fond de leurs culs, et nous trouverons le salopard ! »

Le commissaire coupe les commentaires qui fusent de toutes parts.

« Nous devons faire très vite ; comme toujours, le temps travaille pour la pourriture. Si nous lui en laissons, il nous fera perdre les pédales, et nous aurons une armée d'avocats dans les pattes. Je veux le cueillir à chaud. »

Le ton qu'il adopte n'admet aucune contestation : « Je ne veux pas lui laisser le plaisir de croire qu'il a réalisé le crime parfait. Mais nous ne pouvons pas nous gourer. Vous ne voudriez pas qu'on prenne les hommes de Laforge pour des cons, n'est-ce pas ? »

À ces derniers mots, chacun semble hésiter entre éclater d'un rire complice ou afficher sa détermination. Garlantezec se fait une fois de plus leur porte-parole :

« Nous, des cons ? Ça se saurait, chef ! »

Le capitaine ayant ainsi donné le signal de la dispersion, chacun se dirige vers la porte, retourne avec empressement à la mission que lui a confiée Brunet. Laforge force la voix pour leur lancer : « Ne laissez rien passer, n'oubliez pas que l'un de ces deux types est malin, pervers… et très déterminé. »

Il retient d'un geste son second :

« Où en est Delamotte avec la filature de Franck ?

— Il ne l'a pas lâché. Franck traîne dans un bar homo du Marais. Il n'en a pas bougé depuis qu'il est sorti d'ici.

— Il est pédé ? Intéressant…

— C'est la question que j'ai posée à Delamotte. D'après lui, non, même s'il semble avoir ses habitudes dans ces bars. Eugène m'a dit que des mecs l'ont dragué, il a discuté avec quelques-uns mais sans suite. Il se contente de boire des coups.

— Il est bourré ?

— Non, il boit seulement des cocktails aux fruits.

— L'enfoiré ! s'exclame Laforge. Il sait qu'on le suit et il attend qu'on le convoque à nouveau. Il veut garder les idées claires. Et en attendant, il nous balade chez les tantes.

— Pourquoi, à ton avis ?

— Pour nous faire croire qu'il en est et nous embrouiller, Étienne. Peut-être qu'il veut marquer sa différence avec son frangin, le golden boy ultra conforme. Mais je le sens pas, il n'est pas homo. Je me demande même s'il ne couchait pas avec Élodie, lui aussi.

— Putain, tu vas un peu loin, là !

— Pas sûr. Peyrot dit qu'il avait l'impression que les deux frères s'amusaient à échanger leur place. Si ça se trouve, Franck baisait Élodie, juste pour se venger de son frère, et elle ne s'en est jamais aperçue. Ou alors, elle s'en est aperçue, elle a pris peur, et c'est pour ça qu'elle a filé. Malheureusement, elle n'est plus là pour nous le dire.

— Ça paraît un peu dingue…

— Y a encore des trucs qui te paraissent dingues, à toi ? Tu seras toujours un grand enfant, mon vieux… C'est pour ça qu'il faut qu'on sache où elle était ces derniers jours. On sait qu'elle n'est pas allée chez ses parents. Elle a peut-être parlé à la personne qui l'a hébergée. Il faut faire le tour de ses amis, garçons et filles, et des collègues… Et s'il le faut de tous les hôtels de Paris. Mais trouve-la-moi ! Putain, elle n'a pas pu disparaître comme ça pendant des jours !

— Je mets des gars là-dessus, assure Brunet, en s'apprêtant à sortir.

— Encore une chose, Étienne…

— Oui ?

— Je n'ai pas vu Pauchon pendant le briefing. Je ne l'ai pourtant pas encore viré ?

— Je l'ai envoyé faire un tour dans l'immeuble d'Élodie, faire la tournée des voisins… Il m'a semblé que tu n'avais pas envie de le voir ici, répond Brunet d'un ton léger, tout en guettant la réaction de son patron.

— Tu as pris des risques, Étienne, ce gars n'a rien dans la tête, putain !

— Tu sais très bien que tu es injuste. Il a du flair, rappelle-toi le coup avec Bouzid, tente Brunet. Il est seulement un peu jeune, faut qu'il se calme un peu…

— Non, ce mec n'a pas sa place chez nous. Il a fait cavalier seul et c'est pour ça qu'il s'est retrouvé à l'hosto. On n'a pas besoin de vedettes, à la PJ, mais de gars qui jouent en équipe. C'est un pistonné et on nous l'a imposé. Je n'en veux plus à la brigade. Point final. Demain, il gicle, compris ? »

Il respire profondément, puis reprend : « Dis à Delamotte de nous ramener Franck Deloye. »

À peine la porte refermée, Brunet entend distinctement le poing de son patron s'abattre violemment sur son bureau. Allez, le patron fait sa séance anti-stress, songe-t-il sans s'inquiéter davantage. Il ne se doute pas que, dans la solitude de son bureau, Robert

Laforge a pour la première fois de sa carrière l'intuition qu'il pourrait échouer. Il combat la peur qui monte en lui en se frappant violemment le torse. La douleur lui arrache un cri sourd, et lui fait reprendre ses esprits.

19

Après sa visite chez les Marchand, le lieutenant Pauchon a fait consciencieusement le tour des appartements du 20 rue Carnot, en commençant par le rez-de-chaussée. Quelques voisins sont restés muets à son coup de sonnette, mais la plupart ont ouvert au jeune policier, et l'ont invité à entrer, inquiets et désireux d'avoir des nouvelles de l'enquête. À tous, il a confirmé que l'assassin avait été arrêté et qu'il était sous bonne garde de la police.

Dans un premier temps, il n'a pas appris grand-chose de plus que chez les Marchand. Tous les voisins ont décrit une voisine sympathique, quoique peu diserte et plutôt discrète. « Elle ne recevait pas beaucoup de visites, en dehors de son amoureux, lui a confié Mme Taieb, du second droit. Mais lui, il venait souvent. »

Tous ont reconnu son ami, Antoine Deloye, sur la photo qu'il a présentée, et évoqué la « drôle de couleur » de ses yeux, comme Mme Lassus du premier gauche. « Mon Rocco lui aboyait dessus chaque fois qu'il le voyait. J'aurais dû me douter : les animaux ne se trompent jamais sur les gens. » Certains, comme les

Marchand, ont confirmé qu'il leur arrivait de croiser le jeune homme en pleine journée.

« Ici, il était comme chez lui », assure M. Fassetta, du quatrième gauche. « Moi, je le trouvais lunatique, n'est-ce pas, Véronique ? Parfois il disait bonjour, mais la plupart du temps il passait sans un mot, et il fallait quasiment s'écarter sur son passage. Il était plutôt déplaisant. » M. Fassetta, un grand homme sec, ajoute sur un ton entendu : « Ça ne m'étonne pas qu'il ait pu assassiner cette pauvre jeune fille. Il a une sale tête. Une tête de tueur.

— Moi, je ne les trouvais pas "assortis", renchérit son épouse, une grosse femme retraitée de la fonction publique. Ils devaient pourtant s'aimer, parce je les avais vus il n'y a pas si longtemps par la fenêtre, en train de s'embrasser sur le trottoir d'en face, sans s'occuper des passants. Ça se voyait qu'ils n'avaient pas envie de se séparer, surtout lui, il l'a retenue par le bras. Pourtant elle est remontée seule sans se retourner et, lui, il est resté un moment à la regarder avant de s'éloigner.

— Ça remonte à quand ?

— Une quinzaine de jours environ. Hein, André ? Tu te rappelles, je t'en avais parlé.

— C'est possible, et alors ? Des amoureux, c'est normal qu'ils s'embrassent !

— Pouvez-vous essayer d'être plus précise ? insiste le lieutenant.

— C'est important ? demande Mme Fassetta avec avidité, piquée dans sa curiosité.

— Ça pourrait l'être, oui. Tous les détails sont importants, dans une affaire aussi grave, madame

Fassetta. » Il est toujours opportun de pontifier un peu, ça flatte la fibre citoyenne et encourage les témoins, a souvent constaté Pauchon. Les Fassetta, surtout Madame, ne font pas exception.

Mme Fassetta se lève dans un bond d'une étonnante souplesse. Déployant son impressionnante carcasse, elle annonce :

« Je reviens ! »

Quelques instants plus tard, elle reparaît en brandissant un calendrier des Postes, qu'elle met sous le nez du lieutenant :

« Regardez ! »

Plusieurs dates sont entourées au stylo vert. Véronique Fassetta pose son index boudiné sur le 19 février.

« C'est le jour où est passé le chauffagiste. Je l'encadre toujours, parce que, avec ces gens-là, on n'a pas intérêt à rater le rendez-vous. Sinon, vous n'avez plus qu'à attendre l'année suivante. »

Puis elle trompette, triomphante : « C'est ce soir-là que je les ai vus en train de s'embrasser. J'en suis sûre, monsieur l'agent ! »

Monsieur l'agent fait un rapide calcul, en s'aidant du calendrier : « C'était donc il y a douze jours. Vous êtes certaine que c'était lui ?

— Bien sûr que c'était lui ! Je l'ai vu assez souvent ! En plus, avant de partir, il a relevé la tête, vers ses fenêtres, je ne sais pas s'il m'a vue. Croyez-moi, on ne peut pas oublier la couleur de ses yeux. Tout décolorés, pratiquement blancs… Je n'ai jamais vu ça…

— Vous avez revu Élodie depuis ?

— Ça, je ne saurais pas vous dire. Sans doute… Je ne passe pas mes journées à surveiller les gens,

196

monsieur l'agent, vous me prenez pour qui ? Mais j'ai entendu du bruit chez elle. Vous savez, dans ces vieux immeubles, on entend tout.

— Elle était donc chez elle ? insiste Pauchon.

— Ça, je ne saurais pas vous le dire, répète Mme Fassetta. C'était peut-être lui qui était là, il vient souvent. Pourquoi ?

— C'est sans importance », se contente-t-il de répondre. Mais il sent une conclusion s'imposer à lui.

Mme Fassetta n'abdique pas. Elle ajoute d'un ton grave : « Mais j'ai remarqué qu'elle était absente à l'assemblée des copropriétaires la semaine passée, alors que d'habitude, elle est toujours là aux réunions. »

Pour sa part, M. Fassetta se contente de répéter ce qu'ils ont déjà dit aux policiers : il regardait la télé avec sa femme, et ils n'ont rien entendu de particulier. « Rien de rien », confirme-t-elle en hochant la tête. Pauchon se demande s'il doit les croire, mais il n'insiste pas davantage. Il sait d'expérience que dans les immeubles parisiens, on préfère ne pas se mêler de ce qui se passe chez les voisins.

Comme lui avait assuré un peu plus tôt Mme Taieb : « Ici, on ne s'occupe pas de la vie privée des uns et des autres. »

Tu parles ! se dit Pauchon. En redescendant au troisième, il a la conviction que Raymonde Marchand le regarde passer derrière son œilleton.

Il descend les escaliers sans s'en soucier. Il a hâte de faire son rapport à Brunet. Ainsi, les voisins ne se rappellent pas avoir vu Élodie depuis plusieurs jours ? Il est convaincu qu'elle a pris le large le soir du fameux baiser dont a parlé Véronique Fassetta. Elle a rassemblé ses affaires et elle a disparu. Les bruits que les voisins ont entendus les jours suivants, c'était Deloye, revenu seul dans l'appartement à plusieurs reprises. Pour guetter son retour ? D'un coup, une idée, presque déjà une conviction s'empare de lui : et si c'était Franck, le frère jumeau, et non Antoine, qui passait ses journées ici ? N'a-t-il pas plus de temps libre que son frère ? Il décide d'appeler Brunet, sûr qu'il sera content de lui. Mais son supérieur réplique d'un cinglant : « Nous n'en sommes pas encore aux conclusions, lieutenant. »

Lorsqu'il raccroche, Pauchon réalise que la douleur qui lui a tenaillé les tripes durant toute sa visite, sans le lâcher une seconde, a disparu d'un coup.

20

« Étienne, il faut que tu me trouves l'endroit où elle s'est planquée. Pendant combien de jours, rappelle-moi.

— Si on compte depuis le 19 février, ça fait douze, répond Brunet.

— Qu'est-ce qu'elle a bien pu foutre pendant tout ce temps ? Il faut le savoir, Étienne, c'est une priorité. »

Le commissaire vient de transmettre à son patron les informations que lui a données Pauchon par téléphone, en évitant de mentionner son nom et surtout ses conclusions hâtives sur Franck Deloye. À ce moment, il se dit que Laforge n'avait peut-être pas tort de poursuivre les investigations sur les deux frères.

Le lieutenant semblait excité comme un jeune chien tandis qu'il lui parlait. Tout de suite, il avait annoncé qu'il tenait quelque chose d'important. Il savait avec précision depuis quand la fille avait quitté Boulogne. Il avait raconté le témoignage de cette voisine, Mme Fassetta. Il était convaincu qu'Élodie avait disparu ensuite.

Puis, d'un ton un peu suffisant, il avait demandé :

« Et vous, vous avancez de votre côté ?

— Rapplique, tu verras si on avance, avait répliqué Brunet d'un ton sec.

— Où vous en êtes ? Y a du nouveau, chef ? avait insisté Pauchon.

— Putain, t'es têtu, toi ! »

Rapidement, Brunet lui avait expliqué que l'enquête était désormais menée sur les deux frères.

« Le patron veut être certain que ce n'est pas le frangin, l'assassin, avant de déférer Antoine, avait-t-il expliqué.

— Il a raison ! Moi aussi, j'ai des doutes, depuis le début, s'était vanté le lieutenant. C'était trop simple. »

C'est à ce moment-là qu'il avait avancé son idée sur la présence de Franck dans l'appartement. Brunet l'avait aussitôt remis à sa place. Cela n'avait pas eu l'air de le traumatiser, car il avait continué comme si de rien n'était : « Cette affaire, je la lâche plus, elle est trop belle ! Il ne va pas me renvoyer chez moi comme la dernière fois, hein ? Ma femme a accouché depuis ! avait-il plaisanté.

— Ferme-la, lieutenant, l'avait coupé Brunet. Tu rentres maintenant, c'est un ordre. OK ?

— Comme vous voudrez… Mais tant que je suis dehors, vous n'avez pas un truc pour moi ?

— Écoute, mon gars. Tu rappliques, voilà ce que j'ai pour toi.

— OK, OK… Puisqu'on ne peut pas se passer de moi au commissariat… », s'était résigné Pauchon en rigolant.

Brunet n'avait pas relevé. Au fond de lui-même, il aimait bien le jeune flic et ses manières de petit coq.

Comment lui dire que le patron ne voulait plus de lui dans la brigade et qu'il devrait se contenter des miettes qu'on lui donnerait ? Il risquait de ne pas revenir sur le terrain avant un bail.

« Pauchon…

— Oui ?

— Tu as bien bossé.

— Merci, chef, ça fait plaisir à entendre.

— Mais un conseil, avait coupé Brunet. Devant le patron, joue-la discret.

— Comment ça ?

— Tu le fais exprès, ou t'es vraiment con ? »

Brunet avait raccroché. Il savait que le lieutenant était loin d'être un imbécile, et pourrait même faire un excellent enquêteur. Quand cette foutue enquête serait terminée, il essaierait de lui sauver la mise. Contre le verdict du patron.

Laforge réfléchit à voix haute : « Il y a quelque chose que je ne pige pas. Cette fille embrasse son mec en bas de son immeuble. Si on en croit le témoignage de la bonne femme qui les a vus, ce n'était pas un baiser de cinéma. Et puis après ça, elle disparaît ? Comme s'il s'agissait d'une séparation de deux personnes qui ne pensent pas se revoir de sitôt ? Reste à savoir si ce type qu'elle embrassait était bien Antoine. Il va falloir jouer serré pour les interroger là-dessus. Je ne sais pas pourquoi, j'ai l'impression que ça pourrait être Franck.

— Pourquoi ? » ne peut s'empêcher de demander Brunet.

Laforge reste vague : « Une intuition… Comme ça, je sais pas… Mais il y a un truc qui me turlupine. »

Brunet ne discute pas. Les intuitions de son patron ont plus d'une fois fait leurs preuves. Combien d'affaires n'a-t-il pas résolues par le passé en ne se fiant qu'à cette foutue intuition, en dépit des évidences qui poussaient tout le monde vers une autre conclusion ? Laforge possède ce don inné que nombre de flics n'auront jamais, à commencer par lui, et c'est pour cela qu'il a choisi de faire carrière à ses côtés, sans chercher à s'en affranchir. Jamais il ne trouvera mieux.

Et jamais il ne fera mieux.

En ce moment, il voudrait bien connaître les pensées de son boss. Qu'est-ce qui le tracasse ? Pourquoi tient-il tant à poursuivre Franck ? Il a beau chercher, il ne voit pas. Il prend conscience qu'il plisse le front, qu'il a fermé les yeux et que tout son visage s'est crispé. Il se détourne pour le dissimuler à son chef.

« Qu'est-ce qui te chiffonne, Étienne ? Tu te demandes pour quelle raison j'hésite et pourquoi je ne suis pas totalement convaincu qu'Antoine a tué sa copine, c'est ça ?

— Oui, c'est ça. Je ne pige pas.

— Je t'explique. Version numéro un : Antoine est le coupable. OK. Imaginons qu'Élodie ait découvert qu'Antoine était un type violent et pervers, et que Franck était la version "gentille" des jumeaux. Elle et Franck tombent amoureux. Ils veulent échapper à Antoine. Elle quitte son appartement et se réfugie chez Franck. Ensuite, pour une raison qu'on ignore encore, elle retourne un soir chez elle. Mais Antoine l'attend, il la baise et la tue. Ensuite il cherche à faire porter le chapeau à son frangin et à nous faire perdre les pédales… Ça se tient, non ?

202

— Bien sûr que ça se tient.

— Ça se tient même parfaitement. Donc pas besoin de s'emmerder davantage. Affaire classée. Antoine tue sa copine pour se venger de sa trahison et pour faire porter le chapeau à son frère. Coup double ! Pourtant, je ne suis pas convaincu, ça me paraît un peu trop simple. C'est bien plus compliqué et… subtil. Ou pervers, j'en ai peur. Maintenant, version numéro deux.

— OK, je t'écoute… », grogne Brunet, avec une moue dubitative. Laforge ne s'en émeut pas. Il continue : « Imaginons que c'est bien Franck qui embrasse Élodie. Mais que c'est Franck le pervers, qui est jaloux du succès de son jumeau et veut le faire souffrir. Il séduit Élodie en lui faisant croire qu'Antoine est un salaud. Ensuite, il assassine Élodie et, de cette façon, se venge d'Antoine. Je te l'ai faite brève, mais ça aussi, ça se tient… Et on peut encore échafauder tout un tas d'autres théories. Par exemple, Franck couche avec Élodie sans lui dire qu'il n'est pas Antoine, et quand Antoine le découvre, il est fou de rage et la tue pour faire accuser son frère ! Et dans ce cas, on a Antoine dans le rôle de l'amoureux transi… Je continue ?

— Pas la peine, j'ai compris… Putain, nous ne sommes pas au bout de nos peines, souffle Brunet.

— Ouais, la nuit risque d'être longue…

— Et comment on va s'y prendre ?

— En forçant l'un des deux à avouer qu'il est une merde. C'est le seul moyen, Étienne. »

Brunet n'a pas le temps d'acquiescer, car on frappe à la porte. Il va ouvrir. Delamotte apparaît dans la lumière crue du couloir, les traits tirés, et les cheveux plaqués sur le crâne. Il pleut dehors, réalise le divisionnaire.

« Franck Deloye est là, annonce-t-il.

— Il n'a pas fait d'histoires ? l'interroge Laforge.

— Non, il m'a suivi comme un agneau.

— Ça ne m'étonne pas, réagit Laforge, énigmatique. Va me le chercher, Étienne. »

Brunet disparaît avec Delamotte après avoir refermé la lourde porte capitonnée, préférant ignorer si derrière son patron assouvit sa rage.

Ce qu'ils avaient voulu considérer comme un simple jeu devint source de préoccupation, puis d'une inquiétude constante, qui se mua finalement en une obsession angoissée.

Au début, ils cherchèrent des solutions. Ils avaient dû admettre que le comportement de leurs fils posait des problèmes. Ils étaient déroutés par la relation qui s'était mise en place entre Antoine et Franck et, de plus en plus souvent, ils se sentaient impuissants.

Sophie et Philippe Deloye voyaient que leurs enfants leur échappaient, et en arrivaient à penser qu'ils n'avaient pas besoin d'eux. Plus ils grandissaient, plus ils devenaient étrangers aux autres et au monde. Les deux garçons ne semblaient exister que quand ils étaient ensemble, ne supportant pas qu'on les sépare, mais incapables aussi de vivre en harmonie quand ils étaient réunis.

Pour fêter leur neuvième anniversaire, Philippe et Sophie s'étaient démenés et ils avaient, tant bien que mal, réussi à faire venir une dizaine d'enfants chez eux. Malgré cela, tout au long de l'après-midi, les jumeaux s'étaient tenus à l'écart des autres. Il avait fallu insister pour qu'ils ouvrent leurs cadeaux et soufflent leurs bougies, et lorsque le clown engagé pour l'occasion était arrivé, ils étaient montés dans la chambre de Franck. Philippe avait dû les menacer de punitions sévères pour les faire redescendre. Lorsque leurs invités étaient partis, sans montrer aucun désir de s'attarder, les jumeaux avaient laissé leurs cadeaux dans le salon, disant qu'ils étaient « nuls » et qu'ils n'en voulaient pas.

Dans le pavillon de Montrouge, chacun d'eux avait sa chambre, ses jouets, ses vêtements marqués à ses initiales. Philippe et Sophie ne comptaient plus les fois où ils les retrouvaient en tas dans le couloir, mélangés les uns aux autres. Ils se fâchaient et, docilement, chacun reprenait ses affaires qu'il rangeait dans sa chambre.

Ils s'appliquaient à les occuper séparément, à chercher des moyens de les obliger à rester seuls. Mais il suffisait qu'ils les laissent quelques minutes pour les retrouver en train de jouer ensemble à leur retour. Lorsqu'ils les surprenaient ainsi, et cela devenait de plus en plus difficile à supporter, ils avaient le sentiment que leurs fils les défiaient. Ils refusaient de répondre à leur prénom et s'enfermaient dans un mutisme vindicatif. Sophie et Philippe savaient qu'ils n'en tireraient rien et battaient en retraite.

À bout de nerfs, ils les enfermaient parfois à clef, chacun dans sa chambre. Quand ils revenaient les délivrer après une heure ou deux, ils les trouvaient prostrés, silencieux, leurs yeux trop clairs errant dans le vague. Pris de remords, ils n'avaient d'autre choix que de les laisser se rejoindre dans l'une ou *l'autre chambre. « Encore gagné », entendaient-ils derrière la porte, sans pouvoir dire lequel des deux avait parlé. Ces mots étaient un coup de poignard dans leur cœur. Mais ils résistaient au sentiment qui grandissait en eux que ces enfants qu'ils avaient tant désirés étaient en train de se transformer en ennemis...*

Ils multiplièrent les tentatives. Ils les inscrirent dans des écoles séparées, les contraignirent à pratiquer des activités distinctes. Pour Antoine, qu'ils avaient vu en train de dribbler son frère dans le jardin avec une étonnante facilité, du football. Pour Franck, à sa propre demande, du piano. Mais cela ne dura qu'un mois. L'entraîneur de l'US Montrouge déclara qu'il ne voulait plus d'Antoine. À l'entendre, leur fils se comportait comme une brute incontrôlable. « Il ne fait que taper sur ses camarades, il n'y a rien à en tirer », grogna-t-il. Quant au professeur de piano, il se plaignit que Franck s'appliquait à faire le contraire de ce qu'il lui demandait. Sophie et Philippe insistèrent malgré tout pour qu'il tente l'expérience avec les deux frères. Quelques semaines plus tard, le professeur s'étonnait. Il avait rarement connu des élèves aussi doués. « Vous en ferez des musiciens, s'ils continuent comme ça », leur dit-il avec chaleur. Sophie et Philippe, ravis, pensèrent avoir trouvé un bon exutoire. Mais très vite, les jumeaux annoncèrent qu'ils voulaient arrêter : ils n'aimaient plus le piano. Malgré leur insistance, leurs cajoleries et leurs menaces, leurs parents ne purent les faire changer d'avis.

Quant à l'école, leurs résultats depuis qu'ils étaient séparés étaient si catastrophiques qu'ils durent se résoudre à les réunir, suppliant même le directeur de les mettre dans la même classe. Ils constatèrent avec résignation, mais sans surprise, que leurs enfants obtenaient soudain les meilleures notes. Leur instituteur leur fit part de son sentiment que les jumeaux étaient en compétition permanente l'un vis-à-vis de l'autre.

Cela apparaissait à Sophie et Philippe comme une évidence : les relations entre Antoine et Franck devenaient de plus en plus exclusives. Ils en parlaient sans cesse et accumulaient les anecdotes qui leur faisaient penser que la situation s'aggravait. Ils les voyaient tellement soudés l'un à l'autre qu'ils semblaient parfois ne faire qu'un individu et se replier sur une vie en parallèle, ponctuée de codes qui n'appartenaient qu'à eux et auxquels leurs parents ne comprenaient rien. Ils se sentaient trahis, et totalement perdus.

Malgré tout, ils se faisaient violence pour cacher leur désarroi quand ils étaient en leur présence. Ils s'ingéniaient à se comporter comme si tout allait bien. Mais quand ils se retrouvaient seuls, ils avaient des discussions interminables au cours desquelles ils tentaient maladroitement de se remonter le moral, de se dire qu'il n'y avait rien de si dramatique, finissant toujours par conclure que la situation les minait de l'intérieur. Un soir, Philippe craqua, et avoua à Sophie son abattement. « Le plus dur à supporter, dit-il, c'est de me sentir étranger aux yeux de mes propres enfants.

Comme s'ils ne m'appartenaient plus. Je n'en peux plus », avait-il conclu.

Antoine et Franck, quant à eux, ne donnaient pas l'impression de percevoir le désarroi de leurs parents. Ils vivaient dans un monde à eux, s'amusaient, riaient, heureux en apparence. Mais ils ne faisaient rien l'un sans l'autre, et être séparés leur était insupportable.

Pourtant, lorsqu'ils étaient réunis, ils se déchiraient. C'était cela, ce paradoxe qui effrayait de plus en plus Sophie et Philippe. Les jumeaux refusaient d'être séparés, mais s'affrontaient, parfois avec une telle énergie (ils n'osaient encore parler de violence) qu'ils devaient intervenir pour les séparer.

Leurs parents virent tout ce qui faisait autorité en région parisienne en matière de pédopsychiatres, psychologues, et spécialistes éminents de la gémellité.

Franck et Antoine s'étonnaient de ces consultations répétées, mais s'y pliaient de bonne grâce, disant seulement qu'ils ne comprenaient pas pourquoi ils devaient voir ces gens.

Tous les médecins qu'ils rencontrèrent tirèrent de ces longs et coûteux entretiens la même conclusion : Philippe et Sophie étaient trop soucieux. Leurs fils étaient des garçons normaux, qui approchaient de l'adolescence, et il n'y avait pas de raison de s'alarmer ainsi. Des dizaines de fois, on leur expliqua les liens « si particuliers » qui unissent les jumeaux. On leur conseillait d'être patients et compréhensifs et de se réjouir du « formidable potentiel » de leurs enfants. Certains n'hésitaient pas à leur reprocher leur anxiété, *disant qu'elle était nuisible à l'épanouissement de leurs enfants. Déboussolés comme ils l'étaient, Sophie et Philippe endossaient les sermons sans protester. Ils sortaient déçus de ces visites, et, quelques semaines plus tard, recommençaient avec un nouveau praticien.*

21

Après avoir fait entrer Franck Deloye dans le
bureau du divisionnaire Laforge, Brunet se faufile
vers sa place favorite, le canapé de cuir élimé,
encombré de dossiers et de revues jamais ouvertes,
certaines encore dans leur film plastique. Il est
impatient de voir comment son patron va conduire
l'interrogatoire. Lorsqu'il est allé chercher Franck
dans le vaste hall du commissariat, c'est tout juste
si le jeune homme ne l'a pas remercié de l'avoir
convoqué.

« Je n'aurais pas pu attendre jusqu'à demain
matin », lui avait-il confié tandis qu'ils montaient au
troisième par l'ascenseur. Puis, d'une voix douce où
perçait un soupçon d'inquiétude, il avait demandé :

« Que vous a dit mon frère ?

— Le divisionnaire répondra à vos questions. »

Devant le ton laconique de Brunet, Franck n'avait
pas insisté, et les deux hommes étaient demeurés
silencieux. L'arrêt brutal du vieil ascenseur avait fait
sursauter Franck Deloye.

« Suivez-moi », avait dit le commissaire

Deloye l'avait remercié en disant qu'il était inutile qu'il se dérange, il connaissait le chemin. Il pouvait le laisser là.

« Je vous accompagne », avait répliqué Brunet.

Il a beau s'appliquer à suivre les cheminements de son chef, à tenter de partager ses « intuitions », il ne parvient pas à imaginer le jeune homme dans la peau d'un tueur psychopathe. Il voit plutôt en lui un garçon soumis, injustement traité par ses parents, malheureux et détruit. Il le trouve touchant.

Cependant, il n'est pas question de contester la façon de procéder du divisionnaire. Brunet, bien que convaincu de l'innocence de Franck Deloye, s'oblige à ignorer la pitié diffuse qu'il ressent en sa présence.

« Vous avez besoin de moi, commissaire Laforge ? » Franck a à peine franchi la porte, n'a pas encore été invité à s'asseoir, qu'il a déjà posé la question.

Laforge fait face à ce jeune homme volontaire, qui répète qu'il est prêt à coopérer, à aider « dans la mesure de [ses] moyens, malgré [sa] tristesse ». Il retire son sweat-shirt à capuche. « Il fait chaud chez vous », explique-t-il, puis, dans le même élan, il s'assied face à Laforge, sur la chaise bancale, avant de poursuivre :

« Moi aussi, j'ai besoin de comprendre.

— De comprendre quoi ?

— Pourquoi mon frère a tué Élodie, commissaire. Depuis que vous m'avez appris ce drame, je n'arrête pas d'y penser. Tout cela paraît tellement incroyable. D'accord, mon frère… »

Sa phrase reste en suspens, comme s'il hésitait à exprimer son désarroi.

« Oui ? » l'encourage sobrement Laforge.

Franck laisse passer quelques secondes avant de répondre. Il se tourne vers Brunet, regard perdu, comme s'il cherchait un allié, puis, soudain, ses jambes se mettent à trembler. Il pose ses mains sur ses cuisses, se tourne vers le commissaire principal, le regarde de ses yeux translucides où brille une larme. Une unique larme.

« Votre frère ?… » répète Laforge.

Franck efface cette larme de l'index, inspire lourdement, son tremblement s'apaise.

« Plus j'y pense… et Dieu sait à quel point cette idée me torture… plus je me dis qu'Antoine a pu tuer Élodie. »

Nous y voilà, songe Laforge. Il jette un coup d'œil à Brunet.

« Je vous écoute, Franck, l'encourage le divisionnaire, confident et complice.

— Ça me fait vraiment mal de parler comme ça de mon frère, commissaire… », souffle Franck. Son ton est presque implorant. « Mais j'en suis arrivé à penser qu'Antoine est capable du pire. D'une certaine manière, je le sais depuis toujours, il y a des choses que seul un jumeau peut savoir. Antoine est un être double. Il est capable d'être charmant, il est séduisant. Et dans le même temps… »

Il s'interrompt encore, hésite à poursuivre, comme s'il allait commettre l'irréparable, s'engager sur une voie sans retour.

« Dans le même temps ? répète le divisionnaire.

— Il peut être tellement malfaisant. Mais ça, il n'y a que moi qui le sache.

— Que voulez-vous dire par malfaisant ? »

Franck prend une longue et lente inspiration.

« Mon frère, tout le monde l'aime. Personne ne vous en dira du mal. Même nos parents se sont fait berner. Un jour, ils ont dû choisir entre lui et moi, et c'est Antoine qu'ils ont choisi. Je dois vous raconter comment ils m'ont chassé de la maison. Je n'avais même pas seize ans, commissaire. Je ne les ai jamais revus ensuite. Vous pouvez vous imaginer ce que j'ai vécu. À seize ans ! Je me suis retrouvé à la rue, sans personne… Rejeté par mes parents, tellement malheureux… »

Il semble sur le point de s'effondrer. Ses jambes ont repris leur impressionnant tremblement. Il les ignore et poursuit :

« Il m'en a fallu du temps, croyez-moi, commissaire, avant de réaliser que toutes les souffrances que j'ai dû endurer, je les devais à Antoine. Je l'aimais tellement, mon frère… »

Il s'interrompt, reprend son souffle, continue :

« Et puis, il y a eu l'épisode du chien. J'avais à peine plus de quinze ans. Antoine vous a raconté ce qui s'est passé ce jour-là ?

— Non », ment Laforge les yeux plissés, sans manifester de curiosité ni d'impatience. Quelle version va-t-il nous servir ? s'interroge-t-il.

Le ton de Franck change. D'implorant, il devient accusateur : « Antoine a tué notre chien. À coups de couteau. Dans le garage. Il lui a coupé la tête et il l'a posée sur l'établi. Aujourd'hui, je sais que c'était lui. Antoine ne m'a pas accusé, il a seulement dit que ce n'était pas lui qui avait fait ça. Et pour mes parents, c'était forcément moi. Ils n'ont même pas envisagé un seul instant que notre chien avait pu être tué par un voisin, par un vagabond, que sais-je… Non, ça ne pouvait être que moi. Et surtout pas lui. Ce jour-là, mon frère a gagné… Vraiment gagné. Ma mère s'est mise à pleurer, mon père est entré dans une rage folle, il m'a frappé, puis il a dit que je n'étais plus son fils, que je devais ficher le camp, qu'il ne voulait plus jamais me revoir. Peut-être que ça paraît difficile à croire, mais j'ai été incapable de me défendre, de leur dire que j'étais innocent. Je suis parti en maudissant mes parents… Mais pas mon frère. Ce n'est que petit à petit, au fil du temps, que j'ai fini par comprendre qu'Antoine était parvenu à les convaincre que j'étais quelqu'un de mauvais. Insidieusement, depuis que nous sommes enfants, jour après jour, il avait distillé le doute dans leur esprit. Il avait réussi à les convaincre que s'il y en avait un à sacrifier de nous deux, c'était forcément moi. Je voyais bien qu'ils se méfiaient de moi et je ne savais pas comment m'y prendre pour les convaincre, regagner leur confiance. Mais mon frère était trop fort, trop malin. Même moi, je le croyais quand il me promettait qu'il me protégerait coûte que coûte. Je le croyais, et ce n'est pas à lui que j'en voulais mais à nos parents. Inconsciemment, je m'en rendais compte, je crois, mais j'étais impuissant à lutter contre sa domination. Mon frère a toujours fait de moi ce qu'il voulait.

— Et après ?

— Après… D'abord, je me suis réfugié chez une amie de la famille. Mais je n'y suis pas resté et pendant quelques jours j'ai vécu comme un vagabond.

Je dormais n'importe où. Au fond de moi, j'espérais pouvoir revenir à la maison, je pensais que mes parents allaient comprendre que j'étais innocent. Ils allaient venir me dire qu'ils s'étaient trompés et me demander de leur pardonner. Je voulais rentrer. Je venais voir Antoine en cachette et il m'apportait de quoi manger. Il m'a dit que ce n'est pas lui qui avait tué le chien, que c'étaient sans doute des voleurs qui avaient fait le coup. Il m'a raconté que des outils avaient disparu. Il me disait aussi que mes parents étaient toujours furieux après moi, qu'il n'arrivait pas à les convaincre que j'étais innocent, à leur faire accepter que je revienne. Le pire, c'est que je l'ai cru. Je n'avais pas d'autre choix que de lui faire confiance, c'était mon frère, la seule personne qui me restait… Un soir, c'était un samedi, je lui ai dit que j'allais revenir quoi qu'il en coûte et leur parler. La famille, les parents me manquaient trop. Il a promis qu'il allait leur parler, et que les choses allaient s'arranger. Il m'a dit qu'il viendrait me chercher le lendemain matin. J'ai dormi sous le porche à quelques centaines de mètres de la maison. Le matin, j'ai vu arriver des policiers, ils m'ont arrêté pour vagabondage, ils m'ont emmené. Antoine m'a raconté plus tard qu'il était venu, mais qu'il n'avait pas eu le courage d'intervenir quand il avait vu la police. Mais aujourd'hui, je suis sûr que c'est lui qui m'avait dénoncé.

— Et ensuite ?

— Mes parents ont refusé de se présenter au commissariat. Les policiers m'ont seulement dit qu'ils ne voulaient pas me reprendre. Je les ai détestés, vraiment détestés… Après, ils m'ont fait placer dans une famille d'accueil et j'ai fait ma vie du mieux que j'ai pu. Ils sont morts quelques mois plus tard. C'est Antoine qui m'a prévenu. C'est terrible ce que je vais vous dire, commissaire, mais ce matin-là, il ne paraissait pas vraiment triste. Je me souviens qu'il m'a dit que désormais nous resterions toujours ensemble, que plus rien ne nous séparerait.

— C'est ce qui s'est passé ? intervient Laforge.

— Pas vraiment… Antoine est parti habiter chez nos grands-parents, les parents de notre mère. L'assistante sociale m'a dit qu'ils ne voulaient pas de moi. À l'époque, ça m'a anéanti. Maintenant, je me dis que c'est Antoine qui s'était débrouillé pour leur mettre ça dans le crâne. J'ai pas mal galéré, mais je m'en suis sorti.

— Est-ce que vous avez continué à voir votre frère ? intervient Laforge.

— Oui. Je suis toujours resté en contact avec lui, j'ai continué à croire qu'il n'était pas responsable de tout ça. Et même, ces derniers temps, nous nous sommes pas mal vus. C'est comme ça que j'ai fait la connaissance d'Élodie. »

Laforge se demande comment il réagirait s'il attaquait de front : la vérité, c'est que tu as couché avec elle et ensuite, parce que tu hais ton frère et que tu voulais te venger de lui, tu as massacré cette pauvre fille.

Mais le commissaire se retient. Il préfère ne pas braquer Franck, il veut qu'il se sente en confiance. Il a besoin qu'il croie avancer en territoire ami. Il sera toujours temps de le malmener.

Il jette un regard à Brunet. Son second semble troublé et ça l'agace. Est-ce qu'il s'est vraiment laissé prendre à son cinéma ?

Brusquement, les yeux exorbités, Franck se lève, comme saisi d'une grande excitation. D'une voix forte et anxieuse, il interpelle Laforge : « Commissaire, j'ai une question à vous poser !

— Je vous écoute.

— Est-ce qu'Antoine m'accuse de l'assassinat d'Élodie ?

— Assieds-toi », ordonne Laforge.

C'est la première fois que le patron tutoie Franck Deloye, note Brunet avec intérêt. Les choses sérieuses commencent, songe-t-il.

Captivé, il regarde Franck se laisser tomber sur la chaise bancale de plastique blanc, et écoute le divisionnaire annoncer au jeune homme en le fixant dans les yeux :

« En effet, ton frère dit que c'est toi qui as tué Élodie.

— Vous ne le croyez pas, n'est-ce pas ?

— Et pourquoi est-ce que je ne le croirais pas ?

— J'en étais sûr », gémit le jeune homme, l'air accablé.

Sur un ton qui n'a plus rien de doux, Robert Laforge demande : « Est-ce que tu veux en parler directement avec ton frère jumeau ? »

Sans attendre la réponse, le commissaire se lève et annonce : « Allons-y. »

Il faut que Brunet le saisisse par le bras pour que Franck quitte sa chaise.

Soumis, comme on va à l'abattoir…

22

La balle qu'il avait prise dans l'abdomen deux ans et cent dix-sept jours plus tôt aurait pu être fatale. Pauchon en garde un souvenir précis et éprouvant, ainsi qu'une cicatrice d'une dizaine de centimètres qui le fait pester. Mais il aime quand sa femme y promène son index et y dépose un baiser.

Il avait rencontré Sylvia quelques semaines après sa sortie de l'hôpital. La cicatrice encore rouge et douloureuse avait impressionné la jeune gardienne de la paix. Ils s'étaient mariés six mois plus tard, et elle l'appelle toujours « mon héros ».

De ce jour où il aurait pu mourir, il se rappelle tous les détails, indélébiles comme sa cicatrice.

Dans un réflexe, il avait fait un point de compression avec sa main sur la plaie qui pissait le sang et il s'était fait tout petit, immobile, priant pour que les gars arrivent à temps. Allongé sur les carreaux glacés de l'entrée du pavillon où l'autre l'avait laissé agonisant, il s'était dit qu'il n'y aurait pas grand monde à son enterrement. Ses parents, bien sûr, sa sœur, à l'époque il n'avait pas de petite copine pour le pleurer. Celles qui avaient brièvement croisé sa vie s'en foutraient. Les copains de la brigade, aussi, mais chez les flics, on ne s'apitoie pas trop longtemps. On préfère vite oublier les flics morts.

À vingt-huit ans il allait crever là, et il ne pouvait s'en prendre qu'à lui-même. Il avait fait une connerie de débutant en se présentant devant le pavillon. Il était tout seul quand il avait repéré le type. « Un putain de métèque », comme disait son patron de l'époque, pourchassé pour trafic de drogue et double homicide, sur lequel les gars de la brigade se cassaient les dents depuis des semaines sans parvenir à le choper. Tous pensaient qu'il avait filé en Algérie. Cela ne semblait pas contrarier son chef : « Ces mecs-là, lui avait-il dit, ils ne restent pas longtemps au bled. Ils s'y font chier et ils ont besoin de fric. Il va se repointer dans six mois et on le niquera à ce moment-là. C'est une affaire de patience, garçon ! »

Sauf que l'Algérien ne s'était pas tiré.

Et quand Pauchon l'avait repéré, il s'était dit que, cette fois, il n'était pas question qu'il s'envole. Il allait se faire cette crapule et récolter les lauriers de son arrestation.

Il avait intégré la BRB depuis dix-huit mois seulement et il voulait en découdre.

Ce jour-là, il avait fini son service, mais poussé par une intuition qu'il ne s'expliquait pas lui-même, il était reparti traîner en banlieue nord. Il tournait depuis deux heures lorsque la chance lui avait souri : il avait aperçu Mohamed Bouzid, sortant d'un rade de Gennevilliers, et il l'avait suivi jusqu'à un pavillon miteux. Il avait appelé la brigade et promis de rester en planque le temps que les renforts arrivent. Mais il n'avait pas pu y tenir. Au lieu d'attendre des renforts, il avait joué au con. Il avait frappé à la porte d'entrée. L'enfoiré ne lui avait pas laissé le temps de dire qu'il était le voisin d'à côté. Bouzid avait ouvert la porte et l'avait cueilli d'une balle dans le ventre alors qu'il s'avançait. Après l'avoir tiré à l'intérieur, il l'avait fouillé, avait trouvé sa carte de police et avait craché sur lui en le traitant de « merde de flic ». Mais l'Algérien avait fait l'erreur de ne pas partir aussitôt. Pauchon l'avait entendu s'affairer dans le pavillon, grimper à l'étage, sans s'occuper de celui qu'il venait de descendre. Et il avait fait une deuxième erreur, parce qu'il pensait lui avoir réglé son compte : il lui avait laissé son flingue. Au prix d'un effort surhumain, Pauchon avait sorti son arme et tiré sur Mohamed Bouzid au moment où il repassait à sa hauteur, sans se préoccuper de lui, pour quitter le pavillon. Il l'avait touché en plein crâne et le gars s'était effondré sur lui. À bout de forces, il n'avait pas pu repousser le corps pesant de l'homme à la cervelle explosée. Il s'était remis à prier. Avant de s'évanouir.

De ce moment, il ne garde que le souvenir de ses efforts pour ne pas sombrer, indifférent aux yeux entrouverts du mort, ces yeux qui ne le lâchaient pas.

Les hommes accourus sur place les avaient découverts ainsi, leurs sangs mêlés. Pauchon avait été sauvé de justesse. Lorsqu'il s'était réveillé à l'hôpital, après deux jours de coma entre la vie et la mort, le médecin lui avait dit qu'il avait eu beaucoup de chance. Il avait perdu énormément de sang et aurait pu y passer.

« Tu as le cul bordé de nouilles », avait été le commentaire laconique de son patron de l'époque. En réalité, il était furieux contre le jeune flic qui n'en avait fait qu'à sa tête. Bouzid était mort sans qu'on ait pu l'interroger ni remonter à d'autres membres du réseau. Et en plus, des bruits circulaient dans la presse d'une nouvelle bavure, un Arabe tué dans le dos par un flic, les trucs habituels…

L'enquête de l'IGS avait conclu à la légitime défense. Et même, ce qui avait fait enrager son patron, il était devenu un héros, un flic courageux et exemplaire. De brigadier-chef, Pauchon était passé lieutenant, avec les honneurs, et comme on ne pouvait rien refuser à un agent gravement blessé en service, il avait obtenu ce qu'il souhaitait : après une interminable convalescence, il avait été intégré à l'équipe de Robert Laforge, un flic qu'il admirait avec dévotion. Il travaillait depuis seulement quelques mois dans cette équipe prestigieuse, heureux dans sa naïveté de penser qu'il faisait déjà partie des « hommes de Laforge ». Mais conscient aussi qu'il lui restait à faire ses preuves aux yeux de ce patron si exigeant.

Au moment où il glisse sa carte de crédit dans la porte de l'appartement de Franck Deloye pour la déverrouiller, la douleur de la blessure se réveille.

Il en est ainsi désormais chaque fois qu'il sent monter l'adrénaline et, à ce moment, alors qu'il désobéit aux ordres de Brunet, plutôt que de s'en alarmer, le lieutenant Hervé Pauchon y voit un encouragement, comme un signe du destin.

Brunet lui a ordonné de revenir au commissariat après sa visite dans l'immeuble d'Élodie Favereau, mais, poussé par le même instinct qui l'avait conduit à Gennevilliers deux ans plus tôt, Pauchon veut être le premier à fouiller l'appartement du frère jumeau d'Antoine. Les infos de Brunet disant que Franck est dans le collimateur du patron ont piqué sa curiosité. Pourtant, il sait qu'avec ce qu'il s'apprête à faire sans l'accord de son chef, il prend un sacré risque.

Franck Deloye habite dans le vingtième arrondissement, au dixième étage d'une barre d'immeubles, en bordure du périphérique. Les murs des couloirs et de l'ascenseur sont couverts de tags. La moquette verte est constellée de taches de graisse. De partout remonte une odeur de pisse.

Pauchon est venu avec une idée en tête : découvrir si c'est bien ici, comme il le pense, qu'Élodie s'est réfugiée quand elle a abandonné son appartement de Boulogne.

Il ne se veut pas en héros. Seulement prouver à Laforge qu'il est digne de faire partie de sa brigade.

23

Lorsqu'ils évoquent cet instant crucial où Franck a pénétré dans la pièce d'interrogatoire, le divisionnaire Laforge et son second disent avoir ressenti la même impression : les deux frères s'attendaient à se retrouver tôt ou tard face à face.

À croire qu'ils s'étaient préparés à vivre un jour cette confrontation.

Avec les hommes de la brigade, ils se repassent inlassablement la scène enregistrée par la caméra, sans parvenir à la moindre certitude. Ils s'accordent toutefois sur un point : l'intensité et la violence qui semblent alors connecter les jumeaux. Impossible de déterminer, en revanche, lequel a l'ascendant sur l'autre.

À aucun moment, contrairement à ce qui s'était produit sur le palier du deuxième étage, les regards des deux frères ne se sont croisés. Ils ont beau fouiller la bande image par image, pas de poings qui se serrent, aucun signal de reconnaissance ou de complicité. Juste une rage froide. « On dirait des ennemis mortels qui se sont finalement rencontrés », commente Brunet.

L'entrevue ne dure que sept minutes et quarante-trois secondes.

Antoine ne se retourne pas quand la porte s'ouvre. Il sait qui vient d'entrer sans que son visiteur ait eu à ouvrir la bouche. Il se borne à demander d'une voix forte, exempte de toute émotion : « Pourquoi as-tu fait ça ? »

Franck vient se placer près de son frère, pose la main sur son épaule et dit d'une voix sourde :

« Tu sais bien que ce n'est pas moi.

— Ne me touche pas ! »

Franck maintient son étreinte.

« Enlève ta main », siffle Antoine avec haine.

Franck lâche son frère, recule comme saisi de stupeur.

« Je refuse de te voir, reprend Antoine. Tu me dégoûtes.

— Je te dégoûte ? N'inverse pas les rôles, Antoine.

— Dégage !

— Non, Antoine, je vais rester là. Je veux t'entendre reconnaître que c'est toi qui as tué Élodie.

— C'est toi qui as fait ça. Je le sais, et tu le sais.

— Ne dis pas n'importe quoi, Antoine, se radoucit Franck. Tu connais mon affection pour elle. Pourquoi est-ce que je lui aurais fait du mal ? »

Il poursuit, maintenant suppliant : « Je suis ton frère, Antoine. Quoi que tu aies fait, je ne te laisserai pas tomber. Je t'aiderai, je te le promets.

— Va-t-en ! Si je n'étais pas attaché à cette table, je te massacrerais.

— Antoine, oublie les policiers et explique-moi. J'ai besoin de comprendre…

— Dis-leur que c'est toi l'assassin d'Élodie !

— Arrête, Antoine, tu sais bien…

— Ta gueule, saloperie ! » explose Antoine.

Il hurle à présent : « Tu es un assassin et un malade, tu l'as toujours été. Nos, je devrais dire MES parents ont bien fait de te mettre dehors. Ils avaient parfaitement compris qui tu étais vraiment au fond de toi. Un être malfaisant… Et s'ils étaient toujours en vie, ils seraient venus en témoigner ici. Et ils m'auraient défendu. Cette fois, tu ne t'en sortiras pas. Maintenant, fous le camp. Je ne veux plus jamais te voir ni te parler. Sors de là. »

Antoine joint les mains sous la table et se tait. Ses yeux translucides sont fixés sur la caméra.

Impitoyables et secs.

Franck, sans se soucier d'y être autorisé, s'assoit en face de lui, cherche à forcer le regard de son frère : « Tu ne veux pas me regarder ? lance-t-il d'un ton de défi. Comme tu voudras. »

« Tu ne peux pas m'accuser, Antoine, tu sais parfaitement que je n'ai rien fait. Tu sais parfaitement que moi, je suis incapable de faire une chose pareille. Moi. »

Antoine, comme absent, ne dit plus un mot.

Il restera dans cette attitude durant le monologue de Franck – cinq minutes et six secondes, décompte le PV rédigé par Eugène Delamotte –, entrecoupé de longs moments de silence pendant lesquels il attend et guette une réaction de son jumeau.

« Cette fois, Antoine, tu ne me rendras pas responsable de ce que je n'ai pas fait. Ça fait vingt-huit ans que tu t'acharnes sur moi… Tu t'es toujours débrouillé pour que je sois accusé à ta place et je ne suis jamais parvenu à convaincre quiconque que je ne mentais pas. Toi, tu passes pour le bon fils et moi pour le mauvais. J'ai longtemps cru que tu n'avais pas conscience de mon calvaire, mais, en réalité, c'est toi qui l'organisais. Il m'a fallu du temps avant de réaliser ça... Oui, je le répète, même si tu refuses de me regarder, moi je te le dis dans les yeux : tu as toujours tout manigancé pour me nuire. Même nos parents sont tombés dans ce piège sans que je puisse leur démontrer qu'ils se trompaient... Ils m'ont constamment désavoué, ils te croyaient, toi, tandis que, moi, je me débattais pour les convaincre que je n'étais pas le monstre qu'ils pensaient. Mais tu t'es toujours ingénié à distiller le doute. Malgré mes efforts, je voyais leur inquiétude grandir, se transformer petit à petit en angoisse... Je crois qu'à la fin ils avaient peur de moi et ils me détestaient. Voilà ce que tu as réussi à faire : me faire détester de mes propres parents. Ah, tu as dû triompher le jour où ils m'ont effacé de leur vie. Le pire, c'est que je n'avais pas compris que tout ça, c'était à cause de toi. Je croyais que tu m'aimais, que tu étais malheureux pour moi. C'est à eux que j'en voulais. Et moi aussi, je les ai détestés... Tu te souviens ? Quand tu m'as appris leur mort, je t'ai dit que c'était bien fait pour eux. Je m'en rappelle comme si c'était hier. Tu t'es fâché, tu m'as dit que je ne devais pas parler comme ça, que tu leur parlais de moi tous les jours et qu'ils étaient sur le point de me donner une seconde chance parce que tu ne pouvais pas être heureux sans moi à tes côtés... Je me rappelle aussi que tu m'as promis que nous ne serions plus jamais séparés. Ce jour-là encore, je t'ai cru, souviens-toi. Je t'ai toujours cru. Pourtant, je suis reparti dans cette famille d'accueil où tu savais que j'étais malheureux, et toi tu es allé vivre chez les grands-parents... Tu avais beau les supplier, m'affirmais-tu, ils ne voulaient pas de moi. Je te faisais confiance... Mais aujourd'hui, tu refuses de me regarder dans les yeux, parce que tu le sais, Antoine : c'est terminé. Il paraît que tu m'accuses d'avoir tué Élodie. Mais, cette fois, tu ne gagneras pas et je serai heureux de te voir finir tes jours en prison. Écoute-moi bien Antoine : à partir de maintenant, et quoi que tu tentes pour me séduire, je ne suis plus ton frère. Je ne te laisserai pas t'en sortir... Tu vas payer, non seulement pour Élodie mais pour tout ce que tu m'as fait endurer depuis que nous sommes nés. Si nous étions seuls, je crois que je serais capable de t'étrangler de mes propres mains. Car tu ne mérites pas de vivre. C'est plus fort que toi, tu ne sais semer que le malheur... Tu es un être pervers. Maintenant j'y vois clair : c'est toi le monstre qui a tué notre chien, MES parents, et notre pauvre petite sœur, qui n'était qu'un bébé. » Il s'interrompt un instant avant d'asséner, haineux : « Et martyrisé Élodie. Il m'a fallu vingt-huit ans pour l'admettre. Cette fois, tu ne m'entraîneras pas dans ta chute. Car tu es fini, Antoine. Fini ! Je te déteste... Et tu ne peux pas imaginer à quel point je suis soulagé de te le dire ce soir. »

Franck s'interrompt. Il tend la main, saisit le visage de son frère pour tenter de lui faire baisser les yeux vers lui. « Regarde-moi, Antoine, ordonne-t-il. Je veux que tu saches que tu n'existes plus pour moi. »

Antoine résiste, se dégage de l'emprise de son frère d'un violent mouvement du bras. Ses yeux n'ont pas quitté la caméra. Ni Laforge ni Brunet ne tentent d'intervenir.

Soudain, les jambes de Franck se remettent à trembler comme à chaque fois qu'il est en proie à un trouble extrême. Il se lève d'un coup. Il vacille, se retient à la table de fer. Ses jambes se raffermissent. Puis il s'adresse à Laforge : « Je veux partir, s'il vous plaît.

— Vous n'avez rien d'autre à dire à votre frère ? demande le divisionnaire.

— Ce n'est plus mon frère. »

Sans un mot de plus, Franck quitte la pièce, suivi des deux policiers.

À peine est-il sorti que les yeux d'Antoine s'embuent de larmes. Comme son frère, il est saisi de violents tremblements, tandis qu'il s'adresse à la caméra : « J'espère que vous n'avez pas cru un mot de tous ces mensonges, commissaire. Je vous le jure sur la tête de nos parents, sur la tête d'Élodie, je suis innocent. »

Puis il baisse les yeux et les essuie du revers de sa manche. On l'entend murmurer : « Pour moi non plus, ce n'est plus mon frère. »

Ils avaient dû attendre très longtemps pour obtenir un rendez-vous. Dans leurs recherches, ils avaient lu à plusieurs reprises que le professeur Gloaguen était le plus grand spécialiste français des relations entre jumeaux.

Les conclusions du professeur, après un long entretien avec Antoine et Franck, divergeaient un peu de ce qui leur avait été dit jusque-là. Dans son rapport, il avançait l'idée que les deux garçons étaient unis par un lien bien plus fort que leur gémellité. « Franck et Antoine, *écrivait-il,* vivent une relation exclusive qui rend impossible toute idée de séparation. Ils se sont fondus en un individu unique, même s'ils continuent à tenter de s'affranchir l'un de l'autre. Pour le moment, ce que désire l'un, l'autre le voudra. On peut noter deux personnalités dissemblables, parfois presque opposées, mais, et c'est un élément frappant, ils se comportent comme si leur ressemblance l'emportait toujours sur leur différence. »

Le professeur avait finalement émis l'hypothèse que l'un des deux avait sur son frère un ascendant qui lui permettait de remporter toujours son adhésion. « *Je ne pense pas me tromper, avait-il expliqué à Sophie et Philippe, en disant qu'ils forment un couple atypique, avec un dominant et un dominé. Mais il est impossible aujourd'hui de déterminer lequel, de Franck ou Antoine, domine l'autre.* »

« Ils se protègent l'un l'autre, *écrivait-il en conclusion,* au point qu'il est même envisageable qu'ils endossent chacun à tour de rôle ce statut de chef. Pourtant, je crois être en mesure d'affirmer qu'il y a un seul maître véritable. » *Gloaguen avait cherché à se monter rassurant vis-à-vis des parents :* « *Ils sont ainsi. Je ne vois aucune raison de s'alarmer pour le moment, je ne décèle aucun signe de danger immédiat pour la personnalité de l'un ou de l'autre. Mais il est important de leur donner à chacun l'occasion de marquer sa différence. Laissez-les s'exprimer et ils s'épanouiront.* »

L'analyse du docteur Gloaguen, tout en les confortant dans leurs impressions, avait anéanti les parents Deloye.

Ils résolurent de mettre un terme à ces consultations traumatisantes. Gloaguen n'avait fait que confirmer ce qu'ils ressentaient au fond d'eux-mêmes, sans les rassurer aucunement.

De ce jour, Sophie et Philippe baissèrent les bras, cédant à toutes les exigences de leurs jumeaux. Le mieux était de suivre l'avis des spécialistes : les laisser évoluer et s'affirmer à leur façon. C'était le prix, sinon de l'harmonie, du moins de la tranquillité de leur famille. Et, espéraient-ils toujours, de l'accomplissement de leurs enfants.

Mais c'est aussi de ce jour qu'ils commencèrent, d'abord inconsciemment, à se méfier de leurs fils. Ils les épiaient, tentant d'observer qui parlait, qui commandait, entraînant son frère où il le décidait. Parfois, il leur semblait que c'était Franck, parfois Antoine. Comme un cancer sournois, ils se laissaient envahir par la peur d'ignorer qui étaient leurs propres enfants, âgés seulement alors de onze ans et demi.

Leur amour pour eux restait intact, et il leur était impossible d'admettre que leurs fils soient véritablement malfaisants. Pourtant, insidieusement, sans se demander s'ils commettaient une erreur ou une injustice, ils commencèrent à envisager que l'un d'entre eux subissait l'emprise de l'autre. Chaque incident devint motif à renforcer cette conviction, et leur quête se mua en obsession : découvrir lequel de leurs fils était victime de l'autre et les sauver tous deux de ce mal.

De son côté, Philippe ne pouvait s'enlever de la tête les mots que lui avait chuchotés Antoine quatre ans plus tôt : « Franck est trop méchant. Il me fait peur. »

C'était plus fort que lui, il le surveillait davantage.

« Vous pensez que nous sommes fous », leur dit Antoine un soir. Il s'était glissé dans leur lit comme il en prenait de plus en plus souvent l'habitude.

« Bien sûr que non, répondit doucement Philippe à l'oreille de son fils, serré contre lui. Nous voulons juste vous aider à vous sentir mieux.

— *Mais nous nous sentons bien*, assura Antoine. *Pourquoi vous vous faites du souci pour nous ? »*

Sentant son fils prêt à discuter, Philippe poursuivit avec précaution : « *Ta maman et moi, nous sommes un peu inquiets. Nous avons l'impression que toi et ton frère, vous vous repliez sur vous-mêmes.*

— *On aime bien être ensemble. C'est pas bien ?*

— *Si, bien sûr... Mais on se demande pourquoi vous n'avez pas de copains, par exemple. C'est bien, d'avoir des copains, non ?*

— *On n'a pas besoin de copains, nous !*

— *Tu ne peux pas dire cela, Antoine. C'est important, les copains.*

— *Franck dit que ça ne sert à rien.*

— *C'est Franck qui dit ça ?*

— *Oui, papa.*

— *Eh bien, Franck se trompe. Vous vous renfermez en restant toujours tous les deux seuls. Vous ne pourrez pas rester toujours accrochés l'un à l'autre. Un jour, il faudra que vous voliez chacun de vos propres ailes.*

— *Pourquoi ?*

— *Parce que vous ferez votre vie chacun de votre côté. Voilà pourquoi.*

Franck dit qu'on vivra toujours ensemble. On a plein de projets ! Il ne faut pas s'inquiéter pour nous.

— *Mais vous en aurez assez, un jour. Regarde, vous n'arrêtez pas de vous disputer quand vous êtes ensemble ! Je ne comprends pas... »*

Antoine avait caressé la joue de son père avant d'ajouter : « *C'est pas grave de se disputer, papa. Franck et moi, on ne pourra jamais se séparer...*

« — C'est Franck qui t'a mis ça dans le crâne ?

— Mais non, papa, il a raison. Je pense comme lui. »

Philippe n'obtint rien de plus de son fils, qui s'endormit, blotti contre lui. Il sentit la main de Sophie prendre la sienne et entendit ses sanglots étouffés dans son dos.

Aucun d'eux ne parvint à s'endormir cette nuit-là. Ils se retrouvèrent à la cuisine et se firent du café. Ils réfléchissaient à deux choses : arrêter de voir ces foutus spécialistes et s'appliquer à détruire le duo. « Détruire », c'est bien le mot qu'ils employèrent. Ils étaient tellement absorbés par leur discussion qu'ils n'entendirent pas Franck approcher. Ils sursautèrent en le découvrant dans l'encadrement de la porte.

« Qu'est-ce que tu fais là ? s'exclama Philippe nerveusement.

— J'ai soif. Je suis venu boire. Et vous, qu'est-ce que vous faites ?

— On boit un café.

— En pleine nuit ?

— Pourquoi pas... ta maman et moi, nous n'avons pas tellement sommeil. »

Sophie servit un verre d'eau à son fils. Il le vida lentement. Puis il réclama un bisou. Ses parents l'embrassèrent l'un après l'autre.

« Je vous aime, vous le savez, hein ?

— Bien sûr, on t'aime aussi, mon chéri. Va vite te coucher, maintenant », souffla Sophie.

L'apparition furtive de son fils lui avait fait perdre pied. Sans en parler à Philippe, elle résolut de confier son désarroi au docteur Catherine Daout. Elle seule, pensa-t-elle, serait capable de les aider.

Perdu dans ses réflexions, poings crispés, la sueur perlant sur son front, Laforge n'entend pas immédiatement le téléphone. Il décroche à la cinquième sonnerie et répond d'une voix neutre.

« Oui ?

— C'est l'agent Nageotte, à la réception, commissaire. Une femme demande à vous voir. Une vieille, précise le gardien de la paix à voix basse.

— Il n'y a personne dans cette turne pour la recevoir ? s'agace Laforge. Qu'est-ce qu'elle veut ?

— Elle dit qu'elle veut parler au responsable de l'enquête sur le crime de Boulogne. Elle dit qu'elle connaît bien les frères Deloye…

— Elle s'appelle comment ? »

Laforge entend l'agent demander l'identité de la femme. Il comprend qu'elle s'est emparée de l'appareil quand il entend une voix de femme : « Commissaire, je suis le docteur Catherine Daout. C'est moi qui ai mis au monde Antoine et Franck Deloye. Je les ai vus grandir et je me suis occupée d'eux. Pouvez-vous me recevoir ? Je dois vous parler. »

Le ton est ferme, assuré. Laforge n'hésite pas :

« Qu'on vous fasse monter. Je vous attends. »

Laforge attrape un journal posé sur son bureau et, d'un geste brusque, le déchire en quatre, avant de s'en débarrasser dans la poubelle. Puis, calmement, il enfile sa veste, resserre sa cravate, sort du bureau et part vers l'ascenseur à la rencontre de la visiteuse. Qu'est-ce qui l'a fait se déplacer à une heure si tardive ? Il s'impatiente : l'ascenseur s'est arrêté au premier.

C'est une grande femme, les joues creusées, les yeux cernés de noir, les cheveux blancs coupés très court, qu'il invite à s'asseoir dans son bureau. Sa poignée de main est comme sa voix, ferme et décidée. Elle est mince, presque maigre. Quel âge a-t-elle ? se demande-t-il. Pas loin des quatre-vingts, probablement, même si elle en paraît dix de moins. Il sent au premier contact sa force de caractère, cette volonté qui a dû l'accompagner tout au long de sa carrière de médecin des hôpitaux, mais, enfouie derrière la bonté et la douceur de son regard, comme une pointe de désespérance.

C'est cette ombre qui, d'entrée, aiguise sa curiosité. Il n'y a pas de doute, cette femme va l'aider à percer le mystère des frères Deloye.

« Ainsi, madame, vous avez vu naître les jumeaux Franck et Antoine Deloye ?

— C'est exact, commissaire. » Elle parle d'une voix forte, rauque (la cigarette, se dit Laforge). « J'étais gynécologue-obstétricienne à l'hôpital Saint-Vincent-de-Paul. J'ai suivi la maman, Sophie Deloye, sur un protocole de fécondation in vitro. Les enfants sont nés à la septième. C'est une procédure éprouvante, beaucoup de couples abandonnent et optent pour l'adoption.

Eux non. Ils étaient animés par une volonté incroyable, ils ne pouvaient se résoudre à abandonner. Au fil des mois, leur combat est devenu le mien. Je m'étais beaucoup attachée au couple Deloye. »

Elle se caresse le menton, réfléchit avant d'ajouter : « J'ai eu avec Sophie et Philippe une relation unique. Je n'en ai jamais eu de pareille avec d'autres patients.

— Et après leur naissance, vous avez continué à voir les jumeaux ?

— En effet, commissaire... »

Elle passe à nouveau la main sur son menton, semble peser les mots qu'elle va prononcer.

« C'est pour cette raison que je suis ici, parce que je les connais tous les deux... Je les connais bien, croyez-moi.

— Vous savez donc de quoi Antoine Deloye est accusé. Comment l'avez-vous appris ? »

Elle ignore la question, enlève son imperméable et prend place sans hésiter sur la chaise de droite, celle qui n'est pas bancale.

25

Hervé Pauchon a menti à son chef. Il ne veut pas y penser, il a mieux à faire. Il a ignoré la pointe de douleur qu'il sentait à l'abdomen à chaque fois que son portable sonnait. Il a laissé passer les deux premiers appels, mais finit par répondre au troisième. Brunet est hors de lui :

« Qu'est-ce que tu branles ?

— J'avais mis sur silencieux pendant que j'interrogeais les voisins, commissaire. Je suis désolé. »

Premier mensonge.

« Et maintenant, tu es où ? J'ai besoin de toi ici.

— Je suis toujours à Boulogne, dans l'immeuble d'Élodie Favereau. J'ai parlé avec un autre locataire qui venait de rentrer. Mais il ne m'a rien appris de plus, j'ai terminé et je rapplique. »

Deuxième mensonge.

Il tente malgré tout : « Vous ne voulez pas que j'aille faire un tour chez les frangins ? J'ai des fourmis dans les jambes. » Tout serait tellement plus simple si Brunet lui demandait d'aller fouiller du côté de chez Franck Deloye.

« Non. Tu te ramènes au commissariat. Et rapido. Le patron va être fumasse s'il apprend que tu es encore là-bas. Il n'a pas apprécié quand je lui ai dit que je t'avais envoyé chez Favereau. » Il ajoute avec agacement : « Tu sais qu'il t'a dans le viseur. Il préfère t'avoir sous la main.

— Pourquoi ? Qu'est-ce qu'il me reproche ? » La surprise de Pauchon sonne faux.

« Dépêche-toi », se borne à répondre Brunet.

Pauchon est indécis. Même s'il en a déjà beaucoup appris, il voudrait poursuivre ses investigations dans l'immeuble miteux de Franck Deloye, aller interroger les voisins.

Il hésite. S'il a encore une chance de sauver sa place dans la brigade, il ferait mieux d'obéir ; avec un peu de chance, le patron l'oubliera. Mais s'il est déjà grillé, autant jouer son va-tout. Il a tellement envie de faire ses preuves, de démontrer à ce chef si redouté qu'il fait erreur, qu'il mérite de travailler à ses côtés. Qui sait, s'il découvrait un nouvel élément décisif ? Tout serait changé.

« C'est bon, j'arrive, assure-t-il. Vous avez avancé sur Franck ? » demande-t-il pour gagner du temps. Mais Brunet a déjà raccroché.

Avant de tirer la porte, Pauchon fait du regard le tour du petit studio, vérifiant qu'il le laisse dans l'état où il l'a trouvé. Des collègues viendront sans doute le passer au crible dans les heures qui viennent, et il ne doit subsister aucune trace de son passage. Pour avoir menti et désobéi, forcé la porte d'un témoin majeur, il est bien conscient que sa visite peut lui valoir de se faire virer, et cette fois pas seulement de la brigade, mais de la police.

Malgré tout, il ne regrette pas d'avoir pris ce risque. Il se dirige vers l'ascenseur, satisfait. Même si, dans l'immédiat, il doit garder pour lui ce qu'il a découvert chez Franck Deloye.

Une quinzaine de minutes plus tôt, en entrant dans le minuscule appartement, il a craint de ne pas en tirer grand-chose. L'unique pièce est composée d'un coin cuisine, avec une table de bois blanc, trois chaises, et un petit canapé rouge. Sur la table est posé un ordinateur portable. Pas de télé, mais une chaîne hifi. Une bibliothèque Ikea occupe tout un pan de mur, à droite de la fenêtre. Il la parcourt rapidement, constate que les CD et les livres (pour la plupart des poches) sont classés par ordre alphabétique. L'un d'eux est posé en évidence sur le bord de l'étagère : *L'Étranger*, de Camus. Est-il en train de le lire, ou l'a-t-il laissé là exprès, comme une sorte de message à celui qui viendrait ?

Il reviendra plus tard fouiner dans les livres pour en savoir plus sur les centres d'intérêt de Franck. C'est la chambre, derrière un paravent, qui l'intéresse en priorité : un lit double, deux chaises de paille qui font office de tables de chevet. Sur celle de droite, une boîte de Stilnox bien entamée et un réveil dont l'alarme est réglée à six heures. Il a du mal à dormir, et il se lève tôt, relève le lieutenant. Face au lit, une armoire de bois blanc, avec une valise de toile posée au-dessus. Uniquement des vêtements masculins, constate-t-il avec dépit. Peut-être dans la valise ? Il la sort, tire sur la fermeture éclair. Elle est vide.

C'est à ce moment-là que retentit la sonnerie de son téléphone. Le premier appel de Brunet. Il laisse sonner.

Il regarde sous le lit : seulement deux paires de chaussures d'hommes.

Il passe dans la salle d'eau. Sur le rebord de l'évier, un rasoir, une bombe de mousse et, dans un verre de plastique blanc, un tube de dentifrice et une unique brosse à dents, presque neuve. Il colle son nez sur la serviette dans l'espoir de relever une trace de parfum de femme. Elle sent le propre, rien d'autre.

Au lieu de le décourager, ce vide l'aiguillonne. Si Élodie a séjourné ici, Franck a soigneusement effacé toute trace de sa venue.

Il retourne dans la première pièce, scrute la bibliothèque. Des classiques, quelques Agatha Christie. Mais aussi, regroupés, une impressionnante série d'ouvrages sur les jumeaux, deux romans et surtout des essais sur la question, ainsi qu'un DVD. *Le Paradoxe des jumeaux*. En lisant le titre, Pauchon se dit que Franck a un intérêt maniaque pour le sujet. Il sourit. Il ouvre les livres l'un après l'autre. Aucun n'est annoté. Décidément, un garçon soigneux, conclut Pauchon. Ou une preuve de son extrême prudence ? s'interroge-t-il. À chaque seconde augmente sa conviction que le jumeau a des choses à cacher.

Dans la kitchenette, tout est au minimum. Sur l'évier, un bol et deux pommes. Le petit réfrigérateur, en revanche, est plein. Des bouteilles de lait, de bière et d'eau pétillante. Une boîte de fromage entamée, des laitages.

Tout est en ordre, propre, sans la moindre poussière.

Vraiment très soigneux.

Son téléphone retentit à nouveau à l'instant où il ouvre l'ordinateur portable. Il néglige ce deuxième appel, comme le premier. *Entrez votre mot de passe.* Il grimace, prie que la chance ne l'abandonne pas, tape « *Élodie* ». Erreur. « *Jumeaux* ». Nouvelle erreur. Alors il ferme les yeux, réfléchit. Il hésite à refermer l'ordinateur.

La douleur au ventre se réveille, comme un signal, celui qu'il attendait. Alors, d'une main ferme, il tape *ANTOINE,* en lettres majuscules. La session s'ouvre.

26

Le divisionnaire Robert Laforge n'est pas inter-
venu une seule fois. Les questions viendront plus
tard, il a écouté avec patience, sans interrompre la
vieille dame. Elle a parlé pendant une vingtaine
de minutes, ne s'arrêtant que pour avaler quelques
gorgées d'eau dans le verre posé devant elle. Elle
boit à nouveau, inspire longuement, puis conclut
d'une voix lasse :

« Voilà pourquoi je suis venue, commissaire. Je
vous ai tout raconté. C'est terrible, n'est-ce pas ? »

Ses traits s'affaissent d'un coup. Est-ce qu'elle va
pleurer ? se demande Laforge, mais elle se lève, attrape
son imperméable et son parapluie et annonce : « Il est
temps que je parte. »

Laforge hésite un instant. Il aimerait la confronter
aux jumeaux, mais il sait d'avance qu'elle refusera
cette épreuve. Elle fait un pas vers la porte

« Je vous en prie, encore quelques minutes, s'il vous
plaît, demande-t-il avec douceur.

— Je n'ai plus rien à ajouter, vous savez... Tout
cela est si douloureux.

— Encore aujourd'hui ?

— Je les aimais tant. Ce couple, cette famille…

— Vous pensez ne pas avoir fait ce qu'il fallait ? »
Il la brusque un peu pour la retenir.

« La vérité, c'est que je n'ai rien pu faire. Ou peut-être que je n'ai pas su comment m'y prendre… La vérité, c'est que je les ai abandonnés.

— Abandonnés ? Qui avez-vous abandonné ?

— Eux tous, commissaire… Sophie, Philippe, les garçons. Tous !

— Vous vous faites des reproches ?

— Aujourd'hui, oui… Mais à l'époque, j'ai seulement voulu m'éloigner d'eux, me protéger. Je ne voulais plus les revoir.

— Les enfants ?

— Pas seulement, eux tous… »

Ses mots restent en suspens dans la pièce. Son visage se durcit quand elle reprend : « Je vous l'ai dit, j'avais le pressentiment que les choses finiraient mal. Je ne savais pas comment… mais je le savais.

— Alors, pourquoi n'avez-vous pas mis en garde Philippe et Sophie Deloye ? Il était encore temps, non ? »

Elle revient vers lui, se rapproche si près qu'il se lève à son tour. Seul le bureau les sépare. Elle plante ses yeux dans les siens :

« Vous jugez que j'ai manqué de courage ? Que si j'étais intervenue, ce qui s'est passé ensuite ne serait pas arrivé. Je suis responsable, c'est ce que vous pensez ?

— Je ne dis pas ça, je cherche juste à comprendre, murmure-t-il, troublé par la véhémence inattendue de la vieille dame.

245

« — Comprendre pourquoi j'ai abandonné ?

— Oui, madame Daout, comprendre ce qui vous a tant effrayée, au point de prendre la fuite. »

Le regard de la vieille dame est si intense qu'il baisse les yeux.

« Ce que vous devez comprendre, c'est que c'était trop tard. Je ne pouvais plus rien faire pour eux. On ne peut pas tout prendre en charge, dans une vie… Je n'ai pas fui, je me suis sauvée dans tous les sens du mot, commissaire. Je vous assure, n'importe qui aurait été effrayé. Et vous aussi.

— J'ai vu beaucoup de choses…

— Moi aussi, croyez-moi. Mais comme cela, jamais. J'espère que vous pourrez résoudre cette histoire sinistre.

— Je vous en donne l'assurance, madame.

— Bonne chance, commissaire Laforge », lance-t-elle sur un ton de défi, en quittant la pièce. Sur le pas de la porte, elle croise Brunet qui la salue en entrant dans le bureau.

Elle s'éloigne sans répondre.

« C'est qui, cette vieille ?

— La gynécologue qui a fait naître les jumeaux Deloye.

— Elle t'a appris quelque chose ?

— Oui. Je te raconterai. Où en es-tu, toi ?

— J'ai confronté Peyrot à Franck, comme tu m'as dit.

— Alors ?

— Alors… Je n'ai pas perdu mon temps…

— Ferme la porte et raconte.

— Ils ont l'air bien potes, tous les deux. Peyrot lui a d'abord demandé si son frère avait vraiment tué sa fiancée. Franck a répondu que c'était malheureusement vrai et ils sont tombés dans les bras l'un de l'autre comme si je n'étais pas là. Ce connard de Peyrot n'arrêtait pas de dire qu'il n'arrivait pas à y croire, il pleurait à moitié.

— Et comment Franck a réagi ?

— Il disait qu'il ne comprenait pas non plus, et il pleurait lui aussi. Ça a duré cinq bonnes minutes…

— En effet, pour des gars qui sont des simples relations… Du cinéma ?

— Non, je ne pense pas, ils avaient l'air vraiment mal.

— Bon, continue, dit le divisionnaire d'un ton agacé.

— Pour le reste, tout se tient. Leur récit de la soirée au bar des Princes est quasiment le même. Franck a dit qu'il s'est pointé au bar vers neuf heures et demie. J'ai essayé de les piéger, mais il n'y a pas un détail qui cloche. Deloye a aussi confirmé qu'il était sorti pour aller fumer dehors. Peyrot, il était sur le cul. Il pensait être avec Antoine, et il était avec son frangin… Franck en rajoutait : "Je vous l'avais dit que j'étais avec Fabrice", et : "Comment peut-on faire une chose pareille", etc., j'en passe, il en a fait des tonnes sur son affection pour la fille. »

Après un instant d'hésitation, Brunet lâche : « Eh bien, pour moi, son alibi tient, et tu veux mon avis ?

— Pourquoi pas ?

— Parce que tu as l'air d'avoir ta propre idée sur cette histoire, et que tu la gardes pour toi. Mais si tu veux vraiment mon avis, ce n'est pas Franck l'assassin d'Élodie.

— OK… Maintenant, il faut que tu fasses la même chose avec Antoine. Confronte-le avec Peyrot. Si tu t'y prends bien, je suis sûr que tu pourras dire lequel raconte des bobards.

— J'y vais. Mais quand même, je crois qu'on a vraiment de quoi coincer Antoine, non ?

— À moins que lui aussi ne te fasse un récit qui colle aux petits oignons de sa soirée avec Peyrot aux Princes.

— Déconne pas ! Là, on serait vraiment dans la merde !

— Eh oui, Étienne, et c'est là que l'assassin veut nous faire tomber. Dans une immense fosse à merde…

— Bon, j'y vais. Je te tiens au courant. Je suis remonté comme une pendule : on va le niquer, cet enfoiré.

— Bonne chance ! »

Brunet saisit l'ironie dans ces mots.

« Je ne pige pas la manœuvre, Robert.

— Qu'est-ce que tu ne piges pas, Étienne ?

— Si tu as des soupçons sur le frangin, fous-le en garde à vue, putain !

— Non, je préfère qu'il continue à se balader librement pour le moment. Ça te va comme réponse ?

— C'est toi le patron…

— Referme la porte », se borne à répondre le « patron ».

Laforge serre les poings, ferme les yeux, tente d'endiguer la colère qui monte en lui. Il saisit le carnet où il a noté ce que lui a confié Catherine Daout et, de toutes ses forces, il le balance contre la porte.

« Je n'ai que vous… Aidez-nous, s'il vous plaît. »

Sophie était en larmes. Catherine Daout l'avait prise dans ses bras, en lui parlant d'un ton réconfortant et ses mots simples avaient rendu espoir à la femme qu'elle serrait avec une affection réelle. Bien sûr que Philippe et Sophie pouvaient compter sur elle. Elle était à la retraite, elle avait tout son temps. Oui, elle viendrait voir leurs jumeaux et même, elle s'occuperait d'eux : « Tous les jours, après la classe, et aussi longtemps que vous le jugerez nécessaire. »

Pour la première fois, Sophie avait entendu les mots que tous ces médecins et ces psychologues n'avaient jamais prononcés. Après l'avoir longuement écoutée exprimer les interrogations qui, depuis des années, l'obsédaient, Catherine Daout avait admis qu'il y avait peut-être un problème avec les jumeaux. Comme à l'époque où elle les accompagnait dans leur combat pour avoir un enfant, l'obstétricienne s'était montrée directe et franche. La situation semblait sérieuse, il ne fallait pas la laisser dégénérer. Elle allait tenter de remettre bon ordre à tout ça.

C'était le 17 mars et les jumeaux allaient avoir treize ans dans quelques mois.

Le 20 décembre suivant, Catherine Daout disparaissait de leur vie. Se déclarant vaincue, doutant de parvenir à oublier ce qu'elle avait vécu.

Les jumeaux l'accueillirent avec effusion, et même des câlineries. Ils savaient qui elle était : la doctoresse grâce à qui ils étaient venus au monde, celle contre qui ils s'étaient blottis le jour où leur petite sœur était née. Celle qui avait soutenu leurs parents à l'enterrement de Claire. Qui les avait trouvés occupés à jouer à cache-cache à l'autre bout du cimetière et avait laissé échapper sa surprise, presque sa colère : « Ce n'est pas le moment de jouer, allez rejoindre vos parents », avait-elle ordonné. Mais les deux garçonnets lui avaient souri avec tant de gentillesse qu'elle s'était laissé attendrir. Elle avait rejoint le cortège, les tenant par leurs petites mains si douces.

Antoine et Franck avaient ouvert avec joie les bandes dessinées qu'elle leur avait apportées. Elle passa ce dimanche en compagnie d'une famille heureuse et, rassurée, se demanda en repartant si Philippe et Sophie ne s'inquiétaient pas pour rien. Mais, fidèle à sa promesse, elle retourna à Montrouge le mercredi suivant.

Dès ce jour, ses craintes allèrent en grandissant.

Elle était arrivée avant le retour des garçons et en avait profité pour aller examiner leurs chambres. Toutes deux étaient à l'identique, quasiment interchangeables : parfaitement rangées, avec un lit une place, un bureau, une armoire de chêne blanc, et deux étagères. Les murs étaient vierges, pas une photo, pas un poster. « Ça nous plaît comme ça », répondaient-ils à leurs parents quand ils les encourageaient à les décorer. C'est dans celle de Franck qu'elle avait découvert, à demi dissimulées sous le lit, ses bandes dessinées. Les pages avaient été arrachées, puis découpées minutieusement.

Quand les jumeaux arrivèrent, elle ne se laissa pas attendrir par leurs baisers affectueux et les prit par le bras pour les conduire jusqu'à la cuisine, où elle avait posé ce qui restait des livres.

« Qui a fait ça ? » demanda-t-elle avec sévérité.

Antoine fut le premier à se dégager de son emprise. « Ce n'est pas moi », s'écria-t-il en s'enfuyant vers sa chambre. Elle se tourna vers Franck :

« C'est bien toi, alors ? Je les ai trouvées sous ton lit. »

Mais le garçon resta muet, comme tétanisé par ce qu'il voyait, et elle finit par lâcher son bras, déconcertée. Franck fila aussitôt rejoindre son frère, et avant qu'elle ait pu réagir, ils s'étaient enfermés à clef dans la chambre d'Antoine. Elle passa la première partie de l'après-midi à tenter de les convaincre d'ouvrir. Derrière la porte close, elle n'eut d'autre réponse que le bruit de leurs jeux et leurs rires. Elle alla jeter les bandes dessinées à la poubelle et finit par quitter la maison, sans qu'ils aient cédé, et sans attendre le retour de leurs parents. L'incident l'intrigua, et raffermit sa résolution.

Il lui fallut du temps pour prendre la mesure du combat qui allait l'opposer aux deux frères.

Quand elle les somma le jour suivant de s'expliquer à propos des bandes dessinées déchirées, ils prirent l'air étonné : « De quoi parles-tu ? » Chacun courut à sa chambre et en revint avec les bandes dessinées intactes. « Elles sont super, merci encore », dit Antoine en déposant un petit baiser sur sa main. Un instant décontenancée, elle se sentit soulagée : « Vous les avez rachetées ! » dit-elle d'un ton grondeur. Ils éclatèrent de rire comme s'ils lui avaient fait une bonne farce, s'échangèrent les livres et passèrent la fin de l'après-midi à lire sans lui adresser une seule fois la parole. Catherine Daout quitta cette fois encore la maison sans attendre le retour de Sophie. Elle avait laissé un mot sur la table de la cuisine où elle expliquait que la journée s'était bien passée. Plus tard, elle se demanda pourquoi elle n'avait pas alerté immédiatement les parents des jumeaux.

Mais, alors qu'elle s'éloignait dans la rue, elle entendit un bruit de course derrière elle. Un des jumeaux la rattrapa et la prit par le bras. Tête baissée, il lui confia que c'était son frère qui avait déchiré les bandes dessinées et les avait rachetées. « Il ne t'aime pas », ajouta-t-il en pleurant. Aussitôt après, il détala en direction de la maison. Elle ne sut jamais lequel, d'Antoine ou Franck, avait dénoncé son frère.

Cet épisode fut le premier d'une suite d'incidents et de tracasseries qui lui firent perdre pied et finirent par avoir raison d'elle.

Il y eut ce rat crevé caché au fond de son sac à main, de l'argent volé dans son portefeuille. Puis ce gâteau qu'ils avaient cuisiné pour elle. Cela l'avait rendue heureuse et elle les avait embrassés l'un après l'autre sur la joue, avec l'envie de les serrer dans ses bras, jusqu'au moment où elle avait recraché la bouchée qu'elle avait mordue avec entrain. Le gâteau était plein de sel, immangeable. Franck la prit à part et accusa Antoine. Elle voulut en avoir le cœur net et alla le trouver dans sa chambre. Le petit garçon sanglotait quand il lui avoua que Franck l'avait forcé à saler le gâteau. Elle ne savait qui croire, tant tous deux paraissaient malheureux et sincères. Pendant les semaines où elle s'occupa d'eux, elle subit des humiliations presque quotidiennes dont elle ne parvenait pas, jamais, à déterminer le coupable. Ce n'était pas faute de les surveiller. Obstinément, elle les interrogeait, mais ils niaient avec la même énergie, continuant à s'accuser l'un l'autre.

« Franck se fait passer pour moi, se plaignait l'un d'eux.

— Tu mens, c'est moi, Antoine ! » s'indignait l'autre.

Peu après la rentrée de septembre, elle reçut dans sa boîte aux lettres un message rédigé avec des lettres découpées dans un journal : « Je te déteste. Tu vas crever, vieille vache. » Elle retrouva le journal en lambeaux dans la corbeille à papiers d'Antoine, mais celui-ci eut l'air consterné en découvrant le mot et jura ne pas en être l'auteur. « C'est Franck qui a mis le journal dans ma chambre, pour me faire accuser », se défendit-il. Pour la première fois, le jeune garçon se laissa aller à des confidences. Il lui dit en sanglotant que Franck était méchant, qu'il aimait faire des mauvaises blagues. Mais dès le lendemain, Franck *vint la trouver pour lui dire qu'elle devait se méfier d'Antoine. Il lui expliqua qu'il mentait sans cesse, et l'obligeait à faire des choses affreuses, en s'arrangeant toujours pour le faire accuser. Avant qu'Antoine ne les rejoigne dans la pièce, Franck eut juste le temps de lui glisser que son frère la haïssait et voulait lui faire du mal.*

« Ne crois pas ce qu'il te dit », vint lui assurer Antoine un peu plus tard.

Catherine Daout refusait d'abdiquer. Elle s'entêtait, résolue à tout supporter dans l'espoir d'en avoir le cœur net.

Pendant des mois, elle ne cessa de s'interroger. Elle avait tout d'abord pensé qu'il s'agissait d'enfantillages, et mis les mauvaises blagues sur le compte de l'immaturité de garçons trop couvés. Ils étaient des complices, qui tiraient parti de cette ressemblance contre nature pour dominer leur entourage, par des blagues stupides mais sans réelle gravité.

Mais, petit à petit, la peur s'insinua en elle. Le plus terrible était qu'elle avait l'impression de ne plus jamais savoir lequel des jumeaux se trouvait en face d'elle. Leur ressemblance était toujours aussi absolue après toutes ces années. Elle glissa vers la certitude que l'un des deux frères était un être pervers et dangereux, qui se servait de son double jumeau pour se protéger. Elle oscillait de l'un à l'autre, se posait mille questions, tendait des pièges pour les prendre en défaut, sans parvenir à trancher. Cette hypothèse l'effrayait tant qu'elle commença à ne plus partager ses impressions avec les époux Deloye. Quand ils la questionnaient, elle restait évasive : « On progresse », répondait-elle. Elle voulait être sûre de son jugement avant de leur asséner une telle nouvelle, mais plus le temps avançait, moins elle avait de certitudes. De leur côté, Sophie et Philippe étaient apaisés : depuis que Catherine s'occupait des garçons, c'étaient « de vrais petits anges ». Avec leurs parents en effet, ils se montraient gentils et dociles, et du collège ne leur parvenaient plus que des éloges.

Jamais elle n'osa leur confier l'enfer qu'elle avait vécu pendant tous ces mois.

Mais à son tour, elle commença à se montrer impitoyable. Intransigeante, et parfois même méchante. Les choses s'envenimèrent durant l'automne, lorsqu'elle comprit que l'un des garçons, ou étaient-ce les deux, se plaignait d'elle auprès de leurs parents. « Elle est méchante avec nous quand vous n'êtes pas là », leur avaient confié les jumeaux. Dans un premier temps, Sophie et Philippe prirent la défense de la vieille dame, expliquant que c'étaient eux qui lui avaient demandé de s'occuper d'eux, rappelant que sans elle ils ne seraient jamais venus au monde, et qu'ils lui faisaient une totale confiance. Mais arriva une période où ils trouvaient leurs enfants en larmes chaque soir, quand ils rentraient. Les adolescents semblaient anxieux, se muraient de plus en plus souvent dans le silence... Une fois encore, le doute finit par s'instiller.

Sans cesser de la remercier pour ce qu'elle faisait, ils lui demandèrent de venir moins souvent, seulement le mercredi après-midi. Les jumeaux n'avaient jamais été aussi gentils avec eux, disaient-ils, ils se sentaient rassurés. « Ils vous aiment beaucoup, avaient-ils assuré. Mais ils doivent apprendre à se débrouiller seuls, maintenant, plus que deux ans et ils seront au lycée ! Vous en avez assez fait, il ne faut plus vous faire de souci, vous prenez tout ça trop à cœur. Ils vont bien, désormais. »

Catherine Daout baissa les bras lorsqu'elle comprit qu'elle ne gagnerait pas.

Elle était venue s'occuper d'eux pendant les vacances de la Toussaint, mais la première semaine avait été une telle torture qu'elle décida de ne pas revenir la semaine suivante, prétextant de devoir se rendre en province.

Elle avait fini par détester ces enfants qui lui apparaissaient désormais comme des monstres. Elle avait beau se dire qu'elle était tombée dans le piège, que seul l'un des deux était un bourreau qui s'ingéniait à la faire fuir, tandis que l'autre n'était, comme elle, que la victime d'un enfant perturbé, elle lui abandonna la victoire.

27

C'est cette défaite et son sentiment d'impuissance que le professeur Catherine Daout était venue raconter au commissaire divisionnaire Robert Laforge. À sa question de savoir si Philippe et Sophie s'étaient manifestés et avaient tenté de la revoir par la suite, elle avait répondu :

« Au début, non. Mais trois ou quatre mois plus tard, ils m'avaient laissé un long message. La situation s'était à nouveau détériorée, et ils me suppliaient de revenir. Je ne les ai jamais rappelés.

— Et aujourd'hui, madame Daout, est-ce que vous pensez savoir lequel était le bourreau ?

— Aujourd'hui… Je suis incapable de vous le dire avec certitude, commissaire », lâche-t-elle, presque sur un ton d'excuse.

Mais le commissaire, refusant de la ménager, avait insisté, implacable : « Je crois que si, madame Daout, vous le savez et vous savez aussi qui a tué Élodie. C'est pour cela que vous êtes venue ce soir.

— Vous vous trompez, j'ai mon idée, c'est vrai… » Elle suffoquait, sous le poids de tant de souvenirs douloureux. « Je pourrais presque dire une certitude.

Mais tant d'années ont passé. Il est malin, et je n'ai aucune preuve.

— Quel est votre sentiment, madame Daout ? » avait répété le commissaire Laforge.

Pourquoi est-ce que je me mets dans des états pareils ? Cette question, il y a longtemps, si longtemps, que Robert Laforge, l'un des policiers les plus réputés de France, l'un des plus respectés et des plus craints, ne se l'est pas posée.

Ses mains agrippées de chaque côté du lavabo l'empêchent de vaciller. Il relève la tête pour scruter son visage dans le miroir piqué d'humidité. Il y découvre l'image d'un homme qu'il reconnaît à peine, la chemise largement ouverte tachée de sueur, la cravate défaite, les traits tirés et le front brillant. Ses paupières sont gonflées de fatigue, ses yeux rougis, ce qui lui reste de cheveux en désordre.

C'est ça, le grand flic ? Cette loque ? se dit-il. Grotesque, voilà ce que tu es mon pauvre vieux, grotesque et pathétique. Il déteste cette image.

Alors, à grande eau, il l'efface. Il rajuste sa cravate, boutonne sa chemise, plaque ses cheveux, et remet sa veste tombée à terre.

En sortant des toilettes, il entend la voix puissante de l'agent Nageotte monter depuis le rez-de-chaussée : « Votre taxi est là, madame Daout. Passez par la cour. Il vous attend devant. »

Revenu dans son bureau, Laforge ramasse le carnet froissé et ouvre la fenêtre, sans se soucier des grosses gouttes qui viennent s'écraser sur le parquet. Il apprécie le froid vivifiant de cette nuit pluvieuse de mars.

En bas, dans l'obscurité de la cour du commissariat, il aperçoit une silhouette et reconnaît Franck Deloye. Il fume, abrité sous l'auvent du local à vélos. Son visage s'éclaire furtivement chaque fois qu'il tire sur son cigarillo. Une femme sort du bâtiment, cachée sous un parapluie. Catherine Daout. Elle traverse la cour d'un pas pressé, sans prêter attention au jeune homme dans la pénombre. Laforge le voit jeter son mégot. Il l'entend interpeller la vieille dame :

« Madame Daout ! »

Elle se fige, fait volte-face. Il répète d'une voix si forte que le planton se retourne : « Madame Daout, c'est Franck. Franck Deloye, vous vous souvenez ? » Mais le parapluie s'éloigne. Pour se protéger de la pluie, Franck remonte la capuche de son blouson et la rattrape près du porche, sous la lumière crue du réverbère. Maintenant ils se font face, elle blottie sous son parapluie, lui ruisselant. Elle tente de s'esquiver, mais il la retient par le bras et se plante devant elle sans relâcher son étreinte. La femme recule d'un pas. Il se rapproche comme s'il allait la serrer contre lui, il veut qu'elle l'écoute. Laforge perçoit son exclamation : « Madame Daout, je suis vraiment content de vous revoir. » Depuis son troisième étage, le divisionnaire se concentre, tend l'oreille, perçoit les bribes d'un échange vif, maudit la sirène lointaine d'une voiture de police, mais ils sont trop loin, parlent trop bas pour que le commissaire comprenne ce qu'ils se disent.

Laforge voit Franck s'agiter dans un long monologue et, par intermittence, son visage crispé dans la lumière du réverbère.

Soudain, une main s'échappe du parapluie et gifle le jeune homme. Qu'a-t-il bien pu lui dire ? Franck demeure immobile, bras ballants, et ne cherche pas à rattraper la vieille dame qui s'éloigne à petits pas rapides. Elle est déjà à une dizaine de mètres lorsqu'il lui crie :

« Vous vous êtes toujours trompée, madame Daout ! »

Puis il lève la tête vers le troisième étage. Vers Laforge. Il retire sa capuche, écarte les bras dans un geste d'impuissance et regagne l'auvent. Il fouille dans sa poche et sort son paquet. Il ne quitte pas le commissaire des yeux, même pour allumer son cigarillo. Laforge est perplexe : est-ce la pluie ou des larmes qui inondent son visage ?

Laforge referme la fenêtre. Il lui demandera plus tard pourquoi Catherine Daout l'a giflé. Mais il est certain d'une chose : le jeune homme guettait la sortie de la vieille dame.

« *Nous en avons assez que vous jouiez à vous faire passer l'un pour l'autre* », avait d'entrée averti Philippe. Le ton était sévère, presque menaçant.

Debout de l'autre côté de la grande table de chêne clair, les yeux encore embués de sommeil, leurs enfants, déjà adolescents, avaient protesté, s'étaient excusés. « *C'est juste pour s'amuser*, tenta d'expliquer Antoine.

— *Si vous voulez, on ne le refera plus jamais* », promit Franck.

C'était un dimanche matin. Après une nuit à se morfondre, à triturer la question dans tous les sens, Philippe et Sophie avaient réveillé les jumeaux et les avaient convoqués dans la salle à manger.

Face à la naïve spontanéité des garçons, ils furent sur le point d'abandonner le projet qu'ils avaient échafaudé au petit matin. Surtout Sophie, qui trouvait « *peu digne d'eux* » le stratagème imaginé par son mari. Il voulait les impressionner tant qu'il était encore temps.

Philippe aurait sans doute cédé, mais il surprit comme un bref éclair de défi dans le regard d'un de ses fils. Franck, se dit-il, sans en être tout à fait certain.

262

Alors sa résolution reprit le dessus, ignorant la main de Sophie qui semblait l'implorer de ne pas insister.

« Voilà ce que nous allons faire », annonça-t-il avec autorité.

Il ouvrit la petite boîte, posée à côté d'une feuille blanche.

« Viens, Antoine. »

L'adolescent s'approcha de son père. « Qu'est-ce que tu vas faire, papa ?

— Ne t'inquiète pas... », intervint Sophie, au bord des larmes. Philippe saisit la main droite d'Antoine, puis, prenant chaque doigt l'un après l'autre, il les appuya sur le tampon encreur et imprima ses empreintes sur la feuille. À sa grande surprise, il n'obtint que des taches uniformes. « C'est raté, il faut recommencer », dit-il. À nouveau, Antoine se plia au rituel. Avec le même résultat. « Je ne comprends pas, murmura Philippe, interloqué. Viens ici, Franck !

— Tu es certain que je suis bien Franck ? s'amusa celui-ci.

— Oui », se contenta de répondre Philippe.

Il n'eut pas besoin de lui prendre la main. Franck la tendit de lui-même, avant de demander, en regardant ses parents l'un après l'autre :

« Pourquoi vous faites ça ?

— Nous aurons vos empreintes digitales et comme cela nous pourrons toujours savoir qui est qui, expliqua fermement Philippe. Fini les bêtises ! Vous ne pourrez plus vous faire passer l'un pour l'autre.

— Vous ne nous faites pas confiance ? s'étonna l'un des jumeaux.

— De toute façon, ça ne sert à rien, intervint l'autre.

« — Ah bon, vous verrez si ça ne sert à rien ? se fâcha Philippe avant de triompher, vous ne pourrez plus vous cacher derrière l'autre ! »

Dans le même élan, les garçons présentèrent leurs mains à leurs parents.

« Qu'est-ce que vous faites ? s'étonna Sophie.

— Regardez : nous n'avons pas d'empreintes sur les doigts », expliqua celui qui se tenait à gauche. L'autre ajouta : « On pensait que vous le saviez. On a toujours été comme ça, on savait pas que c'était pas normal.

— Qu'est-ce que vous racontez ? » s'exclama Philippe en saisissant les mains de ses enfants pour les examiner.

« C'est incroyable... », parvint-il à murmurer.

Sophie intervint précipitamment, voyant son mari sur le point d'exploser de rage.

« Ce n'est pas si grave...

— Si c'est grave, Sophie. Il ne manquait plus que ça ! tonna Philippe en fuyant la pièce.

— Venez-là, mes petits », dit Sophie en larmes.

Antoine et Franck vinrent se blottir contre elle. Eux aussi pleuraient.

« C'est vraiment grave ? s'inquiéta l'un d'eux entre ses sanglots.

— Bien sûr que non, mes chéris. »

Quelques jours plus tard, Sophie et Philippe consultèrent le professeur Mesplède, spécialiste des maladies orphelines. Il s'efforça de les rassurer : il s'agissait d'une simple mutation génétique, très rare, qui s'était développée au sixième mois de grossesse. Elle n'affecterait en rien la santé de leurs enfants. Y avait-il eu des cas similaires dans leur famille ? Sophie se souvint que ses parents lui avaient raconté que son arrière-grand-père avait les doigts lisses, et que grâce à cette bizarrerie il avait échappé à la Grande Guerre.

« Vous voyez que cette anomalie a aussi des avantages », plaisanta-t-il.

Il ajouta, toujours amical : « Cela ne posera de problèmes que s'ils veulent voyager dans certains États, ou si l'un d'eux fait une grosse bêtise. »

Il avait conclu en souriant : « Mais cela n'arrivera pas, ils sont charmants, vos enfants. »

Cette découverte ne fit que renforcer leurs interrogations et l'angoisse qui les submergeait jour après jour.

« Comment ne l'avons-nous pas vu avant ? Pourquoi ne nous ont-ils jamais rien dit ? » demanda Sophie à son mari.

La réponse de Philippe fut cinglante et la mit au désespoir :

« Parce qu'ils l'avaient décidé. »

28

« Je suis fatigué. Je voudrais dormir. Oublier tout ça. J'en ai marre, marre, marre. » Brunet n'a pas encore pris la parole. Il s'est seulement assis face à Antoine Deloye et l'écoute parler d'une voix lasse, emportée par une quinte de toux.

« Ce n'est pas au programme pour le moment. J'ai encore beaucoup de questions à te poser. Ta copine a été tuée et toi, tu voudrais aller pioncer ? C'est du joli…

— Qu'est-ce que vous voulez ? Que je vous dise que j'ai tué la femme que j'aimais, c'est ça ?

— Ben voilà ! Ce serait parfait et on pourrait tous aller dormir. Moi aussi, figure-toi, j'ai sommeil. Et ma petite femme qui m'attend. »

Antoine secoue la tête avec accablement.

« OK, finissons-en. Qu'est-ce que vous voulez savoir ?

— Voilà qui est mieux. Soyons sérieux et finissons-en, en effet. Alors, je voudrais que tu me racontes à nouveau ta soirée d'hier. En faisant bien attention à être très précis.

— Je vous l'ai déjà dit : je suis allé voir un copain dans un café, dans le seizième.

— Quel café ?

— Les Princes, porte de Saint-Cloud.

— Avec qui ?

— Fabrice Peyrot. Ça aussi, je vous l'ai déjà dit.

— Oui, oui, je sais, mais on reprend tout du début. Peyrot, c'est qui ?

— C'est un ami, et nous bossons dans la même boîte.

— À quelle heure es-tu arrivé au café, précisément ?

— Je ne sais pas ! Quand on sort, on n'a pas l'œil fixé sur sa montre ! Vers dix heures, ça devrait vous aller, non ?

— Non, ça ne me va pas. Avant ou après dix heures ?

— C'est si important que ça ?

— Oui.

— Je vous répète que je ne sais pas… Plutôt avant. Oui, oui, avant, je dirais vers neuf heures et demie.

— Bien. Y avait du monde ?

— Comme tous les soirs, commissaire, plein de monde, plein de bruit, pas de place !

— Peyrot était déjà arrivé ?

— Oui, avec des amis, un couple, il me les a présentés, je ne me rappelle plus leur nom.

— Vous étiez assis où ? Devant, à l'arrière ?

— Au fond, à gauche. Vous êtes content ?

— Et avant ?

— Avant quoi ?

— D'aller rejoindre ton ami Peyrot aux Princes, tu étais où ?

— J'étais chez moi.

— Seul ?

— Oui.

— Tu y vas souvent ?

— Aux Princes ? Oui, plusieurs fois par semaine et à n'importe quelle heure. C'est tout près de chez moi, j'habite à cinq minutes.

— C'est ton QG, en quelque sorte ?

— Si vous voulez. Les serveurs me connaissent, ils vous le diront. Ils vous diront aussi qu'ils m'ont vu hier soir !

— Comment étais-tu habillé ?

— Décontracté.

— C'est-à-dire ?

— Un blouson, un jean, des baskets… J'étais passé me changer après le boulot, j'étais pas en smoking, si c'est ça qui vous intéresse.

— Donc, tu étais habillé comme on te voit sur la vidéo quand tu es sorti de chez Élodie ?

— Sauf que c'est pas moi sur votre putain de film. Vous pensez vraiment que je serais allé boire un verre après l'avoir tuée ? Combien de fois il faudra que je vous le répète ? C'est mon frère sur la vidéo, c'est pas moi. Vous feriez mieux de vous occuper de lui : il était où, hier soir ?

— Et ton copain Peyrot, il était habillé comment ?

— Je me souviens pas. En costume, je suppose. Fabrice, il est toujours en costume.

— De quelle couleur ?

— Quoi ?

— Le costume.

— Bleu, je crois.

— Tu crois ?

— Il fait sombre dans ce bar ! Et puis, qu'est-ce que j'en ai à foutre, de la couleur de son costard ?

— Qu'est-ce que tu as bu ?

— Une bière.

— Une seule ?

— Non, deux, je crois.

— Tu crois ?

— Non, je suis sûr.

— Qui a payé ?

— Moi.

— Tu as payé aussi le verre de ton copain ?

— Oui.

— Comment ? Avec ta carte de crédit ?

— En liquide. Je paye toujours en liquide dans ce bar, si on doit attendre l'appareil à carte bleue, y en a pour des heures.

— Combien ?

— Je ne me souviens pas. Quelle importance ça peut avoir ?

— Tu ne te souviens pas combien tu as payé, hier soir ?

— Un billet de vingt euros, je suppose.

— Tu supposes ?

— Oui, vingt euros, j'en suis certain maintenant. Ça vous va ? Ça va encore durer longtemps, ce petit jeu ?

— Je n'ai pas fini... Et ton copain, qu'est-ce qu'il a bu ?

— Une piña colada.

— Tu es sûr ?

— Oui, Fabrice, il ne boit que ça.

— Tu as croisé des gens que tu connaissais ?

— Il y a plein de gens qui passent. De là à dire que ce sont des copains… Ils viennent, ils repartent. C'est toujours comme ça, le soir, aux Princes. On était avec ce couple. Lui, il est avocat, ou un truc comme ça…

— Son nom ?

— Peyrot me l'a dit, mais je n'ai pas fait attention. » Il défie Brunet : « Si j'avais su, j'aurais pris des notes !

— Et de quoi est-ce que vous avez parlé avec Peyrot ?

— Comme entre copains, commissaire. De tout et de rien, du boulot, des femmes… Mais il y a tellement de bruit.

— D'Élodie ?

— Je parle toujours d'Élodie.

— Et tu es reparti à quelle heure ?

— Je ne sais pas… J'ai dû arriver chez moi vers minuit, une heure. Qu'est-ce que j'en sais !

— Tu es parti avant Peyrot ?

— Oui, il reste toujours tard, lui.

— Et quand tu es sorti, il faisait quel temps ?

— Frisquet… Et vous pourrez vérifier la météo, commissaire : il pleuvait. Une petite bruine… J'étais trempé quand je suis arrivé chez moi.

— Attends-moi, je reviens.

— On a terminé, commissaire ?

— Oh non, on est loin d'en avoir terminé. Je reviens.

— Vous perdez votre temps, commissaire », souffle Antoine.

Brunet quitte la salle et gagne la pièce voisine où se trouve Fabrice Peyrot. Il est resté debout, raide, les bras croisés, soulagé de ne pas être contraint de suivre le commissaire dans la salle d'interrogatoire. Derrière le miroir sans tain, il n'a rien raté de l'échange. Il ne peut détacher son regard de l'homme assis de l'autre côté, qui a enfoui son visage dans ses mains.

Il sursaute à l'entrée du grand flic.

« Alors ? » lance Brunet.

Peyrot reste silencieux, comme s'il cherchait à gagner quelques secondes de répit, avant de demander d'une voix inquiète :

« Qu'est-ce que vous voulez savoir ?

— Si c'est lui qui était avec toi, hier soir.

— Il a vraiment tué sa fiancée ?

— La réponse dépend de toi. »

Fabrice Peyrot lui lance un regard d'abord incrédule, puis affolé.

« De moi ?

— Avec qui étais-tu hier soir aux Princes ? Franck ou Antoine ?

— Je ne sais pas…, tente-t-il.

— Mais si, tu le sais », assène Brunet.

Oui, je le sais. Peyrot qui sent monter en lui de la panique, à l'idée de condamner l'homme qu'il voit s'effondrer de l'autre côté de la vitre. Fabrice Peyrot fuit le regard insistant du flic.

« C'est Franck qui était avec moi, finit-il par lâcher dans un murmure.

— Tu en es certain ?

— Oui, commissaire. C'est Franck.

— Qu'est-ce qui te rend si sûr ?

— Parce que hier soir, je n'ai pas bu de piña colada… »

Il parle d'un ton pitoyable, avant de réaliser que sa chemise est trempée de sueur.

« Viens avec moi, ordonne Brunet.

— C'est fini, je peux partir ? » demande Peyrot d'un ton suppliant. Mais il a compris où le commissaire l'emmène.

« Presque, suis-moi.

— Non, s'il vous plaît…

— Si… Tu vas répéter devant Antoine ce que tu viens de me dire. »

29

Étienne Brunet est tellement impatient qu'il oublie d'attendre. Il frappe, entrouvre la porte, recule lorsqu'il réalise qu'il s'est précipité.

« Entre », dit Laforge.

Brunet ne peut dissimuler son excitation. « Cette fois, on le tient ! annonce-t-il.

— Raconte. Mais assieds-toi, tu es trop grand pour moi ! » plaisante Laforge.

Le commissaire installe ses presque deux mètres sur le canapé. Il sourit : « Une vraie partie de plaisir ! Putain, là, on a fait un sacré bond…

— Il n'était pas avec Peyrot, c'est ça ?

— Ouais. Je lui ai tellement mis la pression qu'il s'est emmêlé les pinceaux. Il est niqué.

— Bien joué, Étienne ! Champion ! »

Brunet ne relève pas l'ironie. Il y est trop habitué pour se formaliser. Il se lance :

« J'ai procédé en deux temps. D'abord j'ai vu Deloye seul. J'ai laissé Peyrot dans la salle d'observation pour qu'il entende sa version. Je lui ai fait repasser tout le film de la soirée aux Princes. Ce qu'il avait bu, qui il avait vu, l'heure de son départ, de quoi ils avaient parlé. Plus il parlait, plus je notais des détails qui ne collaient pas avec la version de Peyrot. Lui s'en était aperçu aussi, mais il a fallu que je lui tire les oreilles pour qu'il reconnaisse qu'Antoine avait merdé. Et ensuite, il a fallu y aller à coups de pied au cul pour le confronter à Deloye. Il crevait de trouille. Je crois que Deloye a compris dès qu'il l'a vu. Il faut dire que Peyrot avait la tronche du mec qui va à l'abattoir. Il restait en retrait, pétrifié, et il regardait Antoine comme un monstre. Pourtant, dans un premier temps, Deloye ne s'est pas démonté. Il a trouvé le cran de le saluer : "Salut, Fabrice. Je suis content de te voir, tu as pu confirmer à ce monsieur que j'étais avec toi hier soir." L'autre n'a pas mouffé, une vraie loque. Je lui ai dit que Peyrot avait assisté derrière la vitre à son interrogatoire et que sa version ne correspondait pas à la sienne, qu'il avait déclaré que c'était Franck qui était avec lui. J'ai bluffé en ajoutant qu'il avait signé une déposition où il disait qu'Antoine avait menti. Je ne te raconte pas la tronche de Peyrot...

— Je vois ça d'ici, approuve Laforge.

— Il était décomposé. J'ai demandé à Peyrot de répéter ce qu'il m'avait dit, il n'a pas pu articuler un mot. Antoine l'a regardé, sans agressivité, plutôt de la surprise, genre ce n'est pas possible que tu me trahisses. Franchement, je m'attendais à ce qu'il sorte de ses gonds et se mette à hurler, mais rien du tout. Et là... » Brunet ménage ses effets, savoure son moment.

« Et là, il a reconnu qu'il avait menti, intervient Laforge.

— Bon sang... comment tu sais ?

— C'était couru d'avance, Étienne. Tu l'avais coincé, il a préféré se soumettre. Nier n'aurait fait que l'enfoncer davantage. Je parie qu'il n'a même pas paniqué. Qu'est-ce qu'il t'a dit ?

— Exact. Il était résigné… Je l'ai senti désespéré quand il a avoué qu'il avait inventé cet alibi. »

Brunet sort son petit carnet noir de la poche de son pantalon et l'ouvre. Il annonce : « J'ai tout noté. Je te lis ce qu'il m'a raconté : *"Fabrice Peyrot a dit la vérité. Je ne suis pas allé aux Princes, hier soir. J'ai été stupide de mentir. Je savais que mon frère avait prévu d'aller aux Princes hier soir. Nous nous sommes parlé dans l'après-midi. Quand vous m'avez accusé du meurtre d'Élodie, j'ai inventé cette histoire pour me protéger. J'ai paniqué, je n'ai pas réfléchi."* » Brunet relève les yeux vers son chef et dit : « Il n'arrêtait pas de se traiter d'imbécile. Il disait qu'il s'était rendu compte après que ça ne pourrait pas tenir, il s'excusait d'avoir menti. Tu te rends compte, ce mec nous prend vraiment pour des cons !

— Ça…, répond en écho Laforge. J'imagine que tu lui as demandé où il était.

— Évidemment. Et, à ton avis ?

— Il était chez lui, gros malin. Seul, et donc sans alibi. Je parie qu'il a promis-juré qu'il est innocent.

— Pari gagné, Sherlock. Il n'a peur de rien. Il a même supplié son copain de le croire.

— Et qu'a répondu Peyrot ?

— Le faux-cul total… Il a murmuré que si Antoine lui affirmait que ce n'est pas lui, il le croyait. Deloye s'est mis à chialer en répétant qu'il n'était pas coupable. L'autre guignol a bafouillé qu'il le croyait, il était livide, j'ai cru qu'il allait se trouver mal. Et tu sais ce que ce faux-cul m'a dit en sortant ?

— Qu'Antoine était l'assassin.

— Re-gagné ! Il la jouait costaud : ça ne faisait aucun doute, il était sidéré, horrifié, il ne voulait plus jamais le revoir, etc. Mais il est à nouveau devenu blafard dès que je lui ai dit qu'il faudrait bien qu'il le revoie au tribunal. Je dois reconnaître que je buvais du petit-lait... »

Brunet ne cache pas sa satisfaction. « On le tient. Toi qui voulais des aveux, il n'y en a plus pour longtemps avant qu'il s'aplatisse comme une crêpe. Qu'est-ce que tu en penses ?

— J'en pense que ce mec est très malin...

— Qu'est-ce que tu veux dire ?

— Deloye savait dès le début que son alibi était pipeau. Réfléchis, commissaire, et demande-toi pourquoi il a inventé une histoire qui ne tenait pas la route. »

Puis, d'une voix résolue : « Allez viens, on y va. On va voir ce qu'il a dans le bide.

— Je te dis qu'on le tient, putain !

— Étienne ?

— Oui ?

— Fais-moi plaisir : arrête de dire putain à tout bout de champ. C'est vraiment chiant, putain ! »

Brunet éclate de rire avec Laforge. « Putain, putain, putain ! » lance-t-il tandis qu'ils sortent dans le couloir sous la lumière crue des néons.

30

Hervé Pauchon s'apprête à regagner le commissariat comme il en a reçu l'ordre, mais le hasard le pousse une fois de plus à bifurquer. Au point où il en est, il s'en fout.

Après avoir refermé la porte du studio de Franck, il a perdu un peu de temps à sonner chez tous les voisins logeant à l'étage de Franck, en dépit de l'heure tardive. Il a eu beau insister, annoncer qu'il était de la police, les six portes grises, alignées de part et d'autre de la moquette verte élimée, certaines couvertes de tags, sont restées closes. Derrière une seule, une petite voix d'enfant a répondu qu'« il n'y avait personne ». Le lieutenant abandonne. Après tout, n'a-t-il pas dégoté un élément essentiel ? À vrai dire, maintenant, il est impatient d'annoncer sa découverte à Brunet. C'est trop énorme pour qu'il la garde pour lui, comme il en avait d'abord l'intention.

Mais à l'instant où, devant la porte, il rajuste son col d'imperméable pour affronter la pluie, un taxi stoppe au niveau de l'immeuble, de l'autre côté de la rue. Une femme aux cheveux gris en descend, traverse la rue et entre dans le hall d'un pas vif, manquant de le bousculer dans sa précipitation. Sans lui prêter attention, elle se hâte vers l'ascenseur tout proche. Pas un mot d'excuse. Cette brusquerie, qui ne convient guère à une femme de son âge et d'allure si soignée, alerte Pauchon.

Ainsi que la douleur à l'estomac, qui se réveille à cet instant.

Sans réfléchir, il fait demi-tour et a juste eu le temps de glisser son pied dans la porte pour retenir la porte de l'ascenseur.

« Bonsoir, madame.

— Bonsoir », répond-elle avec réticence.

Elle lui lance un regard méfiant. Il la voit hésiter avant de poser son doigt sur le bouton du dixième étage. Il appuie sur celui du neuvième. L'ascenseur entame sa montée dans un léger crissement.

« J'espère que nous ne resterons pas coincés, plaisante-t-il.

— En effet.

— Nous sommes voisins… ? suggère-t-il.

— Je n'habite pas ici », réplique-t-elle d'un ton un peu trop sec. Il n'insiste pas. Cette femme l'intrigue. Que fait-elle là ? Une visite, si tard ? Peut-être vient-elle s'occuper de l'enfant qui est seul chez lui ?

Il se recule pour l'observer. Soixante-dix ans passés, estime-t-il, grande, un mètre soixante-dix environ, les cheveux gris coupés court. L'air fatigué et anxieux, mais étrangement résolu. Son imperméable anthracite est mouillé. Elle tient à la main un petit parapluie. Une allure élégante. Une femme d'un bon milieu social, conclut-il avant que l'ascenseur ne s'arrête dans un bref sursaut, au neuvième étage.

Elle s'écarte pour le laisser passer. « Bonne nuit », dit-il en prenant son temps pour sortir. Mais elle ne répond pas. Il attend que les portes se soient refermées avant de se précipiter vers l'escalier et monte les marches deux par deux en veillant à ne pas faire de bruit. Arrivé au palier suivant, il tend l'oreille et perçoit le tintement d'un trousseau de clefs. Il entrebâille la porte de quelques centimètres et glisse un regard sur le palier.

Il a juste le temps d'apercevoir la vieille dame disparaître dans le studio de Franck Deloye. La douleur violente au ventre lui dit qu'il a bien fait de suivre son instinct.

31

Antoine Deloye tourne la tête en entendant s'ouvrir la porte de la salle d'interrogatoire. Il a l'air abattu, son regard a perdu toute superbe, mais il semble soulagé de voir le divisionnaire Laforge. Comme s'il allait pouvoir remettre les choses à leur place.

« J'ai été stupide, commissaire. Je ne comprends pas pourquoi j'ai menti. C'était idiot. »

Le divisionnaire pose sur la table métallique les trois feuilles agrafées que vient de taper Brunet sous la dictée de son patron : « Ce sont tes aveux, explique-t-il, il ne te reste plus qu'à les lire et signer. Mais on m'a dit que tu étais pressé d'aller dormir. Alors tu n'es pas obligé de tout lire, il te suffit juste de signer ! » Du doigt, il désigne le bas de la troisième page.

« Quels aveux ? Non, jamais ! »

Du revers de la main, Deloye envoie valser les papiers qui virevoltent avant de tomber sur le sol de ciment, presque sur les chaussures de Laforge.

« Ramasse ça, ordonne celui-ci.

— Non.

— Non ? s'exclame Laforge en repoussant les feuillets du pied. Tu n'as pas été seulement stupide, mon gars. Tu as été complètement con. Et tu t'es piégé tout seul. Qu'est-ce que tu veux, c'est pas beau, de mentir… C'est tout ce qui nous manquait, au commissaire Brunet et à moi. Ce que tu sauras, à l'avenir, c'est que toutes les enquêtes se résolvent grâce à ce genre d'erreurs. »

Il se tourne vers Brunet : « Pas mécontents d'en avoir fini. Hein, commissaire ?

— Je rêve de mon pieu, chef… »

Sans laisser à Deloye le temps d'intervenir, Laforge continue sur le même ton guilleret : « Tu vas signer ce putain de PV et après on ira se coucher. T'as entendu le commissaire ? Il a sommeil !

— Toi en revanche, tu dors là ! s'amuse Brunet.

— Laissez-moi m'expliquer, je vous en prie… »

Le divisionnaire Laforge passe de l'autre côté de la table, suivi par Brunet, les mains dans les poches de son pantalon de velours noir, un léger sourire aux lèvres.

« Expliquer quoi ? Tu ne trouves pas que tu en as assez dit ? Je vais te le redire clairement, avant de m'énerver : on en a plein le cul de tes salades. Alors demain matin, à la première heure, on t'envoie au juge et tu auras tout le temps de t'expliquer avec lui. Nous, on a fini. »

Il se détourne avec une indifférence affichée, s'adresse à Brunet : « Finalement, ça a été encore plus facile qu'on pensait.

— Monsieur le commissaire… Écoutez-moi… »

Le divisionnaire interpelle son second, resté dans l'entrebâillement de la porte : « Étienne, tu as encore envie d'écouter ce coupeur de têtes ?

— Certainement pas, j'en sais suffisamment pour ne plus avoir envie de l'entendre. Pour être franc, ce mec me débecte. »

Brunet vient se planter juste devant Antoine, l'obligeant à pencher la tête en arrière pour le regarder. Antoine soutient son regard : « Je n'ai pas touché Élodie. Vous pourrez m'amener au juge, me traîner aux assises, me tabasser si vous voulez, vous ne me ferez jamais avouer ce que je n'ai pas fait. Ça vous arrangerait, je comprends, mais…

— Ne fais pas le malin, Deloye, intervient Laforge. Je vais te dire comment les choses se sont passées et je m'en branle que tu avoues ou non. »

Sans hâte, il se penche pour ramasser les papiers, retourne s'asseoir, chausse ses lunettes :

« C'est moche de vieillir, commente-t-il d'un ton jovial. Voyons ça, je te lis : *Nous, Robert Laforge, commissaire divisionnaire, agissant en vertu de la commission rogatoire délivrée par le juge Anglade, faisons comparaître devant nous le nommé Antoine Deloye, né à Paris 75014, 28 ans, qui nous déclare sous serment, conformément à la loi, avoir assassiné sa fiancé, Élodie Favereau"*… » Il s'interrompt : « Fiancée, ça prend un "e", Étienne !

— Moi et l'orthographe… »

Laforge feint la consternation en prenant à témoin le jeune homme : « Tu vois, nous aussi, on fait des erreurs ! »

Deloye reste muet, ses yeux translucides plantés sur Laforge avec un mélange de mépris et de haine. Il continue, délaissant les papiers qu'il tient en main : « Bon, je ne vais pas tout te lire et je passe sur ce qu'on sait déjà : ton ADN, la hachette que tu as jetée dans la bouche d'égout, l'enregistrement vidéo sur lequel on te voit arriver à 18 h 30, ressortir pour acheter des fleurs, pour ton information, les voisins et le fleuriste t'ont identifié. Ces mêmes voisins t'ont vu quitter l'appartement et tu as été à nouveau filmé par la caméra de surveillance à 22 h 02. »

Le commissaire garde le silence une poignée de secondes, puis il reprend :

« On sait, tu vas nous dire que ce n'était pas toi, mais ton frère jumeau. Vous vous ressemblez tellement, et lui, il est méchant… Et puis cette maladie, là, pas d'empreintes, c'est pratique ! Cependant, il y a un problème de taille : lui, il a un alibi, et pas toi… C'est lui qui a passé la soirée avec ton copain Fabrice Peyrot et donc celui qui sort à 22 h 02, c'est toi. »

Laforge le frappe sur le front du bout de l'index : « Mets-toi ça dans la tête, c'est forcément TOI. Alors finissons-en. » À ses côtés, Brunet jubile. Laforge s'est enfin rendu à l'évidence, se dit-il.

« J'étais chez moi.

— Tu n'as pas de témoin et en plus, tu nous as raconté des craques… Et ça, c'est vraiment pas bon pour toi…

— Je n'ai pas tué Élodie ! Combien de fois il faudra que je vous le répète pour que vous me croyiez ? C'est mon frère, je vous dis !

— Oui, mais comme je viens de te le dire, il a un alibi et pas toi ! Il ne fallait pas mentir, Antoine. Dans un premier temps, tu as déclaré avoir passé la soirée aux Princes en compagnie de Peyrot. Confronté à ce dernier, et aux incohérences de ton témoignage par rapport au sien, tu as finalement admis devant le commissaire Brunet, ici présent, que tu n'étais pas aux Princes hier soir. C'est ce qui t'a perdu, mon garçon », dit Laforge, sourire aux lèvres.

À nouveau, il laisse passer quelques secondes, reprend les feuillets et conclut, lisant les dernières lignes : « *Après lecture faite par lui-même, persiste et signe avec nous le présent procès verbal.* »

Antoine baisse les yeux sur le papier que Laforge a tourné vers lui. Il voit son nom en milieu de page. Brunet le sent sur le point de basculer.

« Allons, c'est fini, mon vieux, fais ce que tu as à faire. » Antoine l'ignore. Il dévisage Laforge :

« D'accord, commissaire, vous avez gagné. C'est moi qui ai tué Élodie Favereau. »

Alors, comme un automate, sans exprimer la moindre émotion, il livre son histoire dans les moindres détails, jusqu'au plus sordide, ce moment « de jouissance extrême » où il a taillé la gorge de la jeune femme et posé sa tête sur la table basse. Et comment finalement, après s'être débarrassé de la hache, il est rentré chez lui, dans le seizième, à pied.

Laforge lui souffle de parler moins vite. Brunet transcrit au fur et à mesure le récit effarant. Il peine à suivre. Il se crispe, mâchoire serrée, regard sombre, tant ce qu'il entend est insoutenable. « Tout se tient », murmure-t-il à l'intention de son patron.

Ensuite, Laforge relit à voix haute ce que Brunet vient de taper. « Tu n'as rien à rajouter ? » demande-t-il. Antoine Deloye ne répond pas. Brunet quitte la pièce avec l'ordinateur portable pour aller imprimer la déposition. Lorsqu'il revient, il a la certitude que les deux hommes n'ont pas prononcé un mot pendant sa courte absence. Il présente les feuillets à Antoine :

« Tu veux relire ? demande-t-il.

— Inutile.

— Il faut signer, maintenant. »

Antoine hésite un instant. Trois secondes, selon Brunet. Mais tous deux sont frappés de son absence d'émotion, de ses yeux secs, et de la fermeté avec laquelle il s'empare du stylo posé sur la table pour signer la dernière page d'une écriture nerveuse.

« Vous êtes satisfaits, je suppose.

— Ce n'est pas le mot, Deloye, rétorque Robert Laforge. Nous avons fait notre boulot. Mais nous sommes plutôt écœurés, perplexes, furieux, abasourdis... C'est encore trop faible. Ce que je ressens face aux types comme toi est difficile à exprimer.

— Tu veux savoir ce que je ressens, moi ? intervient Brunet. Tu me dégoûtes, et si cela ne tenait qu'à moi, je te démolirais la gueule. »

Les deux commissaires sortent sans ajouter un mot. Brunet demande : « On met cette ordure en cellule ?

— Laissons-le ici, ordonne Laforge.

— Et Peyrot ?

— On le garde aussi.

— Mais, c'est terminé, Robert ! On a ce qu'on voulait, on n'a plus besoin de lui.

— Il reste ici.

— Putain, Robert, fais gaffe... Tu veux juste te le payer parce que sa gueule ne te revient pas. On va dépasser la durée légale...

— M'en fous... Me fais un petit plaisir. On le garde, point final ! »

Brunet n'insiste pas. Il attrape le procès verbal comme un trophée et suit Laforge dans le couloir. Il ne peut se retenir d'exulter à nouveau : « Putain on l'a eu ! Je savais depuis le début que c'était lui. Finalement, ça n'a pas été si difficile.

— Fais revenir Franck », se borne à répondre Laforge, visage fermé.

Interloqué, Brunet comprend qu'il ne plaisante pas. Mais à cette heure tardive, il a hâte d'annoncer aux gars que l'affaire est réglée, et il abandonne Laforge devant son bureau. Tandis qu'il dévale les escaliers, il ne s'imagine pas que derrière la porte son patron se laisse aller à sa fureur.

32

Brunet s'efface pour laisser passer Franck Deloye.

« Je l'ai trouvé dehors en train de fumer sous le porche. Je pensais qu'il était parti, explique-t-il à Laforge.

— Vous êtes trempé ! » s'exclame le commissaire en le dévisageant.

Une petite flaque est en train de se former aux pieds du jeune homme. Il faut que Brunet lui donne une légère bourrade dans le dos pour qu'il se décide à entrer.

Il se passe la main dans les cheveux, la regarde, puis l'essuie sur le côté de son jean. « La pluie, si vous saviez comme je m'en moque, commissaire... » Il frissonne.

« Vous allez choper la crève.

— Il m'en faut davantage... »

Il retire son blouson de coton et prend place sur la chaise bancale. Il sort son paquet de cigarillos :

« Vous en voulez un ?

— Pourquoi pas ? »

Franck lui tend son paquet et son briquet. Laforge pousse vers lui un cendrier rempli de mégots. Brunet referme la porte, se dirige vers la place qu'il affectionne, curieux d'assister à la scène entre les deux hommes.

« Laisse-nous, Étienne », ordonne le divisionnaire d'un ton sans appel.

Surpris, Brunet a un instant d'hésitation : « Comme vous voudrez, patron », insistant bien sur ce « vous » inhabituel. Il ne cache pas sa déception.

Laforge tire une longue bouffée pour laisser à Brunet le temps de disparaître. Puis, présentant les feuillets posés devant lui, il annonce :

« Votre frère vient de signer ses aveux, monsieur Deloye. Il sera déféré au juge demain matin. »

Laforge scrute la réaction de l'homme face à lui. Il lit d'abord de l'incrédulité, puis une sorte de tristesse, mais comme teintée de peur. Il l'entend dire à voix basse : « Je le savais. » Deloye écrase son cigarillo à peine entamé, pose ses yeux sur le procès verbal et demande :

« Comment avez-vous réussi à obtenir sa confession ? Je n'en reviens pas… il est plus coriace d'habitude. »

Il triture nerveusement l'épi blond sur sa tempe gauche. D'un coup, ses yeux sont noyés de larmes.

« C'est terrible…

— Terrible, horrible, monstrueux, les qualificatifs ne manquent pas, Franck… Votre frère jumeau est un être dérangé et pervers. Vous aviez raison. »

Franck ferme les yeux. Il contient le tremblement de ses jambes.

« Pourtant vous m'avez soupçonné…

— Nous devions vérifier, Antoine vous accusait et vous vous ressemblez tant. Vous comprenez, n'est-ce pas ? Mais, si cela peut vous rassurer, nous étions dès le début convaincus de sa culpabilité.

— Quand même… J'avais fini par croire qu'il vous avait piégés. Antoine est tellement rusé… Il a abusé tant de monde, que… »

Ses mots restent en suspens. Puis il ajoute, presque suppliant : « Je voudrais partir, maintenant… je n'en peux plus.

— Je comprends… Vous ne voulez pas savoir comment nous l'avons amené à avouer ? »

Deloye se reprend : « Si, si, bien sûr, commissaire. »

Laforge attrape ses lunettes :

« Je passe sur les éléments que nous avons rassemblés, des preuves qui auraient pu vous accuser autant que lui. Mais Antoine n'a pas d'alibi, et il s'est servi du vôtre. Quand nous avons confronté le témoignage de votre ami Peyrot avec le sien, il était bourré d'imprécisions, ça ne peut pas être lui qui était aux Princes hier. Bref, il s'est piégé tout seul. Face aux évidences, il a cédé et il a signé ses aveux. Ce n'est pas plus compliqué que ça, Franck.

— Il a vraiment tout avoué ?

— Oui, Franck. Tout. Dans les détails. Croyez-moi, ce n'est pas beau à entendre.

— Il vous a expliqué pourquoi il s'est acharné sur Élodie ?

— Pas encore. Je laisse ça au juge et aux psys.

— Mon frère n'est pas fou, commissaire. C'est un pervers. Au point de vous faire douter. J'ai une question : est-ce qu'à un moment vous avez cru que c'était moi ?

— Bien sûr, j'ai hésité. Nous avons tous douté, ici, exagère-t-il. Quand nous vous avons confrontés l'un à l'autre, mon opinion était faite, mais une enquête, ça ne se résout pas sur des convictions. Il faut suivre toutes les pistes, et c'est ce que nous avons fait. Il a craqué rapidement. J'imagine que la pression a été trop forte pour lui après ces heures de garde à vue. Votre frère n'est pas aussi costaud qu'il en a l'air ou que vous le pensez, Franck.

— L'essentiel, c'est la vérité. Bien sûr, je suis soulagé d'être sorti d'affaire. Cette histoire m'a boule-versé. Antoine est… Mais tuer Élodie… avec autant de sauvagerie…

— Rassurez-vous, plus personne ne vous soupçonne, Franck. Au fait, j'ai une question, glisse Laforge.

— Une question ?

— Oui… Comment a-t-il su, pour votre alibi ? »

Le visage de Franck s'éclaire : « C'est simple, commissaire. Antoine m'a appelé ce matin et il m'a demandé où j'avais passé la soirée. "Aux Princes, dans ton QG", je lui ai dit et je lui ai raconté ce que j'avais bu, avec qui j'étais. J'ai trouvé sympa que, pour une fois, il soit aussi curieux… On a rigolé et on s'est même moqué de Peyrot. J'étais à cent lieues de penser qu'il avait… fait ce qu'il a fait. Il était comme d'habitude. Si vous m'aviez raconté tout ça, je vous l'aurais dit.

— Évidemment… »

Donc, les deux frères se sont parlé ce matin même. Une rapide vérification de la liste d'appels sur leurs portables le confirmera.

« Je peux partir, à présent ? » demande Franck. Il s'apprête à se lever, attrape son blouson humide.

« Restez assis encore un instant, Franck. Je sais que ces moments sont très difficiles pour vous, mais j'aimerais savoir pourquoi Mme Daout vous a giflé tout à l'heure ?

— Vous l'avez vue ? »

Laforge écrase son cigarillo à demi fumé : « Je fumais à la fenêtre. Mais vous saviez que j'étais là, non ?

— Non, commissaire, je vous ai aperçu après », répond Franck avec assurance.

Pourquoi ment-il ? se demande le divisionnaire.

« Alors vous avez entendu, quand je lui ai dit qu'elle s'était toujours trompée.

— Oui, j'ai entendu.

— Pauvre Mme Daout, reprend Deloye sur le ton de la confidence. Elle me fait tant de peine. Elle ne méritait pas ce qu'Antoine lui a fait subir. Je me sens coupable, commissaire.

— Qu'est-ce qu'elle vous a dit ? insiste Laforge.

— Elle m'a dit que je m'étais comporté comme un monstre quand elle nous gardait. Elle m'a maudit et elle m'a giflé. Je n'ai jamais réussi à la convaincre que je n'y étais pour rien. Je n'ai pas trouvé les mots… J'aurais tant voulu qu'elle comprenne la vérité… Il a été horrible avec elle, déjà.

— Déjà…, répète Laforge.

— Antoine a toujours été manipulateur, commissaire. J'ai toujours essayé de me défendre, mais je voyais bien que personne ne me croyait. »

Il s'interrompt. Sa main, nerveuse, s'acharne sur son épi blond. Ses yeux translucides s'assombrissent. Il reprend : « C'est à cause de lui que mes parents m'ont rayé de leur vie. Je vous ai raconté l'histoire du chien. C'est lui qui a commis cette atrocité et c'est moi qui ai été accusé. Le pire est que je ne lui en ai même pas voulu. Je croyais mes parents les seuls responsables. Cela paraît incroyable, c'est pourtant la vérité.

— Un monstre, égoïste et calculateur. Vous savez comment on appelle des gens comme lui ? Des pervers narcissiques…

— Pervers narcissique… », répète Franck d'une voix lasse. Puis, soudain, il s'agite, semble inquiet : « Il a vraiment signé ? »

Laforge tourne les pages du procès verbal. Il pose le doigt sur la quatrième : « Vérifiez vous-même.

— Merci, merci, murmure Franck.

— Vous ne remarquez rien ? glisse le commissaire.

— Non…

— Regardez bien : le A est inachevé. On dirait presque un F.

— L'ordure, c'est pas possible ! » hurle Franck.

Ses jambes se mettent à trembler sans qu'il fasse quoi que ce soit pour les calmer. « Il nous a encore piégés, hoquette-t-il.

— Vous pouvez toujours rectifier ça, Franck. »

Laforge pousse le feuillet devant le jeune homme, tend son stylo : « Allez-y. » Franck se calme d'un coup et, d'un bref trait, transforme le « F » en un « A » parfait.

« Vous le tenez, conclut Laforge en récupérant les feuilles. Vous venez d'envoyer votre frère aux assises. Content ?

— Non, commissaire, je ne suis pas content, comme vous le dites. Ne soyez pas cynique, je ne mérite pas ça. Écoutez-moi bien : j'ai vécu la pire journée de ma vie, pire encore que le jour où mes parents m'ont chassé. Ne dites pas que je suis content.

— Je suppose que vous ne voulez pas voir votre frère une dernière fois ?

— Plus tard, peut-être. Mais, pour le moment, je préfère rentrer chez moi. Je peux ?

— Je vous en prie, vous êtes libre.

— Merci, commissaire. »

La journée du samedi 25 mars avait été belle. Avant de basculer.

La veille, Philippe et Sophie ne s'étaient assoupis qu'après avoir avalé leurs cachets de Lexomil. Un pour lui, deux pour elle. Ce n'était qu'à ce prix qu'ils trouvaient le sommeil, désormais. Ils s'étaient réveillés la bouche pâteuse, une boule d'angoisse au ventre, cette angoisse qui ne les quittait plus depuis des mois. Ils appréhendaient les week-ends, ces deux jours qu'ils devaient passer avec leurs fils. La semaine, au moins, ils pouvaient s'échapper. Ils partaient tôt, rentraient tard, s'abrutissaient au travail. Chacun espérait secrètement que les garçons auraient déjà dîné et regagné leurs chambres quand il rentrerait. Ils s'obligeaient à monter les embrasser, à leur demander comment s'était passée leur journée, avant de se réfugier dans leur solitude. Loin d'eux.

Ils évitaient de parler. À quoi bon répéter les mêmes questions, ce qui avait bien pu se passer, pourquoi ils ne savaient plus comment s'y prendre ? Désormais, ils vivaient avec leurs interrogations et ces peurs qu'ils ne tentaient plus de combattre.

L'épisode des empreintes, qui datait d'un peu plus d'un an, continuait à les hanter.

Ils restaient convaincus que l'un des deux jumeaux était la source de tous les problèmes mais ne cherchaient plus à découvrir lequel. Les années précédentes, ils les avaient vécues dans le doute, soupçonnant l'un puis l'autre, cherchant à établir lequel de Franck ou d'Antoine était « l'enfant mauvais », comme ils l'appelaient. Mais ils avaient eu beau les épier, les surveiller, fouiller dans leur intimité, jamais ils n'étaient parvenus à trancher. Ils n'en pouvaient plus de se torturer l'esprit et ne comptaient plus que sur le temps pour leur venir en aide. Bientôt, leurs fils quitteraient la maison. Au mieux, trois ans encore à tenir. Alors, peut-être retrouveraient-ils la paix.

Sophie avait beaucoup maigri, elle souffrait d'un dérèglement de la thyroïde dont elle négligeait le traitement. Philippe, en revanche, avait pris une vingtaine de kilos, il fumait et buvait un peu plus que de raison. Il se forçait à aller courir jusqu'au fort de Montrouge tous les dimanches après-midi, quel que soit le temps, son chien dans sa foulée. Au moins, pendant une heure, il ne pensait à rien. Ils avaient perdu la plupart de leurs amis mais cela ne leur manquait pas, et ils fuyaient les invitations. Ils s'étaient repliés sur eux seuls. Alors que d'autres couples auraient explosé, ce fut leur force, durant toutes ces années : ils restaient unis, soudés. Leur amour n'était pas seulement un rempart, mais une évidence qui leur permettait de continuer à vivre. Et, parfois, ils en arrivaient à se demander si ce n'était pas cet amour qui les unissait que leurs fils s'attachaient à détruire.

Quand les jumeaux avaient grandi, à l'adolescence, les problèmes étaient devenus sérieux et ils ne pouvaient plus feindre de les ignorer. De l'argent disparaissait, et ils en avaient retrouvé, avec du haschich, dans une boîte en ferraille posée sur une étagère du grenier. On n'avait même pas fait l'effort de la cacher.

Un soir, cinq ou six mois avant ce samedi fatidique, des jeunes étaient entrés chez eux ; ils avaient ravagé le jardin et mis la maison à sac. Les deux fois, en questionnant les jumeaux, Philippe et Sophie s'étaient heurtés à des murs. Chacun niait, accusait l'autre, pleurait et s'insurgeait avec tant de conviction qu'ils ne savaient plus quel argument leur opposer.

Jusqu'à ce samedi.

La journée avait été belle sous un chaud soleil. Après s'être levés, Sophie et Philippe avaient décidé de travailler au jardin. Franck et Antoine les avaient rejoints pour les aider à désherber et planter, et ils avaient déjeuné sur la terrasse, savourant la lumière et la tiédeur. Les garçons jouaient avec Toto, un vieux setter irlandais que leurs parents avaient acheté quand ils s'étaient installés à Montrouge, cédant devant leur insistance à réclamer un chien.

Cette journée avait été une parenthèse de bonheur familial, comme ils en connaissaient de temps à autre. Mais Sophie et Philippe ne se laissaient plus jamais totalement aller. Leurs jumeaux pouvaient se montrer charmants, mais ils savaient que la trêve ne durait jamais.

Il était un peu plus de 17 heures quand le soleil avait commencé à descendre derrière la maison des voisins. Le jardin était à présent dans l'ombre, il commençait à faire frais. Franck l'avait déserté, Sophie était rentrée au salon, Philippe rassemblait les outils en compagnie d'Antoine. Lorsqu'ils entrèrent dans le garage pour les ranger, Antoine poussa un hurlement d'horreur. Puis il courut se jeter, tremblant et en larmes, dans les bras de sa mère.

« Toto ! mon Toto », sanglotait-il, en entraînant sa mère vers le garage.

Devant la porte, il resta figé, incapable de faire un pas de plus. Philippe était appuyé contre le coffre de la voiture. Le corps du chien, affreusement mutilé, gisait à ses pieds. Sa tête était posée sur l'établi, effrayante avec ses yeux ouverts, dégoulinante de sang. Philippe se tourna vers eux, et s'adressa à Antoine :

« C'est Franck qui a fait ça ?

— Je ne sais pas, papa... Ce n'est pas moi, je le jure ! »

Puis, lâchant la main de sa mère, il s'approcha de son père et lui murmura à l'oreille : « Je crois bien que c'est Franck, papa.

— Il est passé où ?

— Il est dans sa chambre.

— Va le chercher », ordonna Philippe.

Antoine trouva son frère penché sur ses devoirs. Sérieux, concentré, il semblait n'avoir rien perçu de l'agitation dans le jardin.

« Viens, dit-il, Philippe veut te voir dans le garage. » Depuis très longtemps, les jumeaux ne désignaient entre eux leurs parents que par leurs prénoms.

Franck referma son cahier, regarda son frère.

« Tu as encore chialé ? dit-il d'un ton moqueur.

— Allons-y, le pressa Antoine. Ils nous attendent.

— Allons-y », répéta Franck, comme en écho.

Philippe attendait son fils dans le petit passage dallé entre la maison et le garage. Il l'agrippa par la manche de son pull-over et le poussa si violemment à l'intérieur du garage que le garçon tomba à terre, à quelques centimètres du corps sanguinolent du chien. Puis, l'attrapant par les cheveux, il le força à se relever :

« Pourquoi as-tu fait ça ? C'est monstrueux ! »

Franck avança la main vers la tête coupée, et la caressa entre les deux oreilles. Ses yeux étaient secs, mais ses jambes tremblaient. Il regarda sa mère et son frère, un peu en retrait, en pleurs. Puis il dévisagea son père :

« Ce n'est pas moi qui ai fait ça.

— Menteur, menteur, tu es un monstre, tu ne fais que mentir ! » cracha Philippe.

Il gifla son fils avec fureur, l'envoyant cogner contre l'aile de la voiture. Avec une telle violence qu'il entraîna dans sa chute la tête du pauvre animal. Elle roula à terre et disparut sous la voiture. Franck chancelait, mais défiait son père du regard. Philippe le frappa du poing à l'estomac, puis au visage. Franck dut s'agripper à la poignée de la Volvo pour ne pas tomber.

Il passa sa main sur sa joue meurtrie et répéta : « Ce n'est pas moi. »

Philippe se serait à nouveau jeté sur lui si Sophie ne l'avait retenu.

« *Nous ne voulons plus de lui ici, Philippe. Il faut qu'il parte !* »

En plus du mépris, Franck vit le soulagement dans les yeux de sa mère.

« *Va-t-en !* » *vociféra Philippe.*

Franck lâcha la poignée, se redressa et, se tournant pour leur faire face, maudit ses parents d'un ton haineux. Puis, sans ajouter un mot, il sortit. Ni Philippe ni Sophie ne vit Antoine effleurer la main de son frère quand il passa à sa hauteur.

« *Je ne veux plus jamais le revoir* », *souffla Sophie. Elle ne pleurait plus.*

« *Tu n'es plus notre fils !* » *hurla Philippe en direction de la porte par où Franck venait de disparaître.*

« *Viens.* » *D'un geste de la main, Sophie invita son fils à les rejoindre et tous trois restèrent ainsi longuement, à se serrer avec affection. Unis dans les larmes.*

« *J'ai perdu mon frère ? demanda Antoine d'une voix douce.*

— *Oui* », *répondit simplement Sophie.*

33

Le lieutenant Hervé Pauchon patiente depuis de longues minutes derrière la porte du palier du dixième étage. Il hésite. Attendre que la vieille dame ressorte et la suivre jusque chez elle ? Ou aller la surprendre directement à l'appartement de Franck Deloye ? Et la bousculer un peu pour la contraindre à expliquer ses liens avec lui. Et sa présence ici, à une heure aussi tardive.

Il ne pense plus du tout à rentrer au commissariat.

Il s'était aventuré dans le couloir plongé dans le noir, progressant à la lueur de son portable. Il s'était approché et avait posé la tempe contre la porte du studio, mais il avait eu beau tendre l'oreille, ignorant les bruits diffus venant des logements voisins, il n'avait rien entendu. Pas le moindre bruissement, à se demander si elle n'était pas ressortie sans qu'il s'en aperçoive. Mais au bas de la porte filtrait un maigre rai de lumière. Que faisait-elle ? Que cherchait-elle ? Et surtout qui était-elle ? Il s'était décidé à frapper quand son portable s'était mis à sonner. Pestant à voix basse, il avait battu en retraite précipitamment, prenant juste le temps de lire le nom de la personne qui appelait, avant de couper l'appareil. Brunet. Depuis sa cachette derrière la porte du palier, il avait entendu la porte s'entrouvrir. La sonnerie avait alerté la vieille dame.

De peur d'être repéré, il était descendu d'un étage. La porte du palier s'était ouverte et la lumière s'était allumée. Il s'était plaqué contre le mur, elle devait se pencher pour explorer l'escalier. Finalement, il avait entendu la porte se refermer. Il avait repris son portable dans la poche de son blouson pour écouter le message.

« Qu'est-ce que tu branles ? Ici, c'est terminé. Antoine Deloye a avoué. Ne rentre pas tout de suite mais rejoins Pelletier chez Deloye, dans le seizième. Il faut faire une perquise en règle. Rappelle-moi immédiatement. Compris ? »

Brunet avait laissé passer quelques instants avant de couper la communication, et Pauchon l'avait entendu parler dans le lointain, avec les gars du commissariat sans doute. *« On va lui en faire baver, à ce petit con. »* Il s'était demandé si c'était de lui ou d'Antoine Deloye que le commissaire parlait.

Cela fait donc dix minutes qu'il ronge son frein, ébranlé par le message, se demandant s'il ne serait pas plus sage de filer directement au commissariat. Il brûle d'envie de rappeler Brunet pour savoir comment ils l'ont eu. Mais il risque de trahir le fait qu'il n'a pas obéi aux ordres. Et surtout, après ce qu'il a découvert, il ne peut pas croire à cette conclusion.

Son portable vibre à nouveau. Il ne regarde pas qui appelle. Probablement Brunet qui s'impatiente.

D'un coup, il prend sa décision. Il sort sur le palier, allume la lumière du couloir, et se dirige vers le studio d'un pas décidé. Il s'en veut d'avoir perdu du temps. Il est sur le point de sonner, lorsque la porte s'ouvre. La vieille femme le dévisage puis dit d'une voix douce :

« Vous êtes de la police, n'est-ce pas ? Entrez. »

Elle est parfaitement calme, aucune trace d'inquiétude, il la sent résolue, tout juste si elle ne lui dit pas qu'elle l'attendait. Il acquiesce d'un léger balancement de la tête. Décidément, cette femme l'intrigue de plus en plus. Ne pas la brusquer, se dit-il. S'en faire une alliée.

« Je vous ai entendu, explique-t-elle. Je vous ai même aperçu dans l'escalier, tout à l'heure. Mais j'avais déjà compris que vous étiez de la police quand vous m'avez suivie dans l'ascenseur.

— Fermez la porte », ordonne-t-il. Il veut lui faire sentir que c'est lui qui mène le jeu, malgré tout.

Elle s'efface pour le laisser passer, repousse délicatement la porte. Le studio est faiblement éclairé. Il voit sur la table l'ordinateur portable ouvert.

Il s'en approche. Elle dit :

« Je n'ai pas le mot de passe.

— Antoine, répond-il. Avec toutes les lettres en majuscules.

— J'aurais dû y penser », souffle-t-elle.

Elle ment, il en est persuadé. Elle vient de consulter le contenu de l'ordinateur et, comme lui, elle en a découvert les secrets.

Cette vieille dame digne, bien habillée, un peu austère, le surprend par son calme et son assurance. Elle suit chacun de ses gestes, et elle a tiré une chaise pour s'asseoir face à lui. Bras croisés, elle attend qu'il se dévoile. Il évite le regard posé sur lui. Il doit rompre le silence qui s'installe.

« Que faites-vous ici, madame ?

— C'est une si longue histoire… Monsieur ?

— Je suis le lieutenant Pauchon, je fais partie de la brigade chargée de l'enquête sur l'assassinat d'Élodie Favereau, l'amie du frère de Franck Deloye », annonce-t-il en sortant sa carte pour la présenter à la vieille dame.

« Bien », finit-elle par dire après l'avoir examinée avec soin.

Des rides profondes se forment sur son front quand elle demande : « Vous soupçonnez Franck d'avoir tué Élodie ? C'est pour cela que vous avez fouillé son appartement et son ordinateur ?

— Je fais mon travail, madame. En revanche, vous n'avez pas répondu à ma question. Que faites-vous ici ?

— Comme vous, lieutenant Pauchon.

— Comme moi ?

— Je cherche des preuves que Franck est le coupable, comme je l'ai dit à votre chef. Il n'a pas paru me croire, ou je n'ai pas été suffisamment convaincante… Je suis venue ici pour essayer de trouver quelque chose. Voilà, c'est simple.

— Vous avez parlé au commissaire Laforge ? s'exclame-t-il avec gêne.

— Vous ne le saviez pas ? demande-t-elle en fronçant les sourcils

— Qui êtes-vous ?

— Je suis le médecin qui a mis au monde les jumeaux Deloye. Pour la suite de l'histoire, vous verrez avec votre patron. Je lui ai tout raconté. Je sors à l'instant du commissariat.

— Vous possédez les clefs du studio de Franck ? s'étonne-t-il.

— J'en suis la propriétaire, à la vérité. Je loue ce studio à Franck depuis des années. Je devrais plutôt dire que je lui prête, vu qu'il ne me paye pas souvent. Mais vous savez, Franck est très fort. Il vous embobine et vous ne pouvez pas lui tenir tête. J'ai aussi expliqué ça à votre commissaire…

— Antoine est passé aux aveux, madame, annonce-t-il, en guettant sa réaction. Il a reconnu tous les faits. Vous vous êtes trompée. »

Il s'attend à ce qu'elle proteste, qu'elle persiste dans ses accusations. Au contraire :

« Oui, monsieur, puisque vous le dites : je me suis trompée », reconnaît-elle d'une voix vaincue.

Et de but en blanc, elle se met à répéter au jeune policier ce qu'elle a raconté au divisionnaire : le calvaire qu'elle a connu lorsque Sophie et Philippe Deloye lui ont confié les jumeaux. Elle parle de son combat, de sa peur. Et de cette certitude, dont elle n'a pas eu la force de parler aux parents, que l'un des deux jumeaux était un pervers pathologique.

« Mais, à l'époque, je ne savais pas lequel.

— Pourquoi, alors, pensez-vous aujourd'hui que c'est Franck, l'assassin d'Élodie Favereau ?

— Ce n'est pas lui… Je me suis trompée, vous l'avez dit. Antoine a avoué, n'est-ce pas ? »

Pauchon en rajoute : « Oui, les aveux d'Antoine Deloye sont complets et précis et… horribles. À l'heure qu'il est, mes collègues doivent fêter ça en buvant un coup.

— Et vous ?

— Moi ? Ça n'a plus d'importance… Cette affaire est finie, madame.

— Regardez-moi ! » ordonne-t-elle à son tour.

Hervé Pauchon obéit. La vieille dame le fixe, prend sa main. Le lieutenant se laisse faire. Avec douceur, les yeux dans ceux de la vieille dame, il demande :

« Dites-moi pourquoi vous pensiez que Franck est responsable de tout cela.

— C'est vraiment utile, maintenant ? répond-elle.

— Je ne sais pas, murmure-t-il. Peut-être… » Puis, d'un ton plus assuré : « Oui, madame.

— Le soir où Franck a été chassé par ses parents, il est venu se réfugier chez moi. Il avait une quinzaine d'années. Il pleurait derrière ma porte, me suppliait de lui ouvrir, disait qu'il n'avait plus personne. Je ne voulais pas le voir, pourtant je l'ai recueilli. Il m'a raconté l'histoire du chien. Vous êtes au courant ?

— Oui, oui, continuez, l'encourage-t-il.

— Je lui ai demandé si c'était son frère qui avait décapité la pauvre bête mais, étonnamment, il a refusé de l'accuser. Il disait juste que ce n'était pas lui, et, pour être franche, je l'ai cru. Il semblait si malheureux quand il s'est blotti contre moi. Je lui ai proposé d'appeler ses parents, mais il me l'a interdit. Je me souviens parfaitement de ce qu'il m'a dit : "Ça ne servira à rien, ils ne vous croiront pas. Je ne suis plus rien pour eux, c'est fini." Il m'a fait de la peine. Je n'ai pas insisté, et je lui ai dit que nous en reparlerions plus tard. Ensuite, je lui ai fait à manger et, sans que je l'y invite, il est allé se coucher dans mon lit. J'ai fini par m'assoupir dans le salon. Au matin, il avait disparu, et je n'ai pas appelé ses parents.

— Je comprends encore moins pourquoi vous l'avez accusé », insiste Pauchon. Il sent qu'elle ne lui a pas tout dit, puis il comprend. « Vous l'avez revu, c'est ça ?

— Oui, je l'ai revu.

— Quand ? »

34

« Il y a des photos d'elle partout, jusque dans les chiottes ! Ce n'est pas un appart, c'est un album photo ! » Le commandant Christian Pelletier fait le malin, comme à son habitude. Il commet l'erreur d'ajouter : « Je ramène celle où elle est à poil ? »

En d'autres circonstances, Brunet aurait plaisanté avec lui, mais il n'est pas d'humeur. Il le remet brutalement à sa place :

« Ferme-la, Pelletier. La femme dont tu parles a été assassinée de façon dégueulasse. Ne perds pas de vue le boulot, imbécile.

— Je…

— C'est bon. Tu nous ramènes de quoi l'enfoncer définitivement, c'est tout ce qu'on te demande. Et t'as intérêt à trouver quelque chose.

— On a déjà fait un tour chez lui cet après-midi, Étienne, plaide Pelletier. Je ne suis pas certain qu'il y ait grand-chose de plus à trouver…

— À ce moment-là, c'était un suspect. Maintenant, tu fouilles l'appartement d'un coupable qui a avoué. Ça change la donne. Tu y passeras la nuit, s'il le faut, mais trouve-nous du concret. Compris ?

— Compris.

— Je t'envoie Pauchon.

— Pauchon ? Je n'ai pas besoin de lui, grogne Pelletier.

— Quatre yeux valent mieux que deux, Christian, et il est malin.

— Pourquoi lui ? Même le patron n'en veut plus !

— Tu fais ce que je te dis. » Il raccroche, contrarié. Décidément, rien n'échappe aux gars. Agacé, il appelle Pauchon et lui laisse un message furibond.

Il en a plein les bottes. Il n'aspire qu'à s'allonger et se laisser emporter par le sommeil et il voudrait que le patron les libère, lui et ses hommes. Ils peuvent se féliciter de voir cette affaire si vite résolue, à quoi bon courir maintenant ? Même la perquisition en règle chez Antoine Deloye, où Laforge lui a ordonné d'envoyer deux gars, aurait pu attendre le lendemain.

À dire vrai, cette histoire ne l'intéresse plus tellement, à présent. Il ne ressent que du dégoût pour Antoine Deloye, plus aucune curiosité. Les questions qui restent en suspens, il sera bien temps dans les jours qui viennent d'y répondre.

Ils se rejoignent sur ce point, avec Laforge. Ce qui les anime, c'est la traque, régler une affaire, coincer les ordures. La suite, les pourquoi et les comment, les regrets, les stratégies des avocats, les injonctions du juge, ça n'est plus que la partie annexe du boulot, et, au fond, ils s'en foutent un peu.

Là, il en a plus qu'assez. Assez des vidéos vues cent fois, des photos nauséeuses de la scène du crime, de ce jumeau taré avec ses yeux répugnants, de cette nuit pluvieuse et froide qui n'en finit pas, assez de Laforge et de ses crises. Il en a marre de tout.

Il déplace sa grande carcasse d'un pas fatigué pour gagner son bureau, lorsqu'il voit Laforge entrer dans la salle d'interrogatoire. Il voulait les aveux de Deloye. Il les a. « Qu'est-ce qu'il cherche encore ? » se demande-t-il. Il décide de ne pas le suivre et se glisse dans la pièce d'observation pour ne rien rater.

Laforge n'a coupé ni les micros ni la caméra au plafond. Il a un léger signe de la tête en direction de la vitre sans tain. Il fait savoir à Brunet qu'il sait qu'il est là.

Antoine ne bronche pas tandis que le divisionnaire contourne la table. Il le suit du regard le temps qu'il prenne place face à lui. Dans ses yeux, Brunet lit de l'indifférence, presque du mépris. Il attend que l'intrus parle le premier.

Laforge prend tout son temps, impassible. Après quelques secondes, Brunet le voit se dresser par-dessus la table, attraper brusquement Antoine par la mâchoire, tirer son visage vers lui à le frôler et cracher :

« Tu sais quoi ? Je me fous de savoir pourquoi tu l'as tuée. Parce que tu es un dingue, ou par jalousie, parce qu'elle couchait avec ton frère, ou parce ce que tu voulais le faire mettre en taule ? Je m'en branle, le juge s'occupera de ça. Par contre, il y a une chose que je voudrais bien savoir : pourquoi tu lui as coupé la tête ? »

« Voilà donc ce qui obsède mon chef », se dit Brunet : il veut comprendre. Et là, il y a quelque chose qu'il ne s'explique pas. Que Deloye soit juste un déséquilibré de plus, ça ne lui suffit pas.

Brunet attend qu'Antoine se ferme, ou s'effondre en larmes, ou dise qu'il ne se souvient de rien. Qu'il plaide un accès de folie, il n'était pas lui-même, il ne comprend pas ce qui s'est passé, les galimatias habituels. Mais il ne s'attend pas à ce rire puissant qui éclate soudain.

« Vous avez posé la bonne question, commissaire, finit-il par lâcher.

— Je t'écoute, alors.

— Eh bien voilà : sa tête ne me revenait pas !

— Ne fais pas le malin, le menace Laforge. Et arrête de rire, c'est abject.

— Abject ? Comme vous y allez. Il faut mesurer vos propos, commissaire ! »

Il cesse de rire d'un coup :

« Il faudra vous contenter de ça : sa tête ne me revenait… plus. Plus, plus, plus ! chantonne-t-il, hilare, comme pris d'un accès de démence. Je n'en pouvais plus de sa tête ! »

Laforge doit se retenir de se jeter sur cet enfoiré pour le faire taire, se dit Brunet. Qu'attend-il pour l'envoyer en cellule et en finir ?

Mais il reste étrangement calme. De profil, Brunet devine ses yeux plissés, concentrés sur son objectif. Il se met à parler, d'une voix posée :

« Continue de rigoler si ça te chante… Tu veux savoir ce que je pense ?

— J'en meurs d'envie, commissaire, réplique Deloye avec un sourire narquois.

— Parfait. Alors, voilà comment je vois les choses. Tu m'arrêtes, si je me trompe. »

Antoine chantonne toujours, d'une voix presque imperceptible, mais Laforge parle sans y prêter attention :

« Quand vous aviez quinze ans, tes parents ont chassé ton frère, après avoir découvert qu'il avait tué votre chien. Il l'avait décapité. Tu as fait pareil avec Élodie, tu ne voulais pas seulement tuer Élodie. Tu voulais faire accuser ton frère pour te venger de lui. Alors, tu as signé le crime. Décapiter Élodie, c'était forcément la signature de ton frère.

— Bravo, commissaire ! ironise Antoine.

— Merci, Antoine. Mais moi, je ne te dis pas bravo : c'était un peu cousu de fil blanc, ton stratagème. Un peu simpliste.

— Je m'incline, commissaire, vous êtes trop fort pour moi.

— Un conseil : ne fais pas trop le malin avec moi.

— Non, vraiment, je suis impressionné, commissaire Laforge ! »

Brunet voit Laforge serrer les poings. Il risque de ne pas résister longtemps aux provocations de son adversaire. Il ressent un tel dégoût pour ce fumier qu'il en vient presque à espérer que son chef se jette sur lui et lui casse sa putain de sale gueule. Mais il l'entend poursuivre, indifférent aux provocations de Deloye :

« Tu savais que ton frère couchait avec ta copine ?

— Bien sûr, depuis un petit moment, déjà.

— Combien de temps ?

— Quelques mois. Franck a la mauvaise habitude de se faire passer pour moi. Il est jaloux, que voulez-vous, j'ai un bon boulot, du fric, une nana… Il a profité de la naïveté de cette pauvre Élodie.

— Elle ne s'est aperçue de rien ?

— Elle ? Non, je ne crois pas. Mais moi, je l'ai su tout de suite.

— Et tu as laissé faire ?

— J'ai laissé faire… Je voulais voir si elle finirait par se rendre compte de quelque chose, mais rien, une vraie gourde… »

C'en est trop pour Laforge. Brunet le voit se dresser pour gifler Antoine de toutes ses forces. Le jeune homme se recroqueville en se protégeant le visage de ses deux mains.

Laforge agrippe la table. « Maintenant, tu arrêtes ton cinéma, connard.

— Je porterai plainte auprès du juge, commissaire, murmure Deloye.

— C'est ça. Autant te plaindre à mon cul !

— Vous croyez que je ne connais pas mes droits ? Vous ne vous en tirerez pas comme ça.

— T'inquiète, je n'en ai pas fini avec vous, lâche Laforge.

— Vous me vouvoyez, maintenant ? Quelle politesse ! Vous voyez, quand vous voulez… », persifle Antoine.

C'est vrai, s'étonne Brunet, tandis que Laforge quitte la pièce d'interrogatoire sans ajouter un mot, qu'est-ce qui lui a pris de vouvoyer cette ordure ?

Son téléphone vibre dans sa poche. C'est Pelletier qui annonce d'un ton triomphal : « Commissaire, j'ai trouvé des choses intéressantes. Les cerises sur le gâteau de ce fumier !

— Arrête avec ton humour à la con, Pelletier, et dis-moi ce que tu as trouvé. »

35

Lorsqu'il lui demande quand elle a revu Franck Deloye, Catherine Daout n'hésite pas. Comme si elle avait besoin de se décharger de ce poids. Elle ferme les yeux, prend une profonde inspiration et se lance :

« C'était il y a trois ans. Il m'attendait devant ma porte, un soir. Ce n'était plus le gamin pleurnichard qui était venu me voir le soir où ses parents l'avaient chassé. C'était un homme, différent, sûr de lui. Il y avait en lui de la détermination, ou plutôt une dureté. Ça m'a impressionnée. Nous avons longuement discuté, comme deux vieilles relations qui ont plein de choses à rattraper. Nous n'avons évité aucun sujet. Il paraissait avoir mûri, semblait regretter sincèrement le mal que son frère et lui avaient fait. À mesure que la soirée avançait, il a commencé à me convaincre que son frère était un individu affreusement retors, qui donnait le change et abusait tout le monde. Il est parvenu à m'émouvoir en me racontant ses galères, et à un moment, comme si c'était naturel, il m'a demandé de lui louer mon studio. Je n'ai même pas cherché à savoir comment il savait que je possédais cet endroit, et qu'il était vide. J'étais fatiguée, confuse, comme envoûtée. Je lui ai donné les clefs, il m'a embrassée en me remerciant, en me disant que j'étais quelqu'un de bien, puis il est parti. Les premiers mois, il a payé les loyers sans problème. Ensuite, c'est devenu de plus en plus irrégulier. Je restais des mois sans qu'il me verse un sou. Il avait toujours une bonne raison et, même si ça me paraît incroyable aujourd'hui, je l'écoutais et je le croyais. Il passait me voir régulièrement, ça me faisait plaisir, je lui faisais confiance. Je préparais à dîner, et on parlait de tout et de rien, son travail, il me donnait l'impression d'être courageux et de faire des efforts pour s'en sortir. Je pense que je me sentais le devoir de veiller sur lui, en mémoire de ses parents. Puis la conversation déviait presque toujours sur son frère. Il ne cachait pas sa haine, il devenait violent. Il accusait Antoine du pire : la mort de sa sœur, celle de ses parents, il disait qu'il s'acharnait sur lui. Un jour, je lui ai demandé pourquoi il continuait à le voir, et il m'a répondu qu'il était impossible de lui échapper. Et ensuite, il a ajouté qu'il finirait par se venger. Cela m'a inquiétée, je lui ai demandé ce qu'il avait en tête, je lui ai fait promettre de ne rien faire de grave. Il a ri. "Je plaisantais, m'a-t-il dit. Je ne suis pas comme lui." Mais j'étais franchement inquiète. Alors, j'ai cherché Antoine. J'ai réussi à l'appeler à son bureau. Il a eu l'air ravi, il m'a dit qu'il était heureux de m'entendre, qu'il pensait souvent à moi. Quand je lui ai parlé de son frère, que j'ai essayé de le prévenir en lui disant qu'il semblait lui en vouloir, il m'a ri au nez : "Franck ! Qu'est-ce que vous me racontez ? Nous n'avons jamais été aussi proches. J'adore mon frère." J'ai tenté d'insister, mais d'un coup il s'est énervé. Il m'a traitée de vieille folle, il a dit que j'étais restée aussi méchante qu'à l'époque où je les gardais et il a raccroché. J'ai rappelé quelques jours plus tard, mais dès qu'il a entendu ma voix, il s'est exclamé : "Ne me rappelez plus, espèce de sorcière", et il a coupé. Je n'ai jamais raconté ça à Franck, mais je crois qu'Antoine s'en est chargé, car Franck faisait des allusions, du genre : "Il y a des coups de fil qu'il ne faut jamais passer." Il a commencé à me faire un peu peur. Et puis, un jour, il m'a annoncé qu'il s'était vengé de son frère. Peu après, il m'a présenté Élodie. Devant moi, il l'a embrassée sur la bouche, en me disant que c'était "l'amour de sa vie". Je ne la connaissais pas, mais quelque chose m'a mise mal à l'aise, je n'ai pas su quoi sur le coup, ce n'est qu'après qu'il m'a dit qu'elle était en fait la fiancée d'Antoine, et qu'il la lui avait prise. J'étais horrifiée, je lui ai demandé pourquoi il faisait une chose pareille. Il m'a répondu, tout sourire, qu'il fallait bien qu'il le fasse souffrir après tout ce qu'il lui avait fait endurer et que, là, il avait réussi… Il a même ajouté qu'il n'en avait pas fini avec lui.

— J'en étais sûr, murmure Pauchon. Franck a eu une liaison avec Élodie pour se venger de son frère…

— À partir de ce moment-là, j'ai à nouveau pris mes distances avec Franck. Il m'effrayait, je ne voulais plus le voir.

— Et lui, il n'a pas essayé de vous voir ?

— Oh que si, plusieurs fois… Mais je ne lui ouvrais plus. Deux fois, en rentrant chez moi un peu tard, je l'ai trouvé qui attendait devant l'immeuble, et j'ai préféré repartir et aller dormir à l'hôtel. Je ne me sentais pas tranquille ; quand je sortais, j'avais peur de le croiser.

316

Il venait glisser sous ma porte le montant du loyer, et il repartait, mais j'avais l'impression qu'il me surveillait. Et puis récemment… »

Elle hésite un instant. Le jeune lieutenant l'encourage :

« Oui ? Que s'est-il passé ?

— C'était il y a une dizaine de jours. Un soir, vers neuf heures. On a sonné à la porte. J'ai d'abord cru que c'était lui. J'étais décidée à lui demander de partir. Par précaution, j'ai mis la chaînette de sécurité avant d'entrouvrir la porte. Et vous savez qui était là, le visage défait, toute tremblante ?

— Élodie ? C'était elle, n'est-ce pas ?

— Oui, la pauvre jeune fille était… Comment dire ? Paniquée, à bout, cassée… Un peu de tout ça à la fois.

— Et vous l'avez accueillie.

— Cachée, plutôt. Elle fuyait Franck et elle ne savait pas où aller. Elle m'a raconté qu'elle l'avait croisé devant chez elle quelques heures plus tôt et qu'elle avait pris la décision de le fuir. Elle était affolée, elle ne parvenait pas à comprendre, nous passions des heures, nos journées à parler de ce monstre.

— Et à propos d'Antoine, qu'est-ce qu'elle disait ?

— Elle se sentait coupable, honteuse. Elle parlait de lui comme d'un garçon bien. Je ne sais pas si elle l'aimait encore, mais elle disait que c'était fini entre eux. Leur relation était devenue impossible, à cause de Franck.

— C'est donc chez vous qu'elle a passé tout ce temps…

— Oui, j'imagine qu'avec moi, elle se sentait en sécurité. En tout cas au début. Ensuite, c'est devenu plus compliqué. Franck n'arrêtait pas de téléphoner. Elle me faisait écouter ses messages. Il voulait la revoir, il disait qu'il l'aimait, qu'elle devait le croire.

— Elle ne lui a jamais parlé ?

— Jamais.

— Vous en êtes certaine ?

— Dans cette histoire, on ne peut être certain de rien. Je n'étais pas constamment à la surveiller, mais elle me disait tellement de mal de Franck…

— Et dans les messages, il la menaçait ?

— Non, jamais. Ces appels ébranlaient cette pauvre Élodie. Elle ne savait pas quoi penser. Si je n'avais pas été là, je crois qu'elle aurait cédé… Il est impossible de résister à Franck, monsieur.

— Est-ce qu'il est possible que les appels soient venus d'Antoine ? avance Pauchon.

— Je n'y ai jamais pensé, pour ma part, et pour elle, ça ne pouvait être que Franck… Mais forcément, maintenant…

— Maintenant ?

— Antoine a avoué, n'est-ce pas ?

— C'est exact… » Devant le silence de la vieille dame, Pauchon juge préférable de ne pas s'attarder sur ce point. « Mais revenons à Élodie. Elle n'est pas sortie, pendant cette dizaine de jours ?

— Jamais. Jusqu'à cet horrible soir, quand elle a été tuée.

— Vous étiez absente ?

— Non, non, j'étais là. Elle avait préparé du thé. On était au salon. Elle allait de mieux en mieux. Depuis deux ou trois jours, elle commençait à parler de rentrer chez elle. Il devait être dix-sept heures quand son téléphone a sonné. Elle a regardé le nom qui s'affichait. Je me suis dit que ça n'était pas Franck, sinon elle n'aurait pas répondu. Elle s'est isolée dans ma chambre pour parler. Quand elle est revenue, elle m'a dit que c'était une amie, qu'elle allait sortir la retrouver. Cet appel semblait lui avoir fait du bien, elle était toute souriante, elle a plaisanté. Du coup, je n'ai pas pensé à la retenir, ça me faisait plaisir de la voir comme ça. Elle s'est faite toute belle pour sortir. Comment est-ce que j'aurais pu me douter ?... Je ne me suis même pas inquiétée quand je ne l'ai pas vue rentrer.

— Elle ne vous a pas dit qu'elle allait rejoindre Franck ou Antoine, vous en êtes certaine ?

— Non... Et ça ne m'est pas venu à l'esprit, c'était tellement impensable ! Elle était vraiment heureuse, impatiente de sortir. Franck la terrorisait ! J'étais à cent lieues d'imaginer que ça puisse être lui. Je ne sais pas ce qu'il a bien pu lui raconter... Mais ça a marché...

— Et elle ne vous a pas dit qu'elle allait passer chez elle ?

— Non plus, j'en suis sûre. »

À présent, le lieutenant Pauchon réfléchit à haute voix, en cherchant des yeux l'approbation de la vieille dame :

« Et donc, elle avait rendez-vous chez elle, avec son assassin... Et si c'était Antoine qui l'avait appelée ?

— Non. Je n'arrête pas d'y penser depuis que j'ai appris ce qui s'est passé. Mais cette petite, j'ai passé des journées entières avec elle et j'ai fini par bien la connaître. Je vous le dis, et c'est tellement triste, il n'y a que Franck qui ait pu la mettre dans cet état.

— Que voulez-vous dire ?

— Je pense que cet homme avait une emprise perverse sur elle. Et qu'elle a fini par céder. Franck agit sur vous comme une espèce de gourou. Et si je m'en veux autant aujourd'hui, c'est de ne pas m'en être aperçue.

— Aperçue de quoi ?

— Qu'en dépit de ce qu'elle prétendait, Élodie ne pouvait pas se détacher de lui. Elle était sa chose... Il la manipulait comme il m'avait manipulée moi... Et Antoine aussi, sans doute... Comment ai-je pu ne pas m'en rendre compte ? explose-t-elle.

— Il est toujours difficile d'accepter l'inacceptable, madame Daout. »

Elle prend la main du jeune lieutenant et la serre avec toute l'énergie de son désespoir : « Oui, hélas, vous avez sans doute raison... Mais je me sens responsable de sa mort. Si je l'avais retenue, elle serait toujours vivante. Je ne me le pardonnerai jamais. Et en plus, maintenant...

— Oui ? maintenant ?

— Maintenant qu'Antoine a avoué... Il est trop tard. Franck a gagné. Mais je ne crois pas sa version. Il ne s'est pas vengé à cause du mal que son frère lui aurait fait. La réalité est bien pire : depuis leur petite enfance, Franck s'est appliqué à détruire son frère. Il a détruit la vie de son frère, et celle de ses parents. Le mal est ancré en lui. À l'époque où Sophie m'a demandé de m'occuper de ses enfants, je ne suis pas parvenue à le confondre. Je n'arrivais pas à admettre que Franck était vicieux et entraînait son frère dans ses jeux pervers. Antoine était lui aussi sous son emprise. Mais il y avait eu cet épisode avec le chien, qui l'a démasqué. Et malgré ça, il a réussi à se faire passer pour une victime ! Auprès de moi, et auprès d'Élodie ! Et aujourd'hui, il est parvenu à ses fins, conclut-elle dans un souffle.

— Tout ce que vous venez de me raconter, vous l'avez dit au commissaire Laforge ?

— Oui, mais je ne sais pas si je l'ai convaincu. J'ai eu l'impression qu'il ne me croyait qu'à moitié. Son opinion est faite : Antoine est le coupable, et toutes les questions qu'il m'a posées allaient dans ce sens.

— Vous lui avez bien expliqué qu'Élodie était venue se réfugier chez vous ? insiste le lieutenant.

— Bien sûr, je lui ai dit tout ce que je vous ai dit, pourquoi lui aurais-je caché ? Qu'Élodie couchait avec Franck, et à quel point elle avait peur de lui.

— Comment a-t-il réagi ?

— Il notait tout, mais il m'a dit comme vous, que c'était Antoine qui l'avait appelée, et que c'était Antoine qui la manipulait. Il m'a posé beaucoup plus de questions sur la façon dont ils se comportaient lorsque je les fréquentais, à leur adolescence. Cette période et cette relation particulière semblaient l'intéresser au plus haut point.

— Vous lui avez dit que vous êtes certaine de la culpabilité de Franck ?

— Bien sûr, à de nombreuses reprises. Mais il n'avait pas l'air d'écouter. C'est quelqu'un d'étrange, votre chef...

— C'est un enquêteur très réputé, dit Pauchon, mais sans grande conviction.

— Si vous le dites...

— Donc c'est pour ça que vous êtes venue ici, ce soir. Vous espériez trouver des preuves ?

— C'est sûrement idiot, mais il le fallait. Je ne peux pas abandonner Antoine et laisser ce monstre triompher.

— Et, ces preuves, vous les avez trouvées ?

— Oui, comme vous, dans son ordinateur… mais qu'est-ce que cela vaut, maintenant ? Rien, rien du tout, puisque Antoine a tout avoué. »

Elle reprend sa main, fixe le lieutenant de ses yeux humides. Elle murmure, comme une supplique : « Mais vous, vous me croyez, n'est-ce pas ? »

Il s'apprête à répondre que oui, que les choses ne vont pas finir ainsi, lorsqu'ils entendent le bruit d'une clef dans la serrure. Pauchon se lève d'un bond. Catherine Daout pâlit.

« C'est lui ! »

Elle qui a montré tellement de sang-froid jusque-là, s'affole soudain, semble vouloir fuir, traquée.

« Restez calme, je suis là », ordonne Pauchon, en la faisant rasseoir fermement.

Franck apparaît dans l'encadrement de la porte d'entrée. Il prend le temps de se débarrasser de son blouson trempé et ce n'est qu'une fois qu'il l'a jeté à terre qu'il s'étonne, d'une voix presque enfantine :

« Qu'est-ce que vous faites ici ?

— Je suis venu vous arrêter, monsieur Deloye. »

Pauchon n'oubliera jamais le sourire qui illumine alors le visage du jeune homme.

36

Lorsqu'il pénètre dans le bureau de Laforge, après avoir attendu quelques secondes derrière la porte, Brunet le trouve penché sur un dossier qu'il referme aussitôt.

Brunet parcourt la pièce des yeux, dévisage son chef, cherche les indices d'une de ses crises de violence habituelles. Rien. Le divisionnaire est étonnamment serein, il envoie une bouffée de fumée dans sa direction.

« Eh bien, tu lui as porté le coup de grâce, à Deloye, chapeau, s'exclame Brunet en préambule.

— Je t'écoute, Étienne, qu'est-ce qui se passe ?

— J'ai envoyé Pelletier fouiner à nouveau chez Deloye.

— Lequel ?

— Antoine, bon sang. Je te rappelle que c'est lui l'assassin !

— Oui, oui. Et puis ?

— L'appartement est tapissé de photos d'Élodie. Il y en a même où elle est nue.

— Ça a dû lui plaire, à Pelletier. Bon, et à part ça, qu'est-ce que notre champion a trouvé ? dit-il avec brusquerie.

— Oh, Robert, du calme !

— Je suis calme. OK, je t'écoute.

— Pelletier a découvert trois choses particulièrement intéressantes. Petit un, cinq ou six photos sordides d'hommes, de femmes et d'animaux mutilés, la gorge tranchée. D'après Pelletier, il a dû les trouver sur Internet, elles ont été imprimées sur des feuilles A4 sur une imprimante basique. Apparemment, notre poulain apprécie ce genre de clichés.

— En effet, Deloye aime la photographie d'art, de toute évidence. Pas de nanas à poil *et* décapitées, tant qu'à faire ? »

Brunet sent l'impatience le gagner. Il a beau connaître Laforge, et sa façon de fonctionner, il ne comprend pas son ironie, et ça l'agace. Cette pauvre fille mérite un peu plus de décence, après tout…

« Tu as fini ? Je continue ? reprend-il.

— Pourquoi ? Tu t'étais arrêté ?

— Écoute, Robert, soit tu m'écoutes, soit je me casse.

— Je t'écoute… Ne t'énerve pas. C'est passionnant… Qu'est-ce qu'il a encore découvert, notre as de la perquise ?

— Tu me fais chier, je me tire, rétorque Brunet en tournant les talons. Si tu as besoin de moi, je suis dans mon bureau.

— Tu restes ! »

C'est plus qu'un ordre. Le ton de Laforge est glacial, si coupant que Brunet se fige. Il reste immobile, tout près d'exploser. Finalement, il se retourne et dévisage son supérieur d'un œil noir. Cela ne dure qu'une seconde, une longue seconde durant laquelle les deux hommes s'affrontent du regard. Une seconde où trente années de collaboration semblent sur le point de basculer.

Laforge rompt le silence, à présent amical :

« C'est bon, je t'écoute, Étienne. »

Brunet se dirige lentement vers le canapé et prend place.

« Petit deux : Pelletier a trouvé la trace de l'achat de la hache. Un ticket de caisse pour du matériel de bricolage datée d'il y a trois jours, au Bricorama de Boulogne. Enfin, petit trois, encore mieux : une longue lettre adressée à son frère où il promet de se venger. Elle est datée d'hier. Pelletier me l'a lue au téléphone. C'est une déclaration de haine comme j'en ai rarement entendu. Ça confirme ce que tu lui disais tout à l'heure. Ce n'est pas la fille qu'il voulait massacrer, mais son frangin. Pelletier est en route, il nous rapporte tout ça. Bonne pêche, non ? Nous allons avoir droit aux félicitations du juge. Il a un dossier en béton !

— Ouais, on est des champions…, soupire son patron.

— Cache ta joie ! » s'agace Brunet.

Laforge demeure de marbre. Il demande : « Pelletier t'a dit où Deloye avait planqué tout ça ?

— Il a trouvé le tout plié en deux dans un bouquin. Un dictionnaire.

— Tiens donc, dans un bouquin ? s'étonne Laforge. Et on n'a rien vu quand les gars ont fouillé cet après-midi ?

— Faut croire… Mais ils étaient surtout concentrés sur les vêtements.

— Rien de plus ? »

Cette fois, Brunet explose :

« Comment ça, rien de plus ? Pelletier trouve trois preuves qui confirment les aveux de ce fumier, et ça ne te suffit pas ?

— Et tu ne trouve pas curieux que Deloye n'ait pas détruit ces fameuses preuves ? »

Il y a un voile de lassitude dans le regard que Laforge adresse à son bras droit.

« Franchement, Étienne, il y a des moments où je me demande si tu vois plus loin que le bout de ton nez. Je te dis ça en toute amitié…

— Et moi, je te dis en toute amitié que tu cherches la petite bête et que tu déconnes à pleins tubes !

— Tu ne trouves pas que tout cela est trop facile ? Ça ne te gêne pas qu'Antoine Deloye ait laissé traîner des preuves aussi compromettantes ? Bien pliées toutes ensemble dans son dico ? Tu le crois si con ?

— Non, Robert. Désolé, mais je ne trouve pas. Deloye a avoué, et Pelletier rapporte de quoi convaincre le juge sans le moindre doute. On a vu des gars plus malins faire de plus grosses bourdes, et tu le sais aussi bien que moi ! Antoine se prend pour le maître du monde. Il n'a pris aucune précaution. Il n'a même pas pensé aux caméras vidéo, il nous a servi un alibi bidon, il n'a pas pensé aux factures ! Tout juste s'il a pensé à cacher les photos, parce que comme c'est un malade, il n'a pas pu se résoudre à les détruire, et il a cru que ça suffirait ! Il nous prend pour des cons depuis le début, et oui, tout ça suffit amplement au flic qui ne voit pas plus loin que le bout de son nez !

— Allons… Ne te fâche pas… Tu diras à Pelletier et à tous les gars qu'ils ont bien bossé, l'arrête Laforge.

— Donc, insiste Brunet, je mets Deloye en cellule ?

— Non, laisse-le où il est pour le moment. Je veux encore le voir.

— Qu'est-ce que tu mijotes ? Putain, Robert, on a tout ce qu'il faut pour que ce mec prenne perpète ! Qu'est-ce qu'il te faut de plus ?

— Rien… Tu as raison. À la première heure, on le défère devant le juge. L'affaire est terminée. Tu peux dire aux gars de rentrer chez eux.

— Eh ben voilà, putain ! s'exclame Brunet. C'est fini, Robert. On l'a coincé, et dans un temps record ! S'il n'était pas si tard, j'irais chercher une bouteille de champagne pour fêter ça ! »

Il va à la porte mais, au moment de sortir, il se ravise :

« Au fait, pourquoi tu as vouvoyé Deloye tout à l'heure, quand on est partis ?

— Vouvoyé ? Je ne m'en souviens pas. Ça a dû m'échapper », répond Laforge d'un ton bref, en rouvrant son dossier pour en sortir quelques pages agrafées.

Ces pages, c'est le rapport rédigé des années plus tôt par le professeur Gloaguen, le spécialiste qui avait examiné les jumeaux Deloye dix-sept ans auparavant. Catherine Daout lui avait raconté cet épisode. Il avait réussi à joindre le médecin, malgré l'heure tardive, et lui avait demandé de retrouver son rapport et de le lui adresser toutes affaires cessantes. Il vient juste de le recevoir.

Mais ça, Brunet l'ignore. Pour l'heure, il ne pense qu'à dire aux gars que la journée est enfin terminée.

37

De mémoire de commissariat, on n'a jamais assisté à une telle pagaille que lorsque le lieutenant Pauchon franchit la porte en poussant devant lui un jeune homme menotté dans le dos. Deloye a la tête droite, l'air goguenard de celui qui sait qu'il n'a rien à faire là. Derrière lui vient la vieille dame que le patron a reçue quelques heures plus tôt. Elle semble résolue, comme si elle faisait corps avec le policier qui la précède.

Le moment où ils apparaissent est précisément celui où les hommes de Laforge s'apprêtent à quitter les locaux en troupeau triomphant.

La stupéfaction ne dure que quelques secondes, avant qu'ils réagissent d'un seul élan devant la bourde colossale de leur collègue.

« Détache-le, lui intime Garlantezec dans le brouhaha général. Grouille !

— Pas question », se borne à répondre Pauchon avec assurance. L'animosité qu'il sent monter autour de lui ne semble pas l'impressionner.

Les jurons fusent, on le traite d'imbécile, d'irresponsable, de petit cowboy à la con. Les hommes l'entourent, tentent de mettre Franck à l'écart. Mais il le tient fermement. « Je dois voir Laforge », annonce-t-il. On lui promet la colère du patron.

« Laisse tomber, ou tu vas t'en mordre les doigts », déclare Deltil.

— C'est lui le coupable, proclame-t-il.

— Le coupable a déjà avoué, imbécile. »

C'est la voix de Brunet qui descend depuis le haut de l'escalier, imposant immédiatement le silence.

Pauchon lève les yeux vers lui :

« Le mien ne va pas tarder à faire de même, commissaire. »

Les mois qui suivirent le départ de Franck furent les plus paisibles qu'ils aient connus depuis longtemps. C'était comme si une vraie famille s'était enfin formée. Jamais ils n'évoquaient Franck. Même lorsque Philippe et Sophie se retrouvaient dans la solitude de leur chambre, ils n'en parlaient pas. Ils avaient effacé de leur vie l'existence de leur deuxième fils et ne cherchèrent jamais à savoir ce qu'il devenait. Franck n'existait plus et ils ne regrettaient pas son absence.

La réaction d'Antoine, privé de ce double dont il n'avait jamais été séparé jusqu'alors, les inquiéta dans un premier temps. Mais de le voir apaisé, comme soulagé, les conforta dans leur décision. Ils ne se disaient pas que leur fils n'avait que quinze ans, qu'ils l'avaient mis à la rue, sans ressources ; ils n'avaient aucun remords et ne se souciaient pas de ce que pouvaient penser leurs voisins ou les quelques amis qui leur restaient.

À quoi bon tenter de leur expliquer ? Personne n'aurait pu comprendre leur décision, et croire qu'ils avaient tant d'années de doutes, d'inquiétudes et de souffrance derrière eux. Ils revivaient, et c'était tout ce qui comptait à leurs yeux.

Ils ignoraient quelque chose, qui les aurait dévastés.

Antoine retrouvait régulièrement son jumeau. Ce fut lui qui, dans un premier temps, lui permit de survivre. Il le voyait tous les jours, lui apportait de quoi se nourrir.

Lequel des jumeaux avait eu l'idée le premier ? Si on leur avait demandé, ils auraient sans doute été eux-mêmes incapables de répondre.

C'était comme un jeu, ce jeu qui n'avait jamais cessé depuis qu'ils étaient enfants.

Personne ne le sut jamais. Et leurs parents ne se doutèrent jamais de rien.

Les deux jumeaux échangeaient leurs places. Dans les vêtements de son frère, Franck revenait à la maison, se comportait en fils parfait, tandis qu'Antoine allait rejoindre la famille d'accueil où son jumeau avait été placé et endossait le rôle de l'adolescent en rupture avec les siens.

Cela dura plusieurs mois, jusqu'à la mort de Philippe et de Sophie, le 18 janvier de l'année qui suivit.

Le décès advint entre deux heures et trois heures et demie du matin, selon le rapport d'autopsie transmis des années plus tard au commissaire Laforge par le brigadier-chef Pujol. Ils étaient morts dans leur sommeil, après avoir absorbé des émanations de monoxyde de carbone. Les enquêteurs mirent l'accident sur le compte du poêle de la chambre que, d'ordinaire, les époux Deloye n'utilisaient jamais. Antoine, qui ne s'était aperçu de rien, confirma que ses parents n'aimaient pas dormir avec le chauffage et préféraient une chambre fraîche. Mais les nuits de janvier avaient été glaciales, cette année-là, et ils avaient allumé ce chauffage sans avoir la prudence de vérifier son état. L'expertise avait été formelle : le poêle, même s'il n'était pas si ancien, était défectueux et n'aurait pas dû être mis en route sans une bonne révision.

Antoine avait échappé au même sort funeste parce qu'il dormait désormais au sous-sol. À près de seize ans, il avait obtenu le droit moins d'un mois plus tôt de quitter sa chambre exiguë du premier étage pour déménager au sous-sol son univers d'adolescent. À trois semaines près, il n'aurait plus été de ce monde, lui non plus. Les vapeurs toxiques avaient stagné à l'étage, filtrant toutefois au grenier où elles avaient asphyxié Billy, le petit chat qu'ils avaient adopté. Mais elles n'étaient pas descendues et avaient épargné le sous-sol. Antoine en avait été quitte pour de violentes migraines pendant quelques jours. Il avait dû être hospitalisé d'urgence, tant il avait été choqué par la découverte des corps sans vie de son père et de sa mère, à tel point que la police n'avait pu l'interroger que deux jours plus tard. L'interrogatoire, mené à l'hôpital Necker en présence des grands-parents du garçon, avait été bref. À quoi bon martyriser un adolescent déjà dévasté par sa découverte macabre, et qui venait de perdre les deux seules personnes qui lui restaient dans la vie ? De toute façon, les experts de la scientifique avaient déjà conclu. Il s'agissait d'un accident.

38

L'agitation qui secoue le commissariat n'est pas parvenue jusqu'au commissaire Laforge. La porte capitonnée isole son bureau de tout bruit extérieur. Il avait exigé son installation lorsqu'il avait été nommé ici. Son prédécesseur avait pour habitude de laisser sa porte ouverte. Pas lui. Sa porte reste toujours close et nul n'oserait la franchir sans en avoir obtenu l'autorisation.

Voilà pourquoi, tandis qu'il se concentre sur le rapport du professeur Gloaguen, il ne perçoit rien du brouhaha qui s'est déclenché trois étages plus bas.

Les hommes fulminent autour du lieutenant Pauchon. Après cette nouvelle provocation, c'en est fini de sa place dans leur brigade. Ses jours étaient comptés, désormais il est mort, lui jette Deltil au visage. Pauchon se contente de répondre par un sourire davantage chargé de certitude que de défi.

Mais son assurance n'ébranle personne. Devant cette obstination suicidaire, ils le traitent en paria et, sans même attendre un ordre de Brunet, ils font cercle pour l'empêcher d'avancer tandis qu'ils entourent Franck pour l'entraîner à l'écart. Pauchon hurle le nom de Laforge.

« Pauchon, tu vas la fermer maintenant, le patron ne t'entend pas », lui enjoint Garlantezec, qui le plaque contre le mur. Avec une telle rudesse qu'il déchire l'affiche qui promet un avenir doré à ceux qui s'engagent dans la police.

« Foutez-le dehors, ordonne Brunet du haut des marches. Je ne veux plus voir ta gueule, Pauchon. »

Le jeune lieutenant peine à respirer. D'un mouvement de tête, il désigne Franck Deloye que Deltil délivre de ses menottes : « Je sais que j'ai raison, ce gars est en train de nous baiser », parvient-il à murmurer. Mais personne ne prête attention à ses affirmations, qui apparaissent à tous arrogantes et vaines.

Pauchon redresse la tête pour chercher des yeux Catherine Daout par-delà les hommes furieux qui le poussent sans ménagement vers la sortie. Elle, elle leur dira qu'il a raison. Mais il ne la trouve pas. S'il pouvait tourner la tête, il la verrait s'approcher de l'escalier. Profitant de ce que personne ne s'intéresse à elle, elle gravit les marches. Lorsqu'elle arrive à hauteur de Brunet, il s'interpose, la surplombant de son impressionnante stature.

« Laissez-moi passer », dit-elle simplement.

Brunet est interloqué par la détermination de la vieille dame. « Où allez-vous, madame ?

— Voir le divisionnaire Laforge, commissaire. »

Il s'apprête à lui expliquer l'inutilité de sa tentative, mais, sans trop savoir pourquoi, il se résigne et s'écarte. « Comme vous voudrez… » Elle le contourne, poursuit sa montée. Il la regarde disparaître en secouant la tête, laisse échapper un « vieille folle » exaspéré, se demande si elle l'a entendu. Puis il se penche et aperçoit Pauchon au milieu de la cour. Le jeune lieutenant ne résiste plus aux deux hommes qui l'entraînent vers la rue. À le voir aussi calme, Brunet comprend immédiatement qu'il n'a pas renoncé. Il reviendra, c'est évident. « Quel petit con entêté ! » peste-t-il en lui-même.

Enfin, il se tourne vers Franck Deloye. Le jeune homme est assis dans un coin du hall d'accueil. On lui offre un gobelet d'eau qu'il vide d'un trait. Il frotte ses poignets endoloris, l'air soulagé mais choqué par l'épreuve. Est-ce l'effet de la fatigue ou Brunet distingue-t-il vraiment un imperceptible sourire sur son visage ?

Il l'entend dire : « Il est complètement cinglé, votre collègue… »

Parvenue au troisième, Catherine Daout reprend son souffle. Elle parcourt le couloir des yeux. Elle ouvre une première porte, une deuxième, elle ne parvient plus à se rappeler où se trouve le bureau du divisionnaire. La cinquième tentative est la bonne : la porte est lourde et c'est à deux mains qu'elle doit la pousser.

Le commissaire laisse échapper les papiers qu'il est occupé à relire. Il s'apprête à invectiver celui qui ose entrer sans s'annoncer, mais se tait en reconnaissant la vieille dame. Impassible, il rassemble soigneusement les feuillets éparpillés à ses pieds avant de dire :

« Fermez la porte, madame Daout. »

Le silence dans lequel est plongé le bâtiment surprend Laforge, tandis qu'il redescend vers la salle d'interrogatoire. La lumière des néons et la fatigue le rendent encore plus effrayant. Il réalise que c'est la nuit, qu'il est tard et que les hommes ont déserté le bâtiment. Sauf Brunet. Il n'est pas dans son bureau, dont il a laissé la porte grande ouverte, mais Laforge le connaît bien, il sait que son second n'est pas rentré chez lui et l'attend patiemment, assis quelque part. Il est ainsi, il ne partira pas avant de savoir ce que la vieille dame a bien pu lui raconter pendant ces longues minutes où ils sont restés ensemble derrière la porte close. Il est même sûr que Brunet est resté quelque temps dans le couloir, hésitant à les rejoindre discrètement dans le bureau, choisissant finalement de n'en rien faire.

Laforge entend les pas légers et le souffle un peu court de la vieille dame qui marche derrière lui. Cette fois, il n'a pas eu besoin d'insister pour qu'elle le suive. C'est elle qui a demandé à l'accompagner.

Il ouvre la porte de la salle d'observation. « Attendez-moi ici, je vous ferai signe », ordonne-t-il. Puis, à l'instant de quitter la pièce, il se retourne :

« Je fais ça pour vous, madame. Pour nous, les flics, l'enquête est finie. On a notre coupable. Et c'est celui que vous voyez là. »

Elle a un petit frisson en découvrant Antoine de l'autre côté de la vitre sans tain. Il se tient droit, immobile sur sa chaise. Ses yeux trop clairs sont rouges et gonflés, seules ses mains s'agitent, caressant dans un va-et-vient incessant la table de fer.

« Qu'en pensez-vous ? demande Laforge.

— Il a l'air fatigué.

— C'est tout ? s'étonne-t-il.

— Oui, c'est tout. »

Elle lui redit avec obstination : « Je voudrais lui parler.

— Vous lui parlerez, assure-t-il. Mais j'y vais d'abord seul. Je veux que vous l'entendiez. Je vous l'ai dit dans mon bureau, et je vous le répète ici : je ne suis pas convaincu par ce que vous m'avez raconté sur Franck Deloye. Qu'il soit un individu déséquilibré lui aussi, et peut-être même pire que son frère, cela n'a plus d'importance. Il n'a pas tué Élodie. Nous avons le coupable, ses aveux sont précis, circonstanciés. À ce stade, il n'y a aucune raison de les mettre en doute. Cependant, j'accepte une dernière tentative, ou plutôt un dernier interrogatoire avec lui. Mais, je vous le répète, je ne le fais que pour vous, madame. »

Laforge préfère taire ses véritables intentions. Il ne veut pas laisser paraître ses doutes devant cette vieille dame têtue, et il espère les chasser définitivement dans cette ultime confrontation.

Il indique du menton les chaises dispersées dans la pièce, mais elle reste debout, s'approchant au plus près de la vitre. Elle y pose sa main. Antoine relève la tête, scrute le miroir dans sa direction, comme s'il avait senti une présence derrière. Elle recule.

« N'ayez aucune crainte. Il ne vous voit pas. Le miroir est totalement opaque.

— J'ai de la peine pour lui, murmure-t-elle.

— Il ne faut pas, madame… Cet homme, si on peut appeler cela un homme, ne mérite pas votre peine. »

Antoine Deloye se lève d'un bond en entendant la porte s'ouvrir. Il est retenu par la menotte qui le lie au pied scellé de la table. Il reste pourtant debout, le dos voûté, son grand corps tourné en direction de Laforge, et son attitude dégage une énergie brutale, presque bestiale. Il donne l'impression d'être prêt à se jeter sur le commissaire. Il s'insurge :

« Que me voulez-vous encore, commissaire ? J'ai avoué, je vous ai tout dit. Foutez-moi la paix ! Qu'est-ce que vous attendez pour me mettre en taule ? »

Le commissaire reste de marbre. D'un geste de la main, il lui fait signe de se rasseoir. Mais le jeune homme résiste avec un air de défi. Laforge n'insiste pas. Il le frôle presque pour contourner la table et, sans le quitter des yeux, il s'assied. Il sait que, derrière lui, Catherine Daout ne perd rien de l'affrontement.

Il va agir comme il s'est engagé à le faire auprès d'elle. Il attaque : « Pourquoi défends-tu ton frère ?

— Moi, je défends mon frère ? Qu'est-ce que vous racontez ? Je vous l'ai déjà dit : mon frère n'existe plus pour moi, je ne veux plus en entendre parler. Tuer Élodie pour le faire condamner aurait été une victoire pour moi. Mais ça n'a pas marché comme je le voulais. Point final ! »

Il siffle ces mots avec hargne. Son poing s'abat sur la table. Il tape, encore et encore, à se fracasser la main. Puis il expédie la chaise contre le mur d'un coup de pied. Le commissaire se lève, récupère la chaise et la replace à côté d'Antoine. Ils sont si près l'un de l'autre, le jeune homme pourrait le frapper de sa main libre.

« Tu ferais mieux de te calmer, mon garçon, dit-il sans reculer. Et je te répète ma question : pourquoi défends-tu ton frère, ou si tu préfères, pourquoi t'accuses-tu à sa place ? »

Antoine s'abandonne d'un coup. Il se laisse tomber sur sa chaise :

« J'ai tué Élodie. Ne cherchez pas plus loin.

— Non.

— Quoi, non ?

— C'est Franck qui l'a assassinée. Tu le sais parfaitement. Depuis votre enfance, tu es son jouet. Il fait de toi ce qu'il veut. »

Antoine hoche la tête, plus par lassitude que par défi.

« Vous vous trompez complètement, commissaire. C'est l'inverse. C'est moi qui fais de lui ce que je veux. Écoutez-moi bien, enregistrez ou prenez des notes, si ça vous chante. C'est moi qui ai tué ma sœur, j'ai aussi tué mes parents. J'ai massacré le chien. J'ai tout fait pour que mes parents foutent Franck à la porte et le rayent de leur vie. Et j'ai réussi. Ensuite, c'est moi qui ai poussé Franck à coucher avec cette conne d'Élodie. Voilà la vérité. Inutile de chercher plus loin. Je ne défends pas mon frère. C'est une idée ridicule… Mais ne pensez pas que j'ai perdu.

— Ça en a tout l'air, pourtant !

— Détrompez-vous, commissaire, sans moi… » Il laisse sa phrase en suspens.

« Sans toi ? reprend Laforge.

— Sans moi, c'est Franck qui a perdu. Il n'est rien… Rien du tout ! »

Laforge ne se démonte pas. Il se penche par-dessus la table, approche son visage au plus près de celui du jeune homme :

« Toi qui es si malin, explique-moi pourquoi tu t'es fait avoir, cette fois ? Tu as merdé ?

— En effet, commissaire, vous pouvez le dire : j'ai merdé.

— Tu as conscience que tu vas passer des années en taule à la place de ton frère ?

— J'ai tué Élodie, commissaire, je le mérite ! »

Laforge, sans se dissimuler, adresse un geste d'impuissance à la vitre sans tain.

« Qui est là derrière ? demande Antoine.

— Moi ! »

La voix résolue de Catherine Daout résonne à l'entrée de la pièce. Elle n'a pas attendu que le commissaire lui fasse signe pour accourir.

Antoine se retourne. Il sourit :

« Madame Daout, il ne manquait que vous ! Ça me fait plaisir de vous voir, après tant d'années. Je vous croyais morte ! »

Il la toise du regard : « Vous avez drôlement vieilli. Il faut dire, je vous en ai fait voir. Ah, ça, je peux dire que je me suis régalé. Je ne le regrette pas.

— À moi tu ne mentiras pas, Antoine. »

40

Lorsque, trois quarts d'heure plus tard, il pénètre dans le bureau de son chef, c'est Catherine Daout que le commissaire Brunet voit en premier. Elle occupe sa place favorite, dans le canapé. Il choisit de rester debout. Appuyé au mur, un peu courbé, mais attentif à tout.

Franck Deloye le précède dans la pièce. Hervé Pauchon est là, il se tient en retrait, sur le côté. Comme il l'avait prévu, le jeune lieutenant est revenu, après avoir attendu que les collègues de la brigade aient quitté le commissariat. Jeff Rial, de permanence de nuit à l'accueil, n'a pas tenté de l'empêcher de monter, se contentant simplement d'avertir Brunet. Trop tard de toute façon pour lui barrer la route du bureau de Laforge. Pauchon s'est imposé, accompagné de Franck Deloye. Sans même frapper à la porte.

Brunet n'aime pas le regard complice qu'échange Pauchon avec la vieille dame. Comme un remerciement. Ces embrouilles ne présagent rien de bon.

« Messieurs, nous avons un problème, annonce Laforge.

— Quel genre de problème, commissaire ? demande Franck, en s'asseyant d'autorité face à lui.

— Un problème sérieux, monsieur Deloye. »

Franck fait mine de découvrir la vieille dame, silencieuse, sur sa gauche. Il s'efforce de cacher sa contrariété : « Que se passe-t-il, madame Daout ? s'exclame-t-il d'un ton de défi. Vous continuez à vous mêler de ce qui ne vous regarde pas ? Décidément, vous êtes décevante. »

Elle soutient son regard transparent : « J'ai dit la vérité, Franck. Ni plus, ni moins.

— La vérité ? Comme vous y allez, Catherine ! Et quelle est cette vérité ? Votre vérité ?

— Je sais que c'est toi.

— Moi ?

— Je sais que tu as tué Élodie.

— Vous êtes folle ! Vous ne la croyez quand même pas, commissaire ? »

Laforge les interrompt avec fermeté :

« Le problème sérieux, Deloye, c'est que votre frère est revenu sur ses aveux. Il maintient ses accusations contre vous. »

Le visage de Franck s'affaisse. Il hoche la tête avec dépit : « Et vous, vous le croyez !

— Putain de merde, Robert, s'emporte Brunet, ne me dis pas que tu t'es fait rouler par ce fumier d'Antoine. Reviens sur terre !

— Reste calme, Étienne. Je n'ai pas dit que je le crois, j'ai simplement dit qu'il était revenu sur ses aveux et que nous avons un sérieux problème. »

Brunet redresse ses deux mètres. « Je préfère ça, bougonne-t-il, ce type cherche à nous embrouiller depuis le début. »

Pauchon est resté silencieux, témoin satisfait de la scène. Maintenant, il est temps d'intervenir. Il désigne Franck de l'index :

« Patron, j'ai trouvé de quoi le confondre, déclare-t-il. Il y a plusieurs preuves contre lui. Laissez-moi vous montrer. »

Son assurance naïve et son air satisfait font enrager Laforge.

« Toi, tu disparais !

— Quoi ? Vous me virez alors que je vous apporte de quoi envoyer ce type aux assises ? Écoutez-moi, au moins.

— Fous le camp. Je ne veux plus de toi dans ma brigade. »

Hervé Pauchon demeure interdit. Comment ce flic qu'il admire tant, au côté duquel il a rêvé de faire carrière, peut-il réagir de manière aussi injuste, et aussi peu professionnelle ?

Il s'accroche, cherche de l'aide auprès de Brunet. Mais celui-ci l'a déjà lâché :

« Fais ce qu'on te dit, Pauchon, sors de là. »

Le lieutenant s'avance vers Laforge. Il repousse d'un mouvement de bras Brunet qui tente de le retenir. Puis il jette plus qu'il ne pose l'ordinateur qu'il tenait à la main sur le bureau du divisionnaire :

« C'est le portable de Franck Deloye, dit-il en défiant son patron du regard. Il y a tout dedans, monsieur le commissaire divisionnaire Robert Laforge. Pour vous éviter de perdre du temps, le mot de passe est *Antoine*, en majuscules. Maintenant, c'est bon, je me casse. Je vous le dis, un jour c'est vous qui me rappellerez et qui me demanderez de revenir bosser pour vous. Mais, ce jour-là, vous pourrez aller vous faire foutre. »

Laforge soutient son regard sans ciller. Le silence s'installe. Sous son bureau, il serre ses poings à se faire saigner.

« Je m'en vais », finit par souffler Pauchon. Il tapote l'épaule de Franck Deloye en passant pour sortir : « Et toi, t'inquiète, je ne t'oublie pas, lui murmure-t-il.

— J'espère bien. Je ne vous oublierai pas non plus. Il n'y a pas assez de flics comme vous dans la police », raille Deloye.

Le lieutenant se dirige vers la porte, s'arrête à la hauteur de Catherine Daout :

« Merci, madame. Vous avez été très courageuse.

— Allez, ça suffit », dit Brunet en le saisissant par le bras pour le pousser hors du bureau. Il referme la porte et s'adresse à Laforge, visiblement rasséréné :

« Putain, une fois de plus, tu avais raison, Robert. Ce mec est vraiment un fouteur de merde. Il n'a rien à faire dans une brigade de la PJ.

— J'ai toujours raison, Étienne, sourit Laforge.

— Bien, et maintenant ? s'enquiert son adjoint.

— Maintenant, toi et Mme Daout, vous me laissez seul avec ce monsieur. »

41

Étienne Brunet voit Pauchon s'engager d'un pas assuré dans le couloir du second au lieu de continuer à descendre l'escalier. Il comprend brusquement, se précipite. « Pauchon, ne fais pas ça ! » s'exclame-t-il. Derrière lui, Catherine Daout presse le pas. Au prix d'un effort dont elle ne se savait plus capable, elle le rattrape, le retient par le bras :

« Laissez-le faire, plaide-t-elle.

— Vous êtes cinglée, cet imbécile est capable de tout foutre en l'air !

— Il a raison, vous savez... »

Il s'arrache à l'étreinte de Catherine Daout. Elle n'a plus la force ni le courage d'intervenir. Elle laisse couler ses larmes, là, debout au milieu du couloir. Toute la journée, elle a réussi à réprimer ses émotions, mais à présent elle s'y abandonne.

Brunet a rejoint Pauchon, il s'interpose au moment où le lieutenant va ouvrir la porte, le repousse si violemment qu'il recule de plusieurs mètres, trébuche, sur le point de tomber, mais le mur retient sa chute. Pauchon s'y appuie pour se redresser, reprend son souffle, ses esprits. L'assaut de Brunet l'a surpris. Il se redresse et l'affronte :

« Laissez-moi le voir, commissaire. »

Ce n'est plus une demande, mais une menace. Comme si le lieutenant se faisait violence pour ne pas se jeter sur le corps massif de son supérieur, comme si ce rempart qui semble infranchissable devant la porte de la salle d'interrogatoire ne l'impressionnait plus. Il avance vers lui. Quelques centimètres seulement séparent les deux hommes. Pauchon insiste, menace encore :

« Laissez-moi lui parler.

— Ce n'est plus ton affaire, Pauchon. Rentre chez toi.

— Pas avant de l'avoir vu.

— Mais putain, qu'est-ce que tu espères ? Tu n'as pas compris que c'est fini ? Tu es déjà dans une merde noire, Pauchon ! Ne t'enfonce pas davantage. Tu ne connais pas Laforge : ce n'est pas seulement à ton poste que tu peux dire adieu, c'est toute ta carrière qu'il va foutre en l'air ! Il ne va plus te laisser souffler jusqu'à ce que tu démissionnes, c'est ça que tu veux ? Je t'aimais bien, mon gars, tu pourrais être un très bon flic. Mais tu as été trop loin. C'est terminé pour toi ici, n'aggrave pas ton cas. Même moi, je n'ai plus envie de te défendre, alors ne m'oblige pas à te foutre dehors. Pour la dernière fois, barre-toi. »

Pauchon recule d'un pas. Il réfléchit. Il cherche encore à trouver les mots pour convaincre ce flic trop habitué à suivre son chef. Il a un sourire énigmatique :

« Ce n'est pas fini, chef. Je ne cherche rien du tout, j'ai trouvé, j'ai trouvé le vrai coupable ! claironne-t-il.

— Ah, tu as trouvé ? Putain, redescends sur terre. Tu as trouvé que dalle. Le mec derrière cette porte est le fumier qui a tué cette fille. Il n'y a plus rien à chercher. Tout l'accable et, en plus, Pelletier a ramassé chez lui un paquet de preuves. Ce que tu crois avoir trouvé, ça ne vaut rien à côté de ce qu'on a contre lui. Tu te goures, c'est Antoine qui est bon pour les assises, Pauchon !

— Il est revenu sur ses aveux.

— Des conneries… Ils reviennent tous sur leurs aveux. Mais c'est toujours trop tard. Il nous a fait une déposition tellement précise que c'était à gerber. Que ce malade soit revenu sur ses aveux à cause de cette vieille tête de mule, je m'en tape. Ça n'a plus aucune importance. J'ai mon coupable, et ça, ça me suffit. Et ça devrait te suffire, à toi aussi.

— Je ne comprends pas, commissaire, vous ne voulez pas savoir pourquoi il s'est rétracté ?

— Pas le moins du monde. J'ai si souvent vu des mecs revenir sur leurs déclarations et nier les évidences… Rien ne m'étonne plus. Crois-moi, Hervé, ce type-là est l'assassin d'Élodie. Si tu avais été là quand il a raconté son histoire, au lieu de faire tes combines à la con dans ton coin, tu n'aurais pas le moindre doute.

— Je n'aurais pas dû agir sans vous en parler, c'est vrai. Mais je vous le certifie, commissaire, ce n'est pas Antoine, c'est Franck qui a tué Élodie Favereau. »

« Oui, il faut le croire. »

Les deux hommes n'ont pas vu approcher Catherine Daout. Elle est restée tout près, témoin silencieux de leur affrontement. Elle s'est déjà reprise de l'accablement qui l'a submergée quelques minutes plus tôt. Maintenant, c'est de sa voix de médecin, ferme et autoritaire, qu'elle intervient.

« Madame, dit Brunet, vous aussi, vous devez rentrer chez vous.

— Je ne partirai pas », réplique-t-elle.

Brunet dissimule son trouble. Il peut comprendre l'obstination désespérée de Pauchon, un jeune flic avide de faire ses preuves, qui ne peut se résoudre à admettre son erreur, mais cette vieille dame si respectable… ?

« Madame Daout… »

Elle l'interrompt :

« Antoine m'a dit la vérité.

— À vous ? s'irrite Brunet. Qu'est-ce qu'il vous a dit ?

— Qu'il n'a pas tué Élodie.

— Vous êtes bien naïve, madame.

— Ne croyez pas ça, commissaire. Antoine ne peut pas me mentir. »

Brunet éclaterait de rire si la vieille dame ne paraissait pas aussi résolue. Il poursuit d'un ton plus sec, espérant lui faire lâcher prise : « Je suis désolé pour vous, madame, mais Antoine vous manipule, comme il le fait avec tout le monde, et depuis le début.

— Commissaire, vous devriez l'écouter, on a trouvé des preuves de la culpabilité de Franck Deloye, intervient Pauchon.

— Et elles sont où, ces preuves ? ironise Brunet.

— Sur le bureau du divisionnaire. Dans l'ordinateur de Franck. Tout y est. Vous qui voulez des aveux, ils y sont. Sans l'intervention de Mme Daout, Antoine se serait laissé condamner à la place de son frère. »

Le sourire plaqué sur le visage de Brunet s'efface en un éclair. Il a perdu assez de temps. D'une poigne ferme, il saisit Pauchon par le bras et le pousse devant lui sans ajouter un mot. Il est étonné de constater que le lieutenant ne résiste pas.

« C'est mieux comme ça », lui dit-il en l'entraînant jusqu'à l'escalier.

Il le lâche en haut des marches, ordonne : « Pars, maintenant. » Pauchon s'engage dans l'escalier, résigné.

C'est alors que Brunet réalise qu'il a oublié la vieille dame. Lorsqu'il se retourne, elle a disparu. En voyant la porte de la salle d'interrogatoire ouverte, il comprend qu'il s'est fait avoir. « Espèce de connard ! » lance-t-il à l'adresse de Pauchon qui a stoppé sa descente.

Il enrage devant l'air de satisfaction mêlée de revanche qu'il voit sur le visage du jeune lieutenant. Il s'est fait piéger.

Furibond, il se précipite vers la salle. Elle va voir, cette vieille folle, toute vieille et respectable et fragile qu'elle soit ! Il ne faut pas se foutre de sa gueule, à lui non plus !

Elle s'est assise face à Antoine. Le regardant avec affection, elle lui tient la main. Alors qu'il s'apprête à la soulever pour la pousser dehors *manu militari*, elle s'adresse à Antoine :

« Répète au commissaire ce que tu m'as dit. »

Brunet, pris de court, s'interrompt. Il redoute ce qui va suivre, s'attend au pire. À ce que tout s'écroule.

« Parle, Antoine », insiste-t-elle.

Les yeux délavés d'Antoine Deloye se plantent dans ceux de Catherine Daout. Son regard est soudain si dur, si implacable qu'elle ne peut le soutenir. Elle paraît surprise, fronce les sourcils. Elle semble soudain comprendre ce qu'il s'apprête à dire.

« Je t'en prie… Ne fais pas ça, Antoine, murmure-t-elle en vain.

— Si, si, persifle Antoine. C'est moi qui ai massacré Élodie. Vous ne pouvez pas imaginer le plaisir que j'ai ressenti. Surtout quand je lui ai coupé la tête. J'y ai mis toute mon énergie et toute ma haine. J'ai encore en mémoire le petit bruit soyeux que cela a fait !

— Antoine, tais-toi, par pitié… Tout à l'heure, tu es revenu sur tes aveux, sur toute cette horreur.

— Je m'amusais et vous êtes tombée dans le panneau, comme à l'époque, quand on était ado !

— S'il te plaît, Antoine, arrête… »

Il ordonne : « Regardez-moi ! »

Mais elle n'en a plus le courage. Brunet est obligé de l'aider pour qu'elle se lève. Tel un automate, elle se laisse mener vers la sortie.

Antoine s'adresse maintenant à Brunet :

« Commissaire, j'aimerais voir mon frère une dernière fois. J'ai beaucoup de choses à lui dire. Vous pensez que c'est possible ?

— Je vais en parler au divisionnaire.

— Je compte sur vous ! »

Arrivée à la porte, sans oser se retourner, Mme Daout trouve la force de demander : « Pourquoi, Antoine, pourquoi ?

— Disons parce que j'aime voir les autres souffrir ! Depuis que vous m'avez mis au monde, je pense. Vous ne le saviez pas, ça, madame Daout ! D'une certaine façon, la vieille, tu es responsable de tout ça. Tu dois avoir envie de crever, maintenant, hein ? »

Il ricane.

Derrière la porte refermée, ils entendent l'éclat de rire d'Antoine Deloye. La vieille femme se dégage de l'emprise de Brunet pour le fuir.

« Pourquoi fait-il ça ? Je sais que ce n'est pas lui. » Elle adresse ces seuls mots à Hervé Pauchon en le croisant sur le palier du second étage, avant de disparaître dans l'escalier.

Le jeune lieutenant reste interdit. Il écoute les pas précipités de la vieille dame dans l'escalier. Brunet pose sa main sur son épaule. Amical, il lui dit :

« Pars, maintenant, Hervé. Il vaut mieux que Laforge ne te voie pas. »

Brunet, à l'inverse de son chef, est encore capable de pitié. Et c'est bien de pitié dont a besoin le jeune lieutenant.

42

Étienne Brunet n'a pas à attendre l'autorisation du patron, c'est Franck Deloye qui vient lui ouvrir la porte.

« Vous êtes encore là ? » s'étonne Brunet.

Un moment plus tôt, il était venu informer son patron de l'ultime volte-face d'Antoine.

« Tu dois être content, tu l'as, ton coupable », avait été sa seule réponse, avant de le congédier.

Brunet revient pourtant à la charge. Il en a plus qu'assez de ces revirements. « Ça devient vraiment une putain de plaisanterie », enrage-t-il. Il attend de Laforge des ordres fermes.

La pièce est enfumée, empeste le tabac, lui irrite la gorge. Il voit le cendrier plein sur le bureau, les deux gobelets de café vides. Un paquet de Marlboro froissé traîne à côté de la poubelle. Le divisionnaire a raté son tir. Généralement, il réussit, annonce : « Panier ! » Puis, sans rire : « Dans une autre vie je serai basketteur. » À ce moment-là, personne n'oserait lui rappeler son mètre soixante rondouillard et ses talonnettes.

« Tu veux une clope ? » demande Laforge, un paquet entamé tendu vers son second.

Laforge a beau le tenter sans arrêt pour le faire replonger, Brunet tient bon. C'est devenu un rituel entre eux : Laforge propose une cigarette, Brunet lui répond qu'il attend avec impatience qu'il crève du cancer. Pas ce soir.

« L'air est irrespirable ici », grogne-t-il en ouvrant en grand la fenêtre, faisant entrer la pluie qui redouble dehors. Il bat en retraite, repousse les battants jusqu'à ce qu'ils soient tout juste entrebâillés.

« Je fume trop ! » plaisante Laforge. Il allume une cigarette et passe son briquet à Franck, qui a repris sa place, sur la chaise bancale.

Brunet se demande ce qu'ont bien pu se dire les deux hommes dans cette dernière demi-heure. Franck semble serein, comme rassuré. Le patron énigmatique, comme souvent. Il a cet air qui cache quelque chose.

« Je voudrais te parler.

— Je vous laisse », comprend Franck.

Il écrase la cigarette qu'il vient tout juste d'allumer, et se lève pour sortir.

« Restez dans les parages, lui lance Laforge. Nous avons un paquet à terminer, glisse-t-il en exhibant ses Marlboro. Et vous me devez un cigarillo !

— Je serai dans la cour », répond le jeune homme tandis qu'il tire la porte derrière lui.

« Alors ? demande Brunet. Qu'est-ce qu'on fait, maintenant ?

— Toi, je ne sais pas. Mais moi, je ne vais pas tarder à aller me coucher », répond-il, mais il ne donne absolument pas cette impression. « Cette journée m'a épuisé. »

« Étienne, je sais qu'il y a quelque chose qui te turlupine.

— "Turlupine", le mot est joli !

— Qu'est-ce qu'il y a dans l'ordinateur de Franck, Étienne ? »

L'ordinateur portable est ouvert, allumé. Laforge le tourne en direction de son second. « Regarde toi-même, c'est encore mieux que des aveux signés. »

Brunet découvre le visage figé de Franck. Ou est-ce Antoine ? Il est filmé de si près que son visage est déformé, presque grotesque. Il s'anime aussitôt que Laforge clique sur la touche « *play* ».

Le jeune homme s'est filmé lui-même, sur le banc d'un abribus. Il fait nuit, mais la lumière crue d'un réverbère éclaire parfaitement son visage. Derrière lui, des passants jettent des regards furtifs à ce jeune homme étrange qui se filme avec son Iphone en parlant à voix basse. Certains ralentissent le pas, curieux d'entendre ce qu'il dit. Mais c'est un murmure à peine audible qui s'échappe de l'appareil, et Brunet est obligé de se concentrer pour ne rien perdre. Le ton est morne, implacable, sans la moindre émotion. « Je m'appelle Franck Deloye », annonce l'homme sur le film. Les mots qui suivent sont d'une telle violence que Brunet, resté debout, finit par s'asseoir, frappé de stupeur. Avec des détails sordides, l'assassin d'Élodie Favereau raconte le meurtre, sa jouissance, la lente minutie avec laquelle il a détaché la tête de son corps.

« L'enregistrement dure une minute et cinquante-trois secondes. Deux putains de minutes d'abjection, intervient Laforge Tu veux le réécouter ? » Il connaît déjà la réponse.

« Vas-y. »

Cette fois, Brunet est plus attentif, le choc des mots terribles est passé. Il scrute les lieux, le visage du jeune homme, ses vêtements, exactement les mêmes que sur la caméra de surveillance de Boulogne. L'intonation de sa voix, où ne perce pas l'ombre d'un remords.

Lorsque la vidéo s'arrête à nouveau, sur un sourire satisfait, Brunet reste un moment sans parler. Finalement, il demande :

« Il y a d'autres choses ?

— Oui. Des photos du corps. Avant et après qu'il l'a décapité. Tu veux voir ?

— Non merci, pour le moment, celles de l'identité judiciaire me suffisent », dit-il avec écœurement.

Robert Laforge va à la fenêtre, laisse la pluie inonder son visage, comme un réconfort, jette son mégot dont il suit la petite lueur incandescente jusqu'au macadam de la cour. Au fond, il aperçoit dans la pénombre, sous un auvent qui le protège mal de la pluie, la silhouette de Franck Deloye. Le jeune homme avait insisté pour regarder ce que renfermait son ordinateur, raconte-t-il à son second. « Ses jambes se sont mises à trembler, il a laissé échapper sa cigarette. »

Elle était tombée sur le plancher, laissant une trace de brûlure qui ne disparaîtrait plus jamais.

« L'ordinateur est bien le sien, il ne l'a pas nié, poursuit le divisionnaire. En revanche, pour ces images, il ne donne qu'une seule explication, bien entendu : c'est Antoine qui a fait le film et les photos, et il a profité de son absence, sachant que Franck était aux Princes, pour venir les copier sur son ordinateur, sûr que la police finirait par les trouver. Il avait l'air sincèrement ébranlé par les images. J'ai dû attendre qu'il se calme pour lui poser des questions, mais à partir de là, il a eu réponse à tout. Lorsque je lui ai fait part de la conviction de Mme Daout, il a simplement répondu que la pauvre femme n'avait plus sa tête et que son frère lui faisait croire tout ce qu'il voulait depuis l'époque où elle s'était occupée d'eux.

— Et lui, tu l'as cru ? s'inquiète Brunet.

— Pour quelle raison ne pas le croire ? demande Laforge, mais il parle sans conviction. Sa version tient, non ? Ou peut-être pas… »

Il conclut, énigmatique : « Va savoir…

— Non, ce n'est pas Franck, affirme Brunet.

— Ah bon ? Et qu'est-ce qui te permet d'être aussi affirmatif ? » Brunet ne se soucie plus de son ton railleur. Il se lance :

« Le dossier. Je m'en tiens au dossier, rien qu'au dossier. Et je ne te parle pas de la façon dont Antoine est revenu sur ces aveux devant la vieille Daout. Putain, c'était criant de vérité, tu peux me croire, Robert.

— Pout tout te dire, je m'attendais à ce revirement, lâche Laforge.

— Tu t'y attendais ? Arrête de dire n'importe quoi, Robert. »

Laforge le coupe : « Raconte-moi précisément ce qui s'est passé tout à l'heure. »

Le commissaire n'hésite pas, même s'il sait qu'il va condamner Pauchon à une obscure carrière de flic. Mais il n'a plus d'autre choix que d'impliquer le jeune lieutenant. Il sait que Laforge ne lui pardonnera jamais sa désobéissance.

Il relate à son patron dans les détails la scène qui a eu lieu dans la salle d'interrogatoire. L'insistance du lieutenant et de Mme Daout à voir Antoine, la façon dont lui-même s'est fait piéger par cette sacrée bonne femme, les paroles d'Antoine Deloye. Comment l'accusé s'est vanté du crime d'Élodie et s'est moqué de la « pauvre vieille qui n'en revenait pas ». Il lui rapporte pour finir qu'Antoine a demandé à voir son frère une dernière fois. Seul à seul.

Laforge revient à la fenêtre. La pluie s'est arrêtée. Trois étages plus bas, Franck est sorti de son abri. Immobile au milieu de la cour, il fume, les yeux levés vers le divisionnaire. D'un geste de la main, celui-ci lui fait signe de remonter. Puis il se tourne vers son adjoint :

« Très bien, accordons-lui cet ultime petit plaisir, Étienne.

— Tu plaisantes ? s'emballe Brunet.

— Non, non, j'ai envie de les mettre face à face, pour la dernière fois.

— Robert, c'est une connerie. Ne fais pas ça ! Antoine a signé des aveux. Il les a répétés devant Daout et devant moi. »

Il prend le bras de Laforge, supplie presque : « On en a fini, là, laisse tomber. »

— C'est moi qui commande, d'accord ? Alors, allons-y », assène son chef.

Il se lève, écarte d'un geste l'imposante carcasse de Brunet et le précède dans le couloir, ignorant le regard désespéré que lui jette son second.

43

À l'instant où il va ouvrir la porte de la salle d'inter-rogatoire, Laforge retient Brunet par le bras.

« Laissons-les en tête à tête, déclare-t-il.

— Ne dis pas de conneries, s'inquiète Brunet. C'est trop risqué, là. »

Le divisionnaire ignore la mise en garde de son adjoint. Il s'adresse à Franck :

« Vous voulez qu'on vous accompagne ? »

Le jeune homme répond sans hésiter : « Non. Je préfère y aller seul, au contraire. » Puis il se tourne vers Brunet, comme pour le rassurer : « Ne vous en faites pas, commissaire, je ne lui ferai rien. Je veux seulement l'entendre reconnaître qu'il a fait tout ça contre moi. »

Pourtant, quelques minutes plus tôt, il exprimait sa rage et disait ne vouloir qu'une seule chose : rayer de sa vie ce frère monstrueux. « Je serais capable de le massacrer », les avait-il prévenus.

Lorsque Franck les avait rejoints sur le palier du deuxième étage, Brunet s'entêtait à raisonner son chef. Jusqu'à l'ultime seconde, il a répété que cette confrontation était inutile, à tout le moins prématurée, allant jusqu'à supplier Laforge d'y renoncer. Mais le divisionnaire avait balayé ses tentatives d'un ton sans réplique : « Écoute, moi, je tiens à le faire. »

Maintenant, il dit à Franck :
« Vous pouvez y aller. Nous sommes derrière la vitre, dans la pièce voisine. Nous voyons tout. »

Son ton est menaçant : « Au moindre écart, nous intervenons illico.

— Ne soyez pas inquiet, commissaire. Je ne le toucherai pas. Vous avez ma parole. » Après un instant de silence, le regard résolu, il ajoute : « Je suis arrivé au-delà de tout ça. »

Brunet a envie de lui demander ce qu'il entend par « tout ça ». Mais il n'en a pas le temps. Déjà, Laforge ouvre la porte en grand et annonce à l'homme assis dos à eux : « Antoine, ton frère a accepté de te voir. Nous vous laissons seuls. » Il s'adresse à Brunet :

« Détache-le.

— Pas question ! T'es devenu dingue ou quoi ?

— Donne-moi les clefs », ordonne le divisionnaire.

Brunet sort les clefs des menottes de sa poche.

« Tiens, dit-il à contrecœur. »

Laforge arrache la clef des menottes des mains de Brunet et délivre Antoine.

« Merci, commissaire, ça fait du bien de se sentir libre ! » soupire celui-ci en se massant le poignet.

Le divisionnaire le regarde froidement : « Bien, c'est le moment de vous expliquer. » Puis il répète d'une voix dure : « Je vous préviens tous les deux : nous sommes derrière la vitre et à la moindre alerte, nous vous bouclons.

— Je n'en suis plus là, commissaire, répète Franck. Si j'ai accepté de le voir, ce n'est pas pour créer des problèmes. Vous pouvez me croire : lorsque je quitterai cette pièce, nous aurons remis les compteurs à zéro. Je vous remercie, commissaire Laforge. »

Sans se retourner, Antoine s'exclame d'un ton ironique : « Entre donc, mon cher frère ! »

Laforge s'efface pour laisser passer Franck. La porte demeure entrouverte. Il rejoint la pièce contiguë. Brunet ne cache pas sa nervosité : « Tu es sûr de ce que tu fais ?

— J'en suis totalement convaincu. Ça te va ?

— C'est toi le patron. Moi, je ne suis… que ton adjoint…

— Alors, continue comme ça… »

Brunet choisit de ne pas réagir. Laforge serait capable de lui ordonner de foutre le camp et il manquerait le face-à-face entre les deux frères. Mais il ronge son frein. Il se poste en retrait, aux aguets, ne parvenant pas à comprendre pourquoi il prend le risque de cette confrontation. Qu'est-ce que cela peut apporter d'autre que de compliquer les choses ? Ça ne l'amuse pas du tout.

Ce qui va suivre les marquera à jamais. La scène n'aura duré qu'une poignée de secondes, une minute tout au plus, mais ils ne seront plus les mêmes après cela, cette paire de flics inébranlables aux victoires forgées au cœur du mal aura disparu. Leur histoire commune, cette complicité bâtie au fil des ans, aura volé en éclats.

« Il a refermé la porte, s'exclame nerveusement Brunet, prêt à se précipiter.

— Ne bouge pas, ordonne Laforge. Et tais-toi. »

Le silence règne dans la salle d'interrogatoire. Les deux policiers se demandent qui va parler le premier. Les deux frères ne se regardent pas. Antoine est resté assis, immobile. Franck passe à côté de lui, se dirige vers le fond de la pièce. Il fait un signe de la main en direction du miroir, l'air de dire que tout va bien. Il sourit. Antoine relève la tête en direction de son frère.

C'est à cet instant que tout se précipite. D'un geste brusque et puissant, Franck renverse la caméra qui filme la scène, faisant disparaître toute trace des événements.

« Il faut y aller, supplie presque Brunet.

— Ferme-la ! Regarde. »

Derrière la vitre sans tain, ils voient d'abord Antoine se redresser. Franck s'approche de lui. Les deux frères se font face, visage fermé. Ils semblent se défier du regard. Dans le même geste qu'ils avaient eu à leur première rencontre, dans le couloir, ils serrent les poings.

« Ils vont s'entretuer, il faut arrêter ça, Robert, putain ! »

Est-ce que son chef a pressenti ce qui allait suivre ? Est-ce qu'il l'a voulu ? Ces questions, Brunet se les posera cent fois par la suite, et il ne pourra jamais leur donner de réponse.

Dans un mouvement fulgurant, les jumeaux, sans prononcer le moindre mot, se précipitent d'un même élan vers la porte. Ils s'y appuient de toutes leurs forces. Leurs gestes semblent coordonnés comme un plan longuement mûri. Ils commencent à enlever leurs vêtements, qu'ils jettent contre le miroir. Sur les flics.

« Merde. Vite ! » hurle Laforge.

Il est déjà dans le couloir. La porte résiste. De l'autre côté, les deux frères unissent leurs efforts pour la bloquer. Quand elle cède enfin, c'est parce que les jumeaux l'ont décidé. Laforge manque de tomber, se rattrape à Brunet.

Les frères Deloye ont reculé au fond de la pièce. Ils sont entièrement nus. Des doubles parfaits, comme au premier jour. Brunet racontera que, dans un premier temps, il est resté fasciné par leur ressemblance. « Ils étaient deux, mais c'était la même personne… c'était effrayant. »

« Bonsoir, messieurs. Vous voyez, comme disait notre père, nous nous ressemblons comme deux gouttes d'eau », dit celui qui se tient à droite. Il parle calmement, puis, comme une évidence, il ajoute en désignant son voisin : « Je vous présente Antoine Deloye, mon frère, celui qui a tué Élodie.

— Non ! non, proteste aussitôt le second, moi je suis Franck, celui qui est innocent. C'est lui Antoine !

— Tu mens ! s'énerve le premier. Je suis Franck.

— Franck, c'est moi.

— Ils se foutent de nous ! hurle Brunet. Putain, c'est quoi ce merdier, Robert ? »

Laforge est incapable de réagir, dépassé par cette scène insensée. Celui qui vient de parler s'adresse aux deux policiers stupéfaits et captivés par le jeu des deux hommes nus : « En toute franchise, messieurs les policiers, nous ne sommes parfois plus très sûrs de qui est

Franck et qui est Antoine. Mais là, j'affirme, je jure devant vous que je suis Franck Deloye.

— Il ment ! » s'égosille son double.

« Le divisionnaire et moi, nous étions tétanisés. Incapables de trouver une riposte tellement ce qu'on voyait était incroyable. C'était, comment vous dire… surréaliste. Oui c'est ça : fou et surréaliste », résumera plus tard Brunet au juge d'instruction Pierrick Anglade.

Les exclamations des deux frères couvrent les mots que souffle Laforge à Brunet :

« Les jumeaux ont gagné, Étienne. Ils m'ont baisé. »

Il faut toute l'énergie des deux mètres de Brunet pour empêcher son patron de se jeter sur eux. Il le pousse dehors, claque la porte, la ferme à clef, les laissant seuls. Qu'ils s'étripent sans nous, songe-t-il.

Les deux flics font quelques pas, puis s'adossent au mur du couloir, côte à côte. Laforge allume une cigarette. Brunet demande : « Qu'est-ce qui s'est passé, Robert ? Qu'est-ce qu'on fait maintenant ?

— Maintenant… » Les mots restent en suspens. Puis il termine d'une voix forte : « J'ai perdu, Étienne.

— Ne dis pas n'importe quoi, reprends-toi, Robert. On ne va pas se laisser baiser par ces deux enfoirés ? » tente Brunet. Il voudrait stopper le désespoir, mêlé de rage, qu'il sent monter chez le petit homme silencieux qui se tient à sa gauche. Il est si proche qu'il effleure sa main.

« Allons dans mon bureau. Je t'expliquerai. » Laforge est déjà au bout du couloir.

Avant de le rejoindre, Brunet passe dans la pièce d'observation. Les deux frères sont toujours debout, côte à côte, les jambes agitées d'un tremblement léger, silencieux, face à la vitre sans tain, comme s'ils attendaient qu'on les départage. Cette image aussi restera gravée à jamais dans sa mémoire.

Quelques instants plus tard, Brunet s'affale sur le canapé encombré. Laforge a repris sa place, derrière son bureau. Il a retiré sa cravate, l'a laissée tomber à terre. « Je ne te propose pas une cigarette », dit-il. Lentement, le divisionnaire allume la sienne, tente à la première bouffée de faire un anneau de fumée. Échoue, soupire : « Ce n'est pas ma soirée… » Ses yeux sont fixés sur la fenêtre où tambourine la pluie. Brunet rompt le silence. Il demande :

« Ils sont complices ?

— Oui, ils sont complices, Étienne, explique Laforge, d'un ton las. Je l'ai compris depuis le début. J'espérais le prouver, je comptais sur ce face-à-face pour y parvenir.

— Alors, tu as gagné, Robert ? » tonne Brunet. Il reprend confiance.

« Non, Étienne. J'ai perdu. Les deux frères me manœuvrent depuis le début. Leur plan était mûrement préparé, programmé depuis des mois. Mais ce n'est que ma conviction. Je ne pourrai pas le prouver.

— Je ne pige pas. S'ils sont complices, ils sont jugés tous les deux et basta, putain. Je ne vois pas où tu as perdu. On a gagné, Robert ! Tu devrais te réjouir, au lieu de faire la gueule, c'est toi qui les as baisés !

— Tu te trompes… Malheureusement, je suis tombé comme un con dans leur piège.

— Je ne comprends pas…

— C'est pourtant simple. Ils ont tout fait pour nous convaincre de la culpabilité d'Antoine. C'est lui l'assassin et Franck est innocent. Ce n'est pas nous qui avons conduit l'enquête, c'est eux. Ils nous ont totalement manipulés et on s'est fait avoir dans les grandes largeurs, moi le premier. L'ADN, les images vidéo, cette histoire d'alibi, c'est du cousu main. Et maintenant chacun d'eux soutiendra jusqu'au bout qu'il s'appelle Franck. Que son jumeau est le coupable, qu'il ne veut pas payer pour lui, etc., etc.

— D'accord, reprend Brunet, qui sent Laforge vaciller, mais la scène à laquelle on vient d'assister prouve qu'ils sont complices ! Ils se déshabillent ensemble, sous notre nez ! Si ce n'est pas de la complicité ça ! Tu as bien vu comment ils nous narguaient derrière la vitre !

— Chacun soutiendra mordicus qu'il a agi sous l'influence de l'autre, du mauvais Antoine. Et comme nous n'avons aucun enregistrement, aucune image, rien… Tu verras, ils embrouilleront le juge comme ils m'ont embrouillé. Et il finira par délivrer un non-lieu. J'en mets ma main à couper !

— Non, non, Robert ! Ne laisse pas tomber, n'abdique pas devant ces enculés !

— Des enculés, Étienne, c'est très réducteur… réplique Laforge, un sourire las aux lèvres. Ce sont des monstres, des pervers. Ils sont… Je pense qu'ils ont toujours été des êtres malfaisants. Ce crime, ils l'ont commis ensemble, à leur façon, comme tout ce qu'ils ont fait depuis qu'ils sont enfants. Ils sont deux, mais ils ne forment qu'un seul individu. Antoine est Franck et Franck est Antoine… Si ça se trouve, ce n'est même pas Antoine qu'on cuisine depuis des heures, c'est l'autre. »

Enfin, il lâche, dans une exhalaison de tabac : « Si tu reprends tout ce qui s'est passé depuis que nous avons mis Antoine en garde à vue, tu verras qu'ils ont tout fait pour qu'on conclue qu'il y a un seul coupable, et que c'est lui et lui seul. Mais nous ne saurons jamais lequel des deux est Antoine, celui qui a avoué avoir tué de ses mains Élodie Favereau, et signé ses aveux. Si ça se trouve, et tu veux que je te dise, c'est comme cela que les choses se sont passées : un des deux a tué la fille, il est parti, l'autre l'a rejoint dans le couloir du métro, ils ont échangé leur place et c'est l'autre qui est revenu à l'appartement pour trancher la gorge de la fille… Ils sont interchangeables. Mais ça n'a même plus d'importance : on ne pourra jamais le prouver. Le fait est qu'ils ont commis le crime parfait.

— Mais pourquoi l'ont-ils tuée, elle ? » demande Brunet, l'air un peu hagard. Il ne parvient pas à réaliser ce qu'affirme son chef.

« Elle, ou une autre… Il leur faut des proies. Cette pauvre fille n'a été qu'un pion dans leur jeu sordide. Le "F" sur son front ne désignait pas Franck. Il disait "frères", et ça aussi, je l'avais compris… Mais c'est trop tard, Étienne… »

Ses yeux se voilent. Brunet, troublé, a l'impression que Laforge est sur le point de fondre en larmes. Il ne parvient pas à comprendre pourquoi son patron s'avoue ainsi vaincu. Il tente de l'obliger à se ressaisir :

« Allons, Robert, reprends-toi, mon vieux, tu ne vas pas te laisser faire par deux petits salopards, quand même ? Ho ?

— Non, j'abandonne. La police, les enquêtes, tout ce bordel, c'est terminé pour moi. »

Robert Laforge garde la tête baissée. Son attitude est celle d'un homme qui a subi, pour la première fois de sa vie de flic, une défaite dont il ne se relèvera pas. Brunet n'insiste plus. À quoi bon... Vidé, abattu, il sort sans un mot, oubliant de refermer la porte, fuyant ce merdier. Au deuxième étage, il perçoit le silence assourdissant qui règne dans la salle d'interrogatoire. Il n'a plus l'envie ni la force d'affronter les jumeaux Deloye. Au premier, il se souvient de Peyrot, prisonnier quelque part d'un bureau. Celui-là aussi, il l'abandonne à son sort.

Il n'a qu'une hâte, rentrer chez lui. Essayer de dormir.

Il entend, à l'étage supérieur, la porte de Laforge se refermer avec fracas, et il imagine la crise de fureur qui va détruire son vieux compagnon dans la solitude détestable de son bureau.

Épilogue

Aix-en-Provence, dix-neuf mois plus tard

Il fait beau, si chaud que le garçon grand et mince, solaire avec ses cheveux blonds coupés court, et ce curieux épi sur la tempe, retire son sweat-shirt de coton gris et le pose sur la chaise vide à sa gauche. Il abandonne son visage bronzé aux caresses du soleil. On pourrait dire qu'il est beau, avec quelque chose d'attirant, mais aussi d'intrigant et de troublant. Cela vient sans doute de la couleur de ses yeux. Si pâles, presque transparents. De la main, il caresse le bras de la jeune femme assise à sa droite, qui se serre contre lui. Elle se penche et pose un baiser léger sur ses lèvres. Il lui murmure combien il se sent bien.

« Moi aussi », répond-elle simplement.

Pour les passants, leur bonheur d'être ensemble ne doit faire aucun doute. Les plus observateurs pourraient sans doute juger que la jeune femme semble en adoration devant son compagnon. Mais dans l'animation de ce début de week-end, sur le cours Mirabeau, qui s'arrêterait à ce couple d'amoureux, qui affiche sa tendresse comme des dizaines d'autres ?

Le soleil de ce samedi d'octobre a poussé une foule de jeunes gens aux devantures des cafés. Qui sait si ce n'est pas la dernière belle journée de l'année ? La météo annonce des orages pour la soirée.

Chanceux, ils ont obtenu une table en terrasse, jouant un peu des coudes, et s'imposant malgré les protestations de cet autre couple qui affirmait être là avant eux. Si lui et son frère, qui les accompagne, n'avaient pas investi la table d'autorité, elle aurait sans doute battu en retraite. Un peu honteuse, elle a obéi sans protester quand il lui a soufflé : « Allons, assieds-toi. »

Ils ont commandé deux cafés et une bière.

« La bière, c'est le péché mignon de mon frangin, mais s'il n'avait que celui-là… », lui dit-il, souriant, en désignant celui qui vient de se lever, son portable à la main.

« Je n'en reviens toujours pas, murmure-t-elle. C'est incroyable à quel point vous vous ressemblez.

— Comme deux gouttes d'eau, disaient nos parents ! » plaisante-t-il.

Un soir, quelques jours seulement après leur rencontre, il lui avait confié qu'il avait perdu ses parents à l'âge de seize ans, et il avait pleuré. Son chagrin l'avait touchée. Partager ce moment intense avait donné un sens précieux à leur relation. Du moins en est-elle convaincue…

« Heureusement que je l'ai, lui », ajoute-t-il à présent, en regardant avec affection son jumeau qui s'est éloigné et s'apprête à les prendre en photo avec son portable.

Elle s'appelle Marie.

Elle a une vingtaine d'années. Elle est brune, les yeux noirs d'encre. Jolie et gracieuse.

Ils se sont rencontrés quatre mois plus tôt à la soirée d'anniversaire d'un ami commun. Depuis, ils ne se quittent plus. Elle sortait d'une rupture douloureuse. Lui, avait-il déclaré le lendemain soir, lorsqu'il l'avait invitée dans un restaurant chinois, avait connu des moments difficiles. « Des mois de galère. Mais c'est du passé, maintenant. Tout est rentré dans l'ordre », avait-il assuré, ajoutant, un brin énigmatique : « Dans la vie, tout est une question de patience… »

Tout, en effet, était rentré dans l'ordre. Leur ordre à eux.

Trois jours après l'épisode où ils s'étaient mis nus devant lui, niant à jamais leur identité, le divisionnaire Robert Laforge avait démissionné.

Ce fut leur première victoire.

Le commissaire divisionnaire Brunet lui avait succédé à la direction de l'enquête. Sa première décision avait été de se débarrasser de Pauchon. Le lieutenant continuait à refuser l'évidence. Pour lui, Franck était l'assassin, et qu'ils se présentent tous deux sous ce prénom était un atout pour les flics. Il ne fallut que trois semaines avant que Brunet ne réclame son départ de la brigade. Il ne supportait plus son assurance, cette arrogance affichée devant tous, mais surtout il voulait respecter la volonté de son ancien patron. Il l'accabla tant que Pauchon passa devant l'inspection générale et en sortit avec un blâme pour manquement à la discipline, un véritable arrêt de mort dans la police. Depuis, il se morfondait à la préfecture de police, au service des étrangers.

Étienne Brunet n'avait pas la moindre idée de ce qu'était devenu Laforge, le vieux compagnon qui avait tant compté pour lui et qu'il ne parvenait pas à oublier. Ce n'était pas faute d'avoir tenté de le retrouver. Mais Laforge avait disparu. Les courriers revenaient avec la mention « *inconnu à cette adresse* », et il ne touchait pas à sa retraite. Son compte bancaire restait muet. Aucun retrait. Brunet s'était rendu chez lui. L'appartement était occupé par de nouveaux locataires. Il avait retrouvé son ancienne femme. Elle non plus n'avait pas de nouvelles, mais elle semblait s'en foutre. Parfois, Brunet en arrivait à craindre que Laforge ne se soit flingué après l'une de ses crises de rage destructrices dont il avait été si souvent le témoin impuissant.

Il avait repris le dossier des frères Deloye. Durant des semaines, lui et le juge Anglade avaient travaillé avec une minutie pointilleuse, vérifiant chaque détail afin de déterminer qui des deux était Antoine. Comme l'avait prévu Laforge le soir de sa défaite, ils s'étaient heurtés à un mur. Pire : ils s'étaient fracassés contre lui. Chacun des jumeaux campait sans faillir sur sa position. Il était Franck, il était innocent, il fallait le relâcher. Point final. Le juge, dans une ultime tentative, que les avocats des deux frères avaient avec une surprenante unanimité qualifiée de « désespérée », les avait inculpés tous deux de complicité d'assassinat. Chacun des avocats s'était attaché à démonter cette accusation : l'enquête avait démontré qu'un seul des deux frères pouvait avoir tué. Certes, ils avaient le même ADN, celui du sang retrouvé sur l'arme du crime. Mais l'alibi des Princes avait été confirmé par Peyrot, par le couple Piette, et tout un tas de témoins que les avocats avaient dégotés. L'un des jumeaux ne pouvait pas avoir été présent sur le lieu du crime. « Les deux Franck » affirmaient tous deux que la jeune femme était plus qu'une amie et qu'ils couchaient avec elle. « Elle m'aimait, répétaient-ils, et elle avait peur d'Antoine. »

L'avocat de chacun d'entre eux s'était donc appliqué à démontrer que l'assassin ne pouvait pas être son client, Franck Deloye, mais celui de son confrère, Antoine. Et inversement. « Un cirque invraisemblable, qui nous rendait tous dingues », racontera Brunet.

Des mois durant, le juge, Brunet et ses enquêteurs s'étaient obstinés. Mais ils ne parvinrent jamais à prendre l'un des jumeaux en défaut.

Et finalement, après des mois de détention, d'acharnement à tenter de démêler les fils de cette étrange relation, le juge Anglade avait abdiqué. Le seul mot qu'il eut quand il annonça sa décision aux parents d'Élodie fut « désolé ». Il ne recueillit que leur mépris muet. Il n'était pas parvenu à monter un dossier suffisamment convaincant pour conduire les frères Deloye aux assises. Et d'ailleurs, après l'avoir longuement entendu, le président de la chambre d'accusation lui avait déconseillé de le faire. « Votre dossier se fera balayer par leurs avocats, lui avait-il expliqué. Vous n'avez pas pu démontrer la complicité, et du coup, aucun tribunal ne pourra les condamner. »

Le juge s'était rendu à l'évidence : il avait échoué dans son instruction. Il s'était donc résolu à prononcer un non-lieu en leur faveur. Histoire de sauver, quelque peu, la face, il avait statué que les frères Deloye devaient rester à disposition de la justice. Mais cela n'avait servi à rien. Les jumeaux avaient disparu peu de temps après avoir été remis en liberté, et cette affaire était devenue un véritable symbole de l'échec de la justice aux yeux de ses confrères. Anglade n'avait finalement eu d'autre recours que d'accepter un poste de substitut à Cayenne, une promotion bien amère.

À leur libération, chacun des frères avait rédigé une longue lettre. Chacun remerciait le juge de sa décision, clamait son innocence, accusait son jumeau du meurtre d'Élodie, dénonçait sa perversité, promettait de ne plus jamais le revoir, et annonçait qu'il quittait Paris « pour le fuir et refaire sa vie ».

Une semaine après, Étienne Brunet faisait valoir ses droits à la retraite.

« Un bon flic est un flic divorcé », répétait Laforge. Quelques mois plus tard, Brunet quittait sa femme. Depuis, il vit seul à Belle-Île, passe ses journées à la pêche, et se serait remis à fumer.

Lorsque Antoine avait évoqué ses « mois de galère », Marie avait aussitôt pensé à une liaison, qui, comme pour elle, s'était mal terminée. Elle sentait qu'il y avait là un mystère, mais avait décidé de ne pas chercher à en savoir davantage, respectant sa pudeur. « Je préfère tourner la page et passer à autre chose », lui avait-il dit, en l'embrassant avec tant de fougue qu'elle s'était laissé transporter. Il avait raison, seul le présent au côté de cet homme merveilleux comptait. Il lui tardait de le présenter à ses parents, cette fois, c'était sérieux, elle en était convaincue.

En revanche, il lui parlait souvent de son frère jumeau. Un soir, il lui montra une photo. Le jeune homme qui figurait dessus était si semblable à celui dont elle était tombée amoureuse qu'elle en fut troublée.

Et ce n'était rien, à côté du choc qu'elle avait ressenti en le rencontrant pour la première fois, un quart d'heure auparavant.

« Ainsi, la voilà donc, ta Marie ! » avait-elle entendu. Il l'avait surprise, arrivant par derrière. Elle était restée sans voix, tandis que les deux frères éclataient de rire.

« On nous a clonés tout petits », s'était amusé celui qui venait d'arriver et il l'avait aussitôt embrassée chaleureusement sur les deux joues.

« Je suis Franck, s'était-il présenté, le frère aîné d'Antoine !

— Ce voyou m'a grillé la politesse sur la ligne d'arrivée », avait confirmé ce dernier.

Avant de la rassurer, avec un sourire plein d'une complicité joviale pour son frère : « C'est vrai que nous nous ressemblons. Mais, tu verras, quand tu le connaîtras mieux, tu te rendras compte que nous sommes vraiment différents. Lui, il est très méchant et moi, je suis gentil !

— Ah non ! c'est moi, le gentil ! »

Ils avaient éclaté de rire et, réconfortée par leur gaieté, elle avait ri avec eux. Heureusement qu'ils ne sont pas habillés de la même façon, sinon j'aurais été capable de les confondre, n'avait-elle pu s'empêcher de penser. Mais elle avait chassé cette idée, un peu gênée, et avait décidé de prendre avec humour cette situation inédite. Elle s'était blottie contre Antoine et l'avait embrassé avec flamme. « Et en plus, tu es beaucoup plus beau que ton frère ! » avait-elle renchéri d'un ton taquin.

« Souriez, les amoureux ! lance Franck. Allez, frangin, fais un petit effort ! »

Un large sourire illumine le visage des deux jeunes gens, serrés l'un contre l'autre. Puis Antoine se lève à son tour.

« Va rejoindre Marie, je vais vous prendre en photo tous les deux. Ça nous fera des souvenirs. »

Lorsque Franck s'assied près d'elle, Marie lui dit gentiment : « Je suis heureuse de faire ta connaissance, Franck. Ton frère m'a tellement parlé de toi. Vous semblez inséparables, tous les deux ? »

C'est plus une affirmation qu'une question, et Franck ne se donne pas la peine d'y répondre. Il se borne à sourire à l'attention de son frère, qui ordonne : « Souriez, vous êtes filmés ! »

En retrait, dans l'ombre de la terrasse, se protégeant de ce soleil qu'il n'apprécie pas, un petit homme, ventripotent et chauve, ne perd rien de la scène. Cela fait des mois qu'il attend ce moment. Depuis que les frères Deloye ont échappé à la justice, il ne les a pas lâchés, les suit, les surveille, sans s'accorder le moindre répit. Pugnace et obstiné, il sait cette fois qu'il ne les laissera pas gagner.

Pourtant, il ne sourit pas.

Du même auteur
chez Sonatine éditions :

Adieu, 2011.
Qui ?, 2013.

Chez d'autres éditeurs :

La Longue Peine, Éditions Calmann-Lévy, 1989.
Gens de l'Est, Éditions La Découverte, 1992.
La Femme du monstre, Éditions Anne Carrière, 2007.
La Théorie des six, Éditions Anne Carrière, 2008.
Ce soir je vais tuer l'assassin de mon fils, Éditions Anne
    Carrière, 2010.
Grands criminels de l'histoire, L'Express éditions/Radio
    France, 2012.

Le Livre de Poche s'engage pour l'environnement en réduisant l'empreinte carbone de ses livres. Celle de cet exemplaire est de :

300 g éq. CO_2

Rendez-vous sur www.livredepoche-durable.fr

PAPIER À BASE DE FIBRES CERTIFIÉES

Composition réalisée par PCA

Achevé d'imprimer en mai 2016 en Allemagne par
GGP Media GmbH, Pößneck
Dépôt légal 1re publication : juin 2016
LIBRAIRIE GÉNÉRALE FRANÇAISE
31, rue de Fleurus – 75278 Paris Cedex 06